언제나 만점이고 싶은 친

Welcome!

공부하기 싫어, 놀고 싶어!
공부는 지겹고, 어려워!
그 마음 잘 알아요.
그럼에도 꾸준히 공부하고 있는 여러분은
정말 대단하고, 칭찬받아 마땅해요.

여러분, 정말 미안해요.
공부를 지겹고 어려운 것으로 느끼게 해서요.

그래서 열심히 연구했어요.
공부하는 시간이 기다려지는 책을 만들려고요.
당장은 어려운 문제를 풀지 못해도 괜찮아요.
지금 여러분에겐 공부가 즐거워지는 것이 가장 중요하니까요.

이제 우리와 함께 재미있는 공부의 세계로 떠나볼까요?

#초등수학심화서
#상위권이보는
#문제풀이동영상
#경시대회대비

최고수준 수학

Chunjae
Makes
Chunjae

▼

최고수준 수학

기획총괄	지유경
편집개발	정소현, 조선영, 최윤석
디자인총괄	김희정
표지디자인	윤순미, 권오현
내지디자인	박희춘, 이혜미
제작	황성진, 조규영

발행일	2018년 6월 1일 초판 2024년 4월 15일 8쇄
발행인	(주)천재교육
주소	서울시 금천구 가산로9길 54
신고번호	제2001-000018호
고객센터	1577-0902
본문 사진 제공	셔터스톡

★ 상위권 실력 완성 ★

최고
수준

수학

4-2

3~4학년군

동영상 강의 무료 제공

+ 교재 홈페이지
(book.chunjae.co.kr)

동영상 강의는 QR 또는 교재 홈페이지에서 무료로 제공합니다.

이 책의 **구성**

STEP 1 **Start** 개념

1 진분수의 덧셈

① 분모는 그대로 두고 분자끼리 더합니다.
② 계산 결과가 가분수이면 대분수로 바꾸어 나타냅니다.

· $\frac{1}{6}+\frac{4}{6}$의 계산

$$\frac{1}{6}+\frac{4}{6}=\frac{1+4}{6}=\frac{5}{6}$$

· $\frac{2}{4}+\frac{3}{4}$의 계산

$$\frac{2}{4}+\frac{3}{4}=\frac{2+3}{4}=\frac{5}{4}=1\frac{1}{4}$$

가분수를 대분수로 나타내기

2 진분수의 뺄셈

분모는 그대로 두고 분자끼리 뺍니다.

· $\frac{3}{5}-\frac{1}{5}$의 계산

$$\frac{3}{5}-\frac{1}{5}=\frac{3-1}{5}=\frac{2}{5}$$

미리보기 [5-1]

· 분모가 다른 진분수의 덧셈
분모를 같게 만든 후 분자끼리 더합니다.
예 $\frac{1}{6}+\frac{2}{3}=\frac{1}{6}+\frac{2\times2}{3\times2}$
$=\frac{1}{6}+\frac{4}{6}=\frac{5}{6}$

· 분모가 다른 진분수의 뺄셈
분모를 같게 만든 후 분자끼리 뺍니다.
예 $\frac{1}{2}-\frac{1}{4}=\frac{1\times2}{2\times2}-\frac{1}{4}$
$=\frac{2}{4}-\frac{1}{4}=\frac{1}{4}$

개념 활용
□ 안에 알맞은 수 구하기
· ● + □ = ■ ⇨ □ = ■ - ●

· 핵심 개념, 심화 학습에 필요한 개념을 정리하고 확인할 수 있어요.
· 상위 연계 개념을 미리 볼 수 있어요.

STEP 2 **Jump** 유형

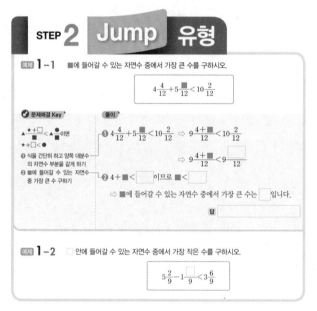

예제 **1-1** ■에 들어갈 수 있는 자연수 중에서 가장 큰 수를 구하시오.

$$4\frac{4}{12}+5\frac{■}{12}<10\frac{2}{12}$$

예제 **1-2** □ 안에 들어갈 수 있는 자연수 중에서 가장 작은 수를 구하시오.

$$5\frac{2}{9}-1\frac{□}{9}<3\frac{6}{9}$$

· 시험에 자주 출제되는 문제 유형을 뽑아 풀어 본 후 유사문제로 다질 수 있어요.
· 창의·융합 문제도 학습할 수 있어요.

STEP 3 **Master** 심화

해법 경시 유형

01 분모가 18인 대분수 중에서 $2\frac{13}{18}$보다 크고 3보다 작은 분수들의 합을 구하시오.

(   )

유형 ❶ □ 안에 들어갈 수 있는 수를 구하는 문제

02 □ 안에 들어갈 수 있는 자연수는 모두 몇 개입니까?

$$2\frac{3}{12}+3\frac{9}{12}<\frac{□}{12}<7-\frac{5}{12}$$

(   )

· 심화 유형의 문제, 경시대회 기출문제, 창의·융합 문제를 풀어 보며 실력을 키울 수 있어요.

STEP 4 **Top** 최고수준

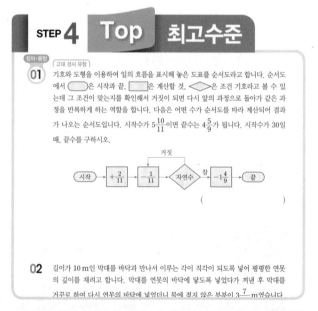

창의·융합
고대 경시 유형

01 기호와 도형을 이용하여 일의 흐름을 표시해 놓은 도표를 순서도라고 합니다. 순서도에서 ◯은 시작과 끝, ▭은 계산할 것, ◇은 조건 기호라고 볼 수 있는데 그 조건이 맞는지를 확인해서 거짓이 되면 다시 앞의 과정으로 돌아가 같은 과정을 반복하게 하는 역할을 합니다. 다음은 어떤 수가 순서도를 따라 계산되어 결과가 나오는 순서도입니다. 시작수가 $5\frac{10}{11}$이면 끝수는 $4\frac{5}{9}$가 됩니다. 시작수가 30일 때, 끝수를 구하시오.

(   )

02 길이가 10 m인 막대를 바닥과 만나서 이루는 각이 직각이 되도록 넣어 평평한 연못의 깊이를 재려고 합니다. 막대를 연못의 바닥에 닿도록 넣었다가 꺼낸 후 막대를 거꾸로 하여 다시 연못의 바닥에 넣었더니 물에 젖지 않은 부분이 $3\frac{7}{}$ m였습니다.

· 교내외 경시대회에 출제되는 높은 수준의 문제들을 선별하여 수록하였어요.

수학 교과 역량을 기르는 **창의 · 융합 문제**

창의 · 융합 문제를 통해 수학과 타 교과의 실생활 지식, 기능, 경험을 수학과 연결 · 융합하여
새로운 지식, 기능, 경험을 생성하고 문제를 해결하는 능력을 기를 수 있어요.

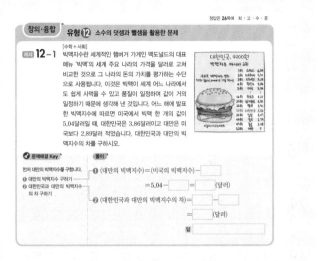

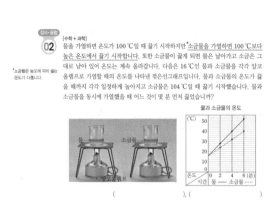

실전에 더욱 강해질 수 있는 **각종 경시 유형 문제**

각종 경시 유형 문제를 도전해 보며 **실전 경시대회를 대비**할 수 있고 수학 실력을 한층 높일 수 있어요.

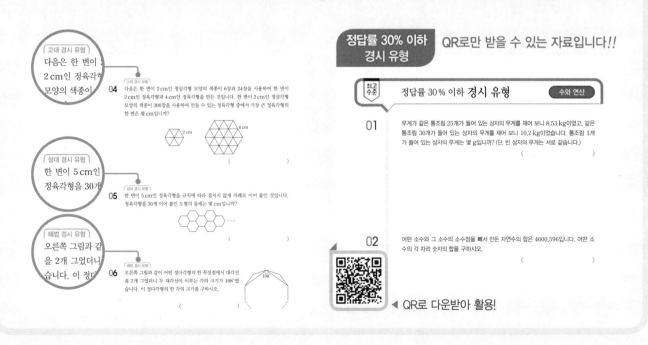

이 책의 차례

1 분수의 덧셈과 뺄셈

꼭! 알아야 할 대표 유형

유형 **1** □ 안에 들어갈 수 있는 수를 구하는 문제

유형 **2** 수직선을 이용한 거리를 구하는 문제

유형 **3** 약속에 따라 식을 만들어 계산하는 문제

유형 **4** 수 카드로 만든 분수의 합과 차를 구하는 문제

유형 **5** 이어 붙인 색 테이프의 길이를 구하는 문제

유형 **6** 합과 차가 주어진 두 분수를 구하는 문제

유형 **7** 고장 난 시계가 가리키는 시각을 구하는 문제

유형 **8** [창의·융합] 전체를 1로 하여 해결하는 문제

단계	쪽수	공부한 날	점수
1단계 Start 개념	6~11	월 일	O X
2단계 Jump 유형	12~19	월 일	O X
3단계 Master 심화	20~25	월 일	O X
4단계 Top 최고수준	26~27	월 일	O X

※ O에는 맞힌 개수, X에는 틀린 개수를 써넣으세요.

1 진분수의 덧셈

① 분모는 그대로 두고 분자끼리 더합니다.
② 계산 결과가 가분수이면 대분수로 바꾸어 나타냅니다.

- $\dfrac{1}{6}+\dfrac{4}{6}$의 계산

$$\frac{1}{6}+\frac{4}{6}=\frac{1+4}{6}=\frac{5}{6}$$

- $\dfrac{2}{4}+\dfrac{3}{4}$의 계산

$$\frac{2}{4}+\frac{3}{4}=\frac{2+3}{4}=\frac{5}{4}=1\frac{1}{4}$$

가분수를 대분수로 나타내기

2 진분수의 뺄셈

분모는 그대로 두고 분자끼리 뺍니다.

- $\dfrac{3}{5}-\dfrac{1}{5}$의 계산

$$\frac{3}{5}-\frac{1}{5}=\frac{3-1}{5}=\frac{2}{5}$$

3 1−(진분수)

1을 가분수로 바꾸어 계산합니다.

- $1-\dfrac{1}{3}$의 계산

$$1-\frac{1}{3}=\frac{3}{3}-\frac{1}{3}=\frac{3-1}{3}=\frac{2}{3}$$

빼는 분수와 분모가 같게 바꾸기

미리보기 5-1

- **분모가 다른 진분수의 덧셈**
분모를 같게 만든 후 분자끼리 더합니다.

예 $\dfrac{1}{6}+\dfrac{2}{3}=\dfrac{1}{6}+\dfrac{2\times2}{3\times2}$
$\qquad=\dfrac{1}{6}+\dfrac{4}{6}=\dfrac{5}{6}$

- **분모가 다른 진분수의 뺄셈**
분모를 같게 만든 후 분자끼리 뺍니다.

예 $\dfrac{1}{2}-\dfrac{1}{4}=\dfrac{1\times2}{2\times2}-\dfrac{1}{4}$
$\qquad=\dfrac{2}{4}-\dfrac{1}{4}=\dfrac{1}{4}$

개념 활용

□ 안에 알맞은 수 구하기

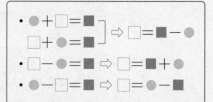

예 $\square+\dfrac{2}{11}=\dfrac{7}{11}$에서 □ 안에 알맞은 수 구하기

$\square+\dfrac{2}{11}=\dfrac{7}{11}$

$\Rightarrow \square=\dfrac{7}{11}-\dfrac{2}{11}=\dfrac{5}{11}$

1 다음이 나타내는 수를 구하시오.

$$\frac{6}{9} 보다 \frac{2}{9} 큰 수$$

(   )

2 빈칸에 알맞은 수를 써넣으시오.

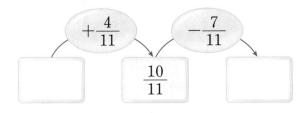

3 계산 결과가 가장 작은 것을 찾아 기호를 쓰시오.

$$㉠ \frac{2}{7}+\frac{3}{7} \quad ㉡ 1-\frac{1}{7} \quad ㉢ \frac{6}{7}-\frac{2}{7}$$

(   )

4 다음 덧셈의 계산 결과는 진분수입니다. ☐ 안에 들어갈 수 있는 자연수를 모두 구하시오.

$$\frac{8}{13}+\frac{☐}{13}$$

(   )

5 지우는 우유를 하루에 $\frac{5}{8}$ L씩 마십니다. 지우가 2일 동안 마신 우유의 양은 몇 L입니까?

(   )

6 어떤 수에서 $\frac{3}{10}$ 을 빼야 하는데 잘못하여 더했더니 $\frac{7}{10}$ 이 되었습니다. 바르게 계산하면 얼마입니까?

(   )

1 대분수의 덧셈

• $2\dfrac{3}{6}+3\dfrac{4}{6}$ 의 계산

방법1 자연수끼리, 진분수끼리 계산하기

$$2\dfrac{3}{6}+3\dfrac{4}{6}=(2+3)+\left(\dfrac{3}{6}+\dfrac{4}{6}\right)=5+\dfrac{7}{6}$$
$$=5+1\dfrac{1}{6}=6\dfrac{1}{6}$$

$\llcorner\rightarrow 7\div6=1\cdots1 \Rightarrow 1\dfrac{1}{6}$

방법2 가분수로 바꾸어 계산하기

$$2\dfrac{3}{6}+3\dfrac{4}{6}=\dfrac{15}{6}+\dfrac{22}{6}=\dfrac{37}{6}=6\dfrac{1}{6}$$

가분수를 대분수로 나타내기

2 (자연수)−(대분수)

• $4-1\dfrac{2}{5}$ 의 계산

방법1 자연수에서 1만큼을 가분수로 바꾸어 계산하기

$$4-1\dfrac{2}{5}=3\dfrac{5}{5}-1\dfrac{2}{5}=(3-1)+\left(\dfrac{5}{5}-\dfrac{2}{5}\right)$$

빼는 분수와 분모가 같게 바꾸기

$$=2+\dfrac{3}{5}=2\dfrac{3}{5}$$

방법2 가분수로 바꾸어 계산하기

$$4-1\dfrac{2}{5}=\dfrac{20}{5}-\dfrac{7}{5}=\dfrac{13}{5}=2\dfrac{3}{5}$$

3 대분수의 뺄셈

• $4\dfrac{2}{7}-1\dfrac{3}{7}$ 의 계산

방법1 자연수에서 1만큼을 가분수로 바꾸어 계산하기

$$4\dfrac{2}{7}-1\dfrac{3}{7}=3\dfrac{9}{7}-1\dfrac{3}{7}=(3-1)+\left(\dfrac{9}{7}-\dfrac{3}{7}\right)$$

1만큼을 가분수로 바꾸기

$$=2+\dfrac{6}{7}=2\dfrac{6}{7}$$

방법2 가분수로 바꾸어 계산하기

$$4\dfrac{2}{7}-1\dfrac{3}{7}=\dfrac{30}{7}-\dfrac{10}{7}=\dfrac{20}{7}=2\dfrac{6}{7}$$

참고

• 가분수를 대분수로 나타내기

$$\dfrac{\blacktriangle}{\blacksquare} \Rightarrow \blacktriangle\div\blacksquare=\bullet\cdots\bigstar$$
$$\Rightarrow \bullet\dfrac{\bigstar}{\blacksquare}$$

• 대분수를 가분수로 나타내기

$$\bullet\dfrac{\blacktriangle}{\blacksquare}=\dfrac{\bullet\times\blacksquare+\blacktriangle}{\blacksquare}$$

참고

자연수 1은 분모와 분자가 같은 분수로 나타낼 수 있습니다.

$$1=\dfrac{2}{2}=\dfrac{3}{3}=\dfrac{4}{4}=\dfrac{5}{5}=\cdots\cdots$$

개념 활용

자연수 ▲를 분모가 같은 두 대분수의 합으로 나타내기

① 분수 부분에서 분자끼리의 합이 분모와 같게 만들기

② 자연수끼리의 합이 (▲−1)이 되도록 만들기

예 4를 분모가 3인 대분수의 합으로 나타내기

$$\Rightarrow 4=1\dfrac{1}{3}+2\dfrac{2}{3}$$
$$=1\dfrac{2}{3}+2\dfrac{1}{3}$$

1 ☐ 안에 알맞은 수를 써넣으시오.

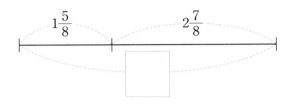

2 가장 큰 수와 가장 작은 수의 차를 구하시오.

$$2\frac{9}{10} \quad 7\frac{7}{10} \quad 9\frac{3}{10} \quad 2\frac{7}{10}$$

(   )

3 분수 2개를 골라 합이 가장 큰 덧셈식을 만들고 계산하시오.

$$1\frac{2}{7} \quad 3\frac{1}{7} \quad 2\frac{6}{7} \quad 4\frac{3}{7}$$

식

4 계산 결과가 8에 더 가까운 식을 찾아 기호를 쓰시오.

$$\text{㉠ } 10-1\frac{3}{6} \qquad \text{㉡ } 9-1\frac{1}{6}$$

(   )

5 밀가루 3 kg 중에서 빵을 만드는 데 $1\frac{4}{5}$ kg을 사용했습니다. 남은 밀가루는 몇 kg입니까?

(   )

6 합이 10이 되는 두 분수를 찾아 쓰시오.

$$3\frac{6}{15} \quad 5\frac{7}{15} \quad 6\frac{9}{15} \quad 5\frac{8}{15}$$

(,   )

1 수 카드로 분수를 만들어 합과 차 구하기

> • 분모가 같은 진분수는 분자가 클수록 큰 분수입니다.
> • 대분수는 자연수 부분이 클수록 큰 분수이고, 자연수 부분이 같으면 분수 부분이 클수록 큰 분수입니다.

예 수 카드 1, 3, 5 를 한 번씩 모두 사용하여 만들 수 있는 대분수 중에서 분모가 5인 가장 큰 대분수와 가장 작은 대분수의 합과 차 구하기

• 가장 큰 대분수: $3\frac{1}{5}$ • 가장 작은 대분수: $1\frac{3}{5}$

⇨ 합: $3\frac{1}{5}+1\frac{3}{5}=4\frac{4}{5}$, 차: $3\frac{1}{5}-1\frac{3}{5}=1\frac{3}{5}$

연결 개념

2 세 분수의 계산

• $3\frac{1}{6}+\frac{2}{6}+1\frac{3}{6}$의 계산

방법 1 앞에서부터 계산하기

$$3\frac{1}{6}+\frac{2}{6}+1\frac{3}{6}=\left(3\frac{1}{6}+\frac{2}{6}\right)+1\frac{3}{6}$$
$$=3\frac{3}{6}+1\frac{3}{6}=4\frac{6}{6}=5$$

방법 2 한꺼번에 계산하기

$$3\frac{1}{6}+\frac{2}{6}+1\frac{3}{6}=(3+1)+\left(\frac{1}{6}+\frac{2}{6}+\frac{3}{6}\right)$$
$$=4+\frac{6}{6}=5$$

• $2\frac{1}{5}-1\frac{4}{5}+1\frac{2}{5}$의 계산

$$2\frac{1}{5}-1\frac{4}{5}+1\frac{2}{5}=\left(2\frac{1}{5}-1\frac{4}{5}\right)+1\frac{2}{5}$$
$$\underset{①}{\underline{\qquad}}\underset{②}{\underline{\qquad\qquad}}=\frac{2}{5}+1\frac{2}{5}=1\frac{4}{5}\;(\bigcirc)$$

> 세 분수의 덧셈과 뺄셈은 앞에서부터 차례로 계산해요.

$$2\frac{1}{5}-1\frac{4}{5}+1\frac{2}{5}=2\frac{1}{5}-\left(1\frac{4}{5}+1\frac{2}{5}\right)$$
$$\underset{②}{\underline{\qquad\qquad}}\underset{①}{\underline{\qquad}}=2\frac{1}{5}-3\frac{1}{5}\;(\times)$$

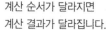
계산 순서가 달라지면
계산 결과가 달라집니다.

개념 활용

㉠>㉡>㉢일 때 계산 결과가 가장 크도록 식 만들기

> • □−□−□인 경우
>   ⇨ ㉠−㉡−㉢ 또는 ㉠−㉢−㉡
> • □+□−□인 경우
>   ⇨ ㉠+㉡−㉢ 또는 ㉡+㉠−㉢
> • □−□+□인 경우
>   ⇨ ㉠−㉢+㉡ 또는 ㉡−㉢+㉠

예 □−□−□의 계산 결과가 가장 크도록 식 만들기

$2\frac{5}{8}$	$5\frac{3}{8}$	$1\frac{7}{8}$

⇨ $5\frac{3}{8}>2\frac{5}{8}>1\frac{7}{8}$이므로

$$5\frac{3}{8}-2\frac{5}{8}-1\frac{7}{8}$$
$$=2\frac{6}{8}-1\frac{7}{8}=\frac{7}{8}$$

참고

세 수의 계산 순서

• 세 수의 덧셈
  어떤 두 수를 먼저 계산해도 결과가 같습니다.
• 세 수의 덧셈과 뺄셈
  앞에서부터 차례로 계산합니다. 계산 순서가 달라지면 계산 결과가 달라지거나 계산이 되지 않는 경우가 생깁니다.

1 빈칸에 알맞은 수를 써넣으시오.

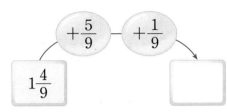

2 민규네 집에서 우체국과 병원을 거쳐 학교까지의 거리는 몇 km입니까?

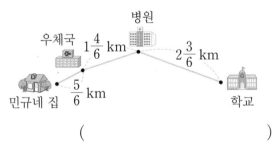

( )

3 크기를 비교하여 ○ 안에 >, =, <를 알맞게 써넣으시오.

$$2\frac{7}{8} - \frac{3}{8} + 1\frac{1}{8} \bigcirc 3\frac{7}{8}$$

4 계산 결과가 가장 크도록 □ 안에 분수를 써넣고, 계산하시오.

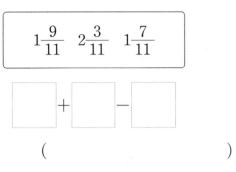

$$\boxed{} + \boxed{} - \boxed{}$$

( )

5 세연이가 빨간색 물감과 파란색 물감을 각각 $15\frac{7}{10}$ g씩 섞어 보라색 물감을 만들었습니다. 이 보라색 물감을 $2\frac{9}{10}$ g 사용했다면 남은 보라색 물감은 몇 g입니까?

( )

6 수 카드를 한 번씩 모두 사용하여 만들 수 있는 대분수 중에서 분모가 7인 가장 큰 대분수와 가장 작은 대분수의 차를 구하시오.

$$\boxed{2} \quad \boxed{5} \quad \boxed{7}$$

( )

예제 1-1 ■에 들어갈 수 있는 자연수 중에서 가장 큰 수를 구하시오.

$$4\frac{4}{12}+5\frac{\blacksquare}{12}<10\frac{2}{12}$$

🔑 문제해결 Key

$▲\dfrac{★+□}{■}<▲\dfrac{●}{■}$이면

$★+□<●$

❶ 식을 간단히 하고 양쪽 대분수의 자연수 부분을 같게 하기
❷ ■에 들어갈 수 있는 자연수 중 가장 큰 수 구하기

풀이

❶ $4\frac{4}{12}+5\frac{\blacksquare}{12}<10\frac{2}{12}$ ⇨ $9\frac{4+\blacksquare}{12}<10\frac{2}{12}$

⇨ $9\frac{4+\blacksquare}{12}<9\frac{\boxed{}}{12}$

❷ $4+\blacksquare<\boxed{}$ 이므로 ■$<\boxed{}$

⇨ ■에 들어갈 수 있는 자연수 중에서 가장 큰 수는 $\boxed{}$ 입니다.

답 _____

예제 1-2 □ 안에 들어갈 수 있는 자연수 중에서 가장 작은 수를 구하시오.

$$5\frac{2}{9}-1\frac{\square}{9}<3\frac{6}{9}$$

(   )

응용 1-3 □ 안에 들어갈 수 있는 자연수 중에서 가장 큰 수를 구하시오.

$$6\frac{4}{7}-2\frac{\square}{7}>2\frac{2}{7}+1\frac{3}{7}$$

(   )

유형 ❷ 수직선을 이용한 거리를 구하는 문제

예제 2-1 ㉮에서 ㉲까지의 거리는 몇 km입니까?

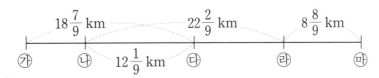

🔑 문제해결 Key

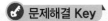

(㉮~㉯)=(㉮~㉰)−(㉯~㉰)

❶ ㉮에서 ㉯까지의 거리 구하기

❷ ㉮에서 ㉲까지의 거리 구하기

풀이

❶ (㉮에서 ㉯까지의 거리)

$$=(㉮\sim㉰)-(㉯\sim㉰)=18\frac{7}{9}-12\frac{1}{9}=\boxed{}\frac{\boxed{}}{9}\,(\text{km})$$

❷ (㉮에서 ㉲까지의 거리)

$$=(㉮\sim㉯)+(㉯\sim㉱)+(㉱\sim㉲)$$

$$=\boxed{}+22\frac{2}{9}+8\frac{8}{9}=(6+22+8)+(\frac{\boxed{}}{9}+\frac{2}{9}+\frac{8}{9})$$

$$=\boxed{}+\boxed{}\frac{\boxed{}}{9}=\boxed{}\,(\text{km})$$

답 ☐

예제 2-2 ㉮에서 ㉲까지의 거리는 몇 km입니까?

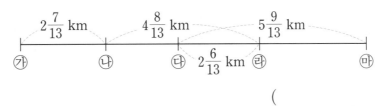

(   )

응용 2-3 ㉴에서 ㉵까지의 거리는 몇 km입니까?

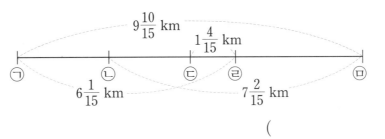

(   )

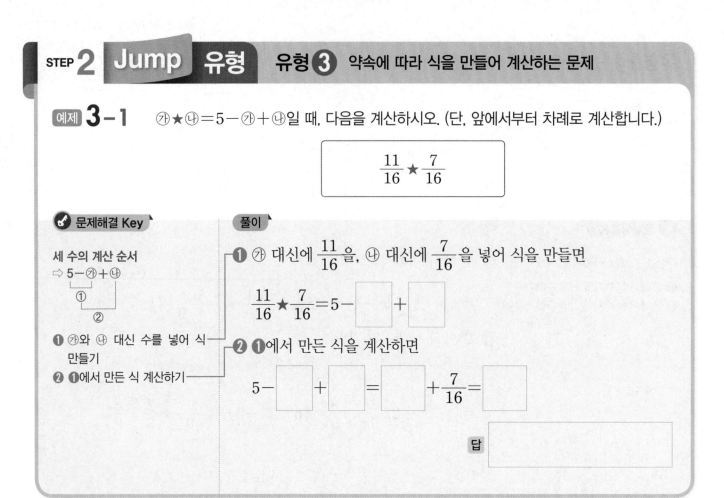

예제 **3-1** ㉮★㉯=5－㉮＋㉯일 때, 다음을 계산하시오. (단, 앞에서부터 차례로 계산합니다.)

$$\frac{11}{16} ★ \frac{7}{16}$$

🔑 **문제해결 Key**

세 수의 계산 순서
⇨ 5－㉮＋㉯
 ①
 ②

❶ ㉮와 ㉯ 대신 수를 넣어 식 만들기
❷ ❶에서 만든 식 계산하기

풀이

❶ ㉮ 대신에 $\frac{11}{16}$을, ㉯ 대신에 $\frac{7}{16}$을 넣어 식을 만들면

$$\frac{11}{16} ★ \frac{7}{16} = 5 - \boxed{} + \boxed{}$$

❷ ❶에서 만든 식을 계산하면

$$5 - \boxed{} + \boxed{} = \boxed{} + \frac{7}{16} = \boxed{}$$

답 $\boxed{}$

예제 **3-2** ㉮◉㉯=㉮＋$\frac{5}{6}$－㉯일 때, 다음을 계산하시오. (단, 앞에서부터 차례로 계산합니다.)

$$\frac{3}{6} ◉ 1\frac{1}{6}$$

(   )

응용 **3-3** ㉠◆㉡=㉡－㉠＋$\frac{9}{11}$일 때, ☐ 안에 알맞은 분수를 구하시오.

(단, 앞에서부터 차례로 계산합니다.)

$$\frac{4}{11} ◆ \boxed{} = 1\frac{2}{11}$$

(   )

유형 ④ 수 카드로 만든 분수의 합과 차를 구하는 문제

예제 4-1 6장의 수 카드 중에서 3장을 골라 한 번씩만 사용하여 만들 수 있는 대분수 중에서 분모가 6인 가장 큰 대분수와 가장 작은 대분수의 합을 구하시오.

$$\boxed{3}\ \boxed{7}\ \boxed{5}\ \boxed{6}\ \boxed{4}\ \boxed{1}$$

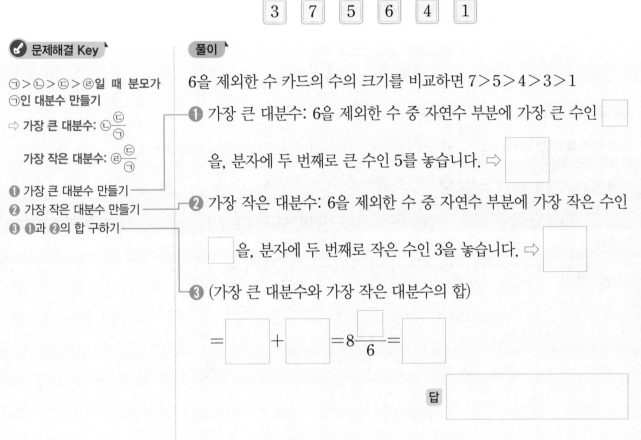

🔑 문제해결 Key

㉠>㉡>㉢>㉣일 때 분모가 ㉠인 대분수 만들기

⇨ 가장 큰 대분수: ㉡$\dfrac{㉢}{㉠}$

　 가장 작은 대분수: ㉣$\dfrac{㉢}{㉠}$

❶ 가장 큰 대분수 만들기
❷ 가장 작은 대분수 만들기
❸ ❶과 ❷의 합 구하기

풀이

6을 제외한 수 카드의 수의 크기를 비교하면 7>5>4>3>1

❶ 가장 큰 대분수: 6을 제외한 수 중 자연수 부분에 가장 큰 수인 $\boxed{}$ 을, 분자에 두 번째로 큰 수인 5를 놓습니다. ⇨ $\boxed{}$

❷ 가장 작은 대분수: 6을 제외한 수 중 자연수 부분에 가장 작은 수인 $\boxed{}$ 을, 분자에 두 번째로 작은 수인 3을 놓습니다. ⇨ $\boxed{}$

❸ (가장 큰 대분수와 가장 작은 대분수의 합)

$$=\boxed{}+\boxed{}=8\dfrac{\boxed{}}{6}=\boxed{}$$

답 $\boxed{}$

예제 4-2 6장의 수 카드 중에서 3장을 골라 한 번씩만 사용하여 만들 수 있는 대분수 중에서 분모가 8인 가장 큰 대분수와 가장 작은 대분수의 차를 구하시오.

$$\boxed{2}\ \boxed{7}\ \boxed{6}\ \boxed{4}\ \boxed{8}\ \boxed{9}$$

(　　　　　　　　　)

응용 4-3 6장의 수 카드를 한 번씩 모두 사용하여 분모가 같은 두 대분수를 만들려고 합니다. 합이 가장 작은 두 대분수의 덧셈식을 만들어 합을 구하시오.

$$\boxed{9}\ \boxed{7}\ \boxed{2}\ \boxed{4}\ \boxed{9}\ \boxed{3}$$

(　　　　　　　　　)

예제 5-1 길이가 10 cm인 색 테이프 3장을 그림과 같이 $1\frac{2}{9}$ cm씩 겹쳐서 이어 붙였습니다. 이어 붙인 색 테이프의 전체 길이는 몇 cm입니까?

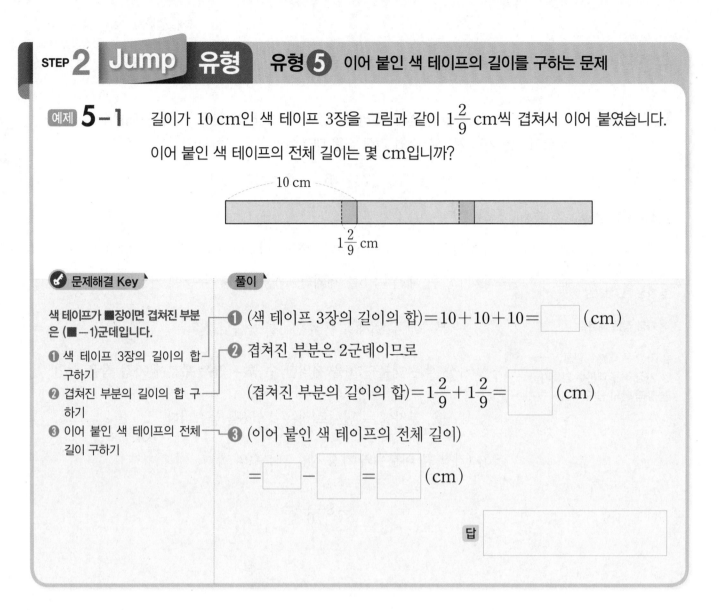

🔑 문제해결 Key

색 테이프가 ■장이면 겹쳐진 부분은 (■−1)군데입니다.

❶ 색 테이프 3장의 길이의 합 구하기

❷ 겹쳐진 부분의 길이의 합 구하기

❸ 이어 붙인 색 테이프의 전체 길이 구하기

풀이

❶ (색 테이프 3장의 길이의 합)=10+10+10= ☐ (cm)

❷ 겹쳐진 부분은 2군데이므로

(겹쳐진 부분의 길이의 합)=$1\frac{2}{9}+1\frac{2}{9}=$ ☐ (cm)

❸ (이어 붙인 색 테이프의 전체 길이)

= ☐ − ☐ = ☐ (cm)

답 ☐

예제 5-2 길이가 $8\frac{3}{5}$ cm인 색 테이프 3장을 $\frac{4}{5}$ cm씩 겹쳐서 한 줄로 길게 이어 붙였습니다. 이어 붙인 색 테이프의 전체 길이는 몇 cm입니까?

( )

응용 5-3 길이가 $10\frac{3}{8}$ cm인 색 테이프 3장을 그림과 같이 일정한 길이씩 겹쳐서 이어 붙였더니 이어 붙인 색 테이프의 전체 길이가 $28\frac{5}{8}$ cm가 되었습니다. 색 테이프를 몇 cm씩 겹쳐 이어 붙였습니까?

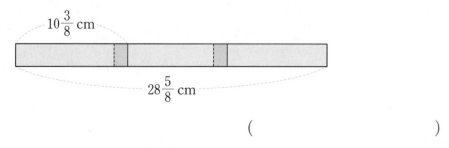

( )

유형 **6** 합과 차가 주어진 두 분수를 구하는 문제

[예제] **6**-1 분모가 7인 진분수가 2개 있습니다. 합이 $\dfrac{5}{7}$, 차가 $\dfrac{3}{7}$인 두 진분수를 구하시오.

🔑 **문제해결 Key**

모르는 수가 2개인 경우 두 식을 더해 모르는 수 하나를 지웁니다.

(예)
$$\begin{array}{r} ■+\!\!\!\!/\,=4 \\ +)\ ■-\!\!\!\!/\,=2 \\ \hline ■+■=6 \end{array}$$

❶ 식 간단히 하기
❷ ■와 ▲ 구하기
❸ 두 진분수 구하기

풀이

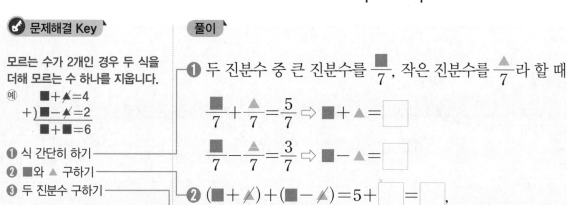

❶ 두 진분수 중 큰 진분수를 $\dfrac{■}{7}$, 작은 진분수를 $\dfrac{▲}{7}$라 할 때

$$\dfrac{■}{7}+\dfrac{▲}{7}=\dfrac{5}{7} \Rightarrow ■+▲=\boxed{}$$

$$\dfrac{■}{7}-\dfrac{▲}{7}=\dfrac{3}{7} \Rightarrow ■-▲=\boxed{}$$

❷ $(■+\!\!\!\!/\,)+(■-\!\!\!\!/\,)=5+\boxed{}=\boxed{}$,

$■+■=\boxed{}$, $■=\boxed{}$

$■+▲=5$에서 $▲=5-\boxed{}=\boxed{}$

❸ 두 진분수는 $\dfrac{\boxed{}}{7}$와 $\dfrac{\boxed{}}{7}$입니다.

답
,

[예제] **6**-2 분모가 11인 진분수가 2개 있습니다. 합이 $\dfrac{10}{11}$, 차가 $\dfrac{4}{11}$인 두 진분수를 구하시오.

(,)

[응용] **6**-3 분모가 9인 두 대분수가 있습니다. 합이 $4\dfrac{1}{9}$, 차가 $1\dfrac{6}{9}$인 두 대분수를 구하시오.

(,)

1

분수의 덧셈과 뺄셈

예제 **7 – 1** 하루에 $\frac{2}{6}$분씩 늦어지는 시계가 있습니다. 이 시계를 이달 1일 오후 6시에 정확하게 맞추어 놓았다면 이달 7일 오후 6시에 이 시계가 가리키는 시각은 오후 몇 시 몇 분입니까?

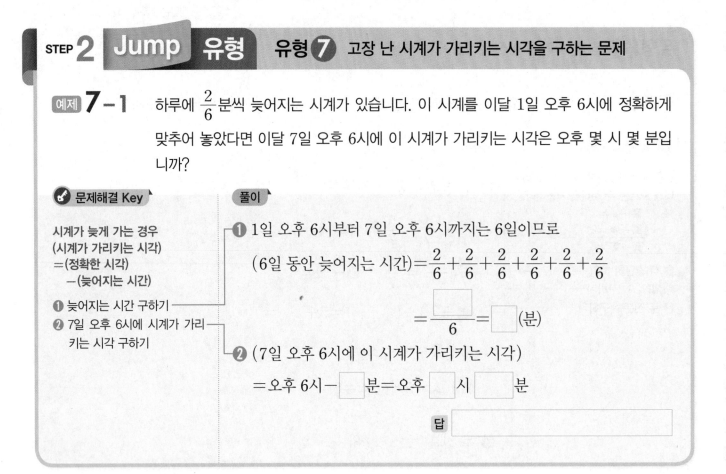

문제해결 Key

시계가 늦게 가는 경우
(시계가 가리키는 시각)
＝(정확한 시각)
 ―(늦어지는 시간)

❶ 늦어지는 시간 구하기
❷ 7일 오후 6시에 시계가 가리키는 시각 구하기

풀이

❶ 1일 오후 6시부터 7일 오후 6시까지는 6일이므로

$$(6\text{일 동안 늦어지는 시간}) = \frac{2}{6} + \frac{2}{6} + \frac{2}{6} + \frac{2}{6} + \frac{2}{6} + \frac{2}{6}$$

$$= \frac{\boxed{}}{6} = \boxed{} \ (\text{분})$$

❷ (7일 오후 6시에 이 시계가 가리키는 시각)

＝오후 6시 ― $\boxed{}$ 분＝오후 $\boxed{}$ 시 $\boxed{}$ 분

답 $\boxed{}$

예제 **7 – 2** 하루에 $12\frac{3}{5}$분씩 빨라지는 시계가 있습니다. 이 시계를 월요일 오전 10시에 정확하게 맞추어 놓았다면 같은 주 토요일 오전 10시에 이 시계가 가리키는 시각은 오전 몇 시 몇 분입니까?

(   )

응용 **7 – 3** 지안이의 손목시계는 하루에 $\frac{1}{3}$분씩 늦어지고 민규의 손목시계는 12시간에 $2\frac{1}{6}$분씩 빨라진다고 합니다. 지안이와 민규가 손목시계를 이달 10일 오후 5시에 정확하게 맞추어 놓았습니다. 이달 13일 오후 5시 정각에 두 사람의 손목시계가 가리키는 시각의 차는 몇 분입니까?

(   )

창의·융합 **유형 ⑧** 전체를 1로 하여 해결하는 문제

[수학＋사회]

예제 **8-1**

*모: 논에 옮겨심기 위하여 기르는 어린 벼

모내기법은 씨앗을 바로 땅에 뿌리는 것이 아니라 *모를 모판에 심어서 기르다가 어느 정도 크면 논으로 옮겨와 줄지어 심는 방법입니다. 이 농사법은 건강한 모만 논에 옮겨심기 때문에 수확량이 훨씬 많아졌고 심을 때 줄을 맞춰 심기 때문에 잡초를 뽑기가 쉽습니다. 아버지와 어머니는 모내기를 하려고 합니다.

하루에 하는 일의 양이 아버지는 전체의 $\frac{2}{10}$, 어머니는 전체의 $\frac{1}{10}$입니다. 처음 하루 동안은 어머니 혼자 일을 했다면 앞으로 두 분이 함께 며칠 동안 일을 해야 모내기를 끝낼 수 있습니까?

🔑 **문제해결 Key**

(전체 일의 양)＝1

❶ 어머니 혼자 일을 하고 남은 일의 양 구하기

❷ 아버지와 어머니가 함께 하루에 할 수 있는 일의 양 구하기

❸ 두 분이 함께 며칠 만에 일을 끝낼 수 있는지 구하기

풀이

❶ (어머니 혼자 일을 하고 남은 일의 양)

$$=1-\frac{1}{10}=\boxed{}$$

❷ (아버지와 어머니가 함께 하루에 할 수 있는 일의 양)

$$=\frac{2}{10}+\frac{1}{10}=\boxed{}$$

❸ $\frac{3}{10}+\boxed{}+\boxed{}=\frac{9}{10}$이므로 두 분이 함께 $\boxed{}$일 동안 일을 해야 모내기를 끝낼 수 있습니다.

답 _____

응용 **8-2**

[수학＋과학]

혈액형에는 여러 가지가 있는데 가장 대표적으로 알려진 것이 ABO식 혈액형입니다. ABO식 혈액형은 A형, B형, O형, AB형의 4가지로 분류합니다. 같은 혈액형끼리는 혈액을 나누어 줄 수 있어서 다치거나 수술을 할 때 혈액형을 아는 것이 매우 중요합니다.

현우네 반 학생들의 혈액형을 조사하였더니 전체의 $\frac{2}{8}$는 B형, 전체의 $\frac{1}{8}$은 AB형, O형인 학생 수는 B형인 학생 수와 같고 나머지는 A형으로 9명입니다. 현우네 반 전체 학생은 몇 명입니까?

(   )

해법 경시 유형

01 분모가 18인 대분수 중에서 $2\frac{13}{18}$보다 크고 3보다 작은 분수들의 합을 구하시오.

(   )

유형 ❶ □ 안에 들어갈 수 있는 수를 구하는 문제

02 □ 안에 들어갈 수 있는 자연수는 모두 몇 개입니까?

$$2\frac{3}{12}+3\frac{9}{12}<\frac{\square}{12}<7-\frac{5}{12}$$

(   )

창의·융합 [수학＋과학] 고대 경시 유형

03 벌집은 육각형 모양으로 되어 있습니다. 육각형은 변이 맞닿아 있어서 많은 꿀을 빈틈없이 보관할 수 있습니다. 또 삼각형과 사각형도 빈틈이 생기지 않지만 그중에서 육각형이 가장 넓고 튼튼하기 때문에 꿀벌은 육각형 모양으로 집을 짓는 것입니다. 오른쪽은 벌집의 일부를 그린 것입니다. 그린 벌집의 한 변이 $1\frac{1}{4}$ cm이고 변의 길이가 모두 같은 육각형일 때, 굵은 선의 길이는 몇 cm입니까?

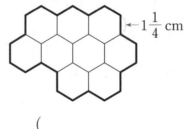

$\leftarrow 1\frac{1}{4}$ cm

(   )

1

분수의 덧셈과 뺄셈

고대 경시 유형 유형 ❷ 수직선을 이용한 거리를 구하는 문제

04 ㉠에서 ㉡까지의 거리와 ㉢에서 ㉣까지의 거리 중 어느 쪽이 몇 km 더 먼지 구하시오.

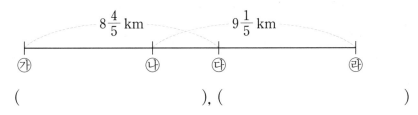

(   ), (   )

05 산 입구에서부터 산 정상까지의 거리가 $5\frac{1}{5}$ km인 산에 민규와 승우가 등산을 갔습니다. 현재 민규는 $2\frac{3}{5}$ km만큼, 승우는 $2\frac{4}{5}$ km만큼 올라갔다면 산 정상까지 갔다가 다시 산 입구까지 내려오는 데 남은 거리는 누가 몇 km 더 많이 남았습니까?

(   ), (   )

유형 ❸ 약속에 따라 식을 만들어 계산하는 문제

06 다음과 같이 약속할 때, $\frac{4}{6}$ ♥ $\frac{1}{6}$ ★ $\frac{5}{6}$ 의 값을 구하시오.

(단, 앞에서부터 차례로 계산합니다.)

$$㉠ ♥ ㉡ = ㉠ - ㉡ + 1\frac{1}{6}$$
$$㉠ ★ ㉡ = ㉠ + ㉠ + ㉡$$

(   )

창의·융합

[수학 + 과학]

07 24절기는 한 해를 스물넷으로 나눈 것으로 계절의 변화와 기후의 특징을 잘 나타내기 때문에 농사를 짓거나 생활을 할 때 자주 이용할 수 있습니다. 24절기 중 하지가 일 년 중에서 낮이 가장 길고 밤이 가장 짧고 동지는 반대로 낮이 가장 짧고 밤이 가장 깁니다. 어느 해 동짓날의 낮의 길이가 $10\frac{10}{60}$시간일 때, 이날 밤의 길이는 낮의 길이보다 몇 시간 몇 분이 더 깁니까?

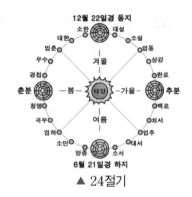

▲ 24절기

(   )

08 ★은 모두 같은 자연수를 나타낼 때, ★을 구하시오.

$$7\frac{2}{★}\text{는 }4\frac{8}{★}\text{보다 }2\frac{5}{★}\text{ 큰 수}$$

(   )

유형 8 전체를 1로 하여 해결하는 문제

09 다인이가 동화책을 읽는 데 처음에는 전체의 $\frac{3}{10}$을 읽고, 다음 날은 전체의 $\frac{2}{10}$를 읽으려고 합니다. 이런 방법으로 하루씩 번갈아 가며 책을 읽는다면 동화책을 다 읽는 데 며칠이 걸리겠습니까?

(   )

10 철사를 겹치지 않게 모두 사용하여 오른쪽 그림과 같은 삼각형을 한 개 만들었습니다. 이 철사를 다시 펴서 겹치지 않게 모두 사용하여 만든 정사각형의 한 변은 몇 cm입니까?

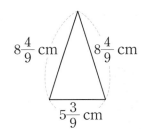

$8\frac{4}{9}$ cm　　$8\frac{4}{9}$ cm

$5\frac{3}{9}$ cm

(　　　　　　　　　)

고대 경시 유형　**유형 4**　수 카드로 만든 분수의 합과 차를 구하는 문제

11 6장의 수 카드를 한 번씩 모두 사용하여 분모가 같은 두 대분수를 만들려고 합니다. 차가 가장 큰 두 대분수를 만들었을 때, 만든 두 대분수의 차를 구하시오.

⑥　④　②　⑥　⑤　①

(　　　　　　　　　)

유형 5　이어 붙인 색 테이프의 길이를 구하는 문제

12 길이가 같은 색 테이프 3장을 $1\frac{4}{7}$ cm씩 겹쳐서 한 줄로 길게 이어 붙였더니 이어 붙인 색 테이프의 전체 길이가 $30\frac{5}{7}$ cm가 되었습니다. 색 테이프 한 장의 길이는 몇 cm입니까?

(　　　　　　　　　)

13 칠교판 조각 중 일부분을 사용하여 오른쪽 모양을 만들었습니다. 오른쪽 모양을 만드는 데 사용한 조각에 적힌 수들의 합을 구하시오.

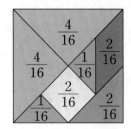 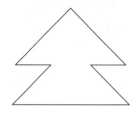

(   )

고대 경시 유형

14 무게가 똑같은 배가 6개 들어 있는 상자의 무게를 재었더니 6 kg이었습니다. 이 상자에서 배 3개를 꺼낸 후 다시 무게를 재었더니 $3\frac{3}{5}$ kg이었습니다. 빈 상자의 무게는 몇 kg입니까?

(   )

15 길이가 25 cm인 ㉮와 ㉯ 양초가 있습니다. ㉮ 양초에 불을 붙이고 30분 후에 양초의 길이를 재었더니 $20\frac{3}{8}$ cm였습니다. 같은 빠르기로 양초가 탄다면 ㉯ 양초에 불을 붙인지 1시간 후 남은 양초의 길이는 몇 cm가 되겠습니까?

(   )

성대 경시 유형 **유형 6** 합과 차가 주어진 두 분수를 구하는 문제

16 빨간색 페인트와 노란색 페인트를 섞어 주황색 페인트 $13\frac{8}{9}$ L를 만들었습니다. 노란색 페인트를 빨간색 페인트보다 $\frac{5}{9}$ L 적게 섞었다면 주황색을 만드는 데 사용한 빨간색과 노란색 페인트는 각각 몇 L입니까?

빨간색 (   ), 노란색 (   )

유형 7 고장 난 시계가 가리키는 시각을 구하는 문제

17 하루에 $2\frac{1}{3}$ 분씩 빨라지는 시계가 있습니다. 이 시계를 1일 낮 12시에 정확한 시각보다 10분 느리게 맞추어 놓았다면 4일 낮 12시 정각에 이 시계가 가리키는 시각은 오전 몇 시 몇 분입니까?

(   )

해법 경시 유형

18 ㉮, ㉯ 수도꼭지를 사용하여 물통에 물을 받으려고 합니다. ㉮ 수도꼭지에서는 물이 $\frac{1}{3}$ 시간에 $20\frac{1}{6}$ L씩 나오고, ㉯ 수도꼭지에서는 $\frac{1}{2}$ 시간에 $45\frac{1}{2}$ L씩 나온다면 두 수도꼭지를 동시에 틀어서 1시간 동안 받을 수 있는 물의 양은 모두 몇 L입니까?

(   )

창의·융합

고대 경시 유형

01 기호와 도형을 이용하여 일의 흐름을 표시해 놓은 도표를 순서도라고 합니다. 순서도에서 ⬭은 시작과 끝, ▭은 계산할 것, ◇은 조건 기호라고 볼 수 있는데 그 조건이 맞는지를 확인해서 거짓이 되면 다시 앞의 과정으로 돌아가 같은 과정을 반복하게 하는 역할을 합니다. 다음은 어떤 수가 순서도를 따라 계산되어 결과가 나오는 순서도입니다. 시작수가 $5\frac{10}{11}$이면 끝수는 $4\frac{5}{9}$가 됩니다. 시작수가 30일 때, 끝수를 구하시오.

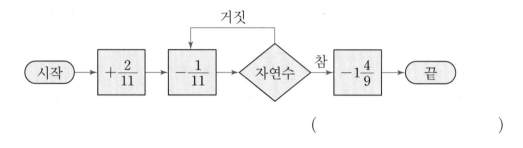

( )

02 길이가 10 m인 막대를 바닥과 만나서 이루는 각이 직각이 되도록 넣어 평평한 연못의 깊이를 재려고 합니다. 막대를 연못의 바닥에 닿도록 넣었다가 꺼낸 후 막대를 거꾸로 하여 다시 연못의 바닥에 넣었더니 물에 젖지 않은 부분이 $3\frac{7}{15}$ m였습니다. 연못의 깊이는 몇 m입니까? (단, 연못의 깊이는 일정합니다.)

( )

고대 경시 유형

03 □ 안에는 모두 같은 수가 들어갈 때, □ 안에 알맞은 수를 구하시오.

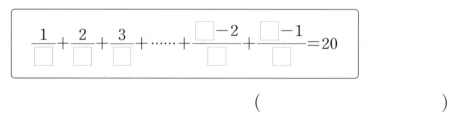

$$\frac{1}{\square}+\frac{2}{\square}+\frac{3}{\square}+\cdots\cdots+\frac{\square-2}{\square}+\frac{\square-1}{\square}=20$$

( )

04 효주, 민재, 수현이가 어떤 일을 함께 하려고 합니다. 하루에 효주는 전체의 $\frac{2}{28}$만큼을, 민재는 전체의 $\frac{3}{28}$만큼을, 수현이는 전체의 $\frac{1}{28}$만큼을 합니다. 효주, 민재, 수현이가 함께 2일 동안 일을 한 후 효주와 민재가 함께 2일 동안 일을 하였습니다. 나머지는 효주 혼자서 한다고 할 때, 일을 시작한 지 며칠 만에 끝낼 수 있습니까?

(단, 쉬는 날 없이 일을 합니다.)

( )

05 분모가 13인 세 분수 ㉮, ㉯, ㉰가 있습니다. 세 분수의 합은 $14\frac{3}{13}$이고, ㉯는 ㉮의 2배이며, ㉰는 ㉮보다 $4\frac{3}{13}$ 작습니다. 세 분수 ㉮, ㉯, ㉰를 각각 구하시오.

㉮ ( ), ㉯ ( ), ㉰ ( )

성대 경시 유형

06 다음과 같은 규칙으로 수를 늘어놓았습니다. 47번째 수와 67번째 수의 차를 구하시오.

$$1, \ 2, \ 1\frac{1}{2}, \ 3, \ 2\frac{2}{3}, \ 2\frac{1}{3}, \ 4, \ 3\frac{3}{4}, \ 3\frac{2}{4}, \ 3\frac{1}{4}, \ 5, \ 4\frac{4}{5}, \ 4\frac{3}{5} \ \cdots\cdots$$

( )

처음으로 분수를 사용한 사람들은 누구일까요?

분수는 처음에 물건을 똑같이 나누는 과정에서 1보다 작은 수가 필요했기 때문에 이집트에서 분자가 1인 단위분수가 처음으로 사용되었습니다.

이집트인들은 야자 열매를 세 사람이 똑같이 나누었을 때의 한 사람의 몫, 즉 우리가 $\frac{1}{3}$이라고 부르는 수를 ⌒⌒로 나타내었습니다.

이집트에서는 단위분수만 사용하였는데 이집트의 신화에 나오는 신 중 하나인 호루스의 눈을 분할한데서 단위분수가 나왔다고 합니다. 그래서 이집트에서는 단위분수를 호루스의 분수라고 불렀다고 합니다.

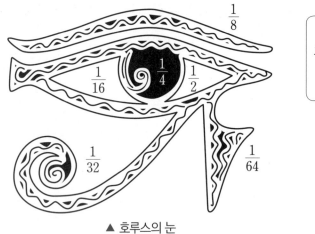

▲ 호루스의 눈

고대 이집트 사람들은 호루스의 눈 전체를 1로 보고 각 부분에 단위분수를 배치했어요.

호루스의 눈에 쓰여 있는 분수를 모두 더하면 $\frac{63}{64}$이 되는데 호루스의 눈 전체가 1이라고 했으므로 $1 - \frac{63}{64} = \frac{64}{64} - \frac{63}{64} = \frac{1}{64}$이 부족합니다. 이집트인은 이 부족한 $\frac{1}{64}$을 지식과 달의 신인 토트가 채워준다고 믿었답니다.

2 삼각형

단계	쪽수	공부한 날	점수	
1단계 Start 개념	30~33	월　　　일	O	X
2단계 Jump 유형	34~40	월　　　일	O	X
3단계 Master 심화	41~45	월　　　일	O	X
4단계 Top 최고수준	46~47	월　　　일	O	X

※ O에는 맞힌 개수, X에는 틀린 개수를 써넣으세요.

1 삼각형을 변의 길이에 따라 분류하기

• 이등변삼각형: 두 변의 길이가 같은 삼각형

• 정삼각형: 세 변의 길이가 같은 삼각형

2 이등변삼각형의 성질

• 색종이로 이등변삼각형 만들기

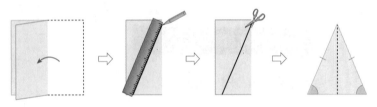

① 겹쳐서 잘랐기 때문에 자른 두 변의 길이가 같습니다.
② 겹쳐서 잘랐기 때문에 두 각의 크기가 같습니다.

[이등변삼각형의 성질]
길이가 같은 두 변에 있는 두 각의 크기가 같습니다.

3 정삼각형의 성질

• 정삼각형의 각의 크기 비교하기

정삼각형을 두 변이 만나도록 점선을 따라 각각 접으면 완전히 포개어지므로 세 각의 크기가 같습니다.
▷ 삼각형의 세 각의 크기의 합은 180°이므로
(정삼각형의 한 각의 크기)=180°÷3=60°

[정삼각형의 성질]
세 각의 크기가 같습니다.

개념 활용

정삼각형과 이등변삼각형의 관계
정삼각형은 세 변의 길이가 같으므로 이등변삼각형이라고 할 수 있지만 이등변삼각형은 정삼각형이라고 할 수 없습니다.

정삼각형 ⇄̸ 이등변삼각형

미리보기 중1

• **외각**: 도형의 한 꼭짓점에서 이웃하는 두 변 중 하나의 변을 연장하였을 때 도형의 바깥쪽에 만들어지는 각

• 삼각형의 한 외각의 크기는 이웃하지 않는 두 꼭짓점의 각의 크기의 합과 같습니다.

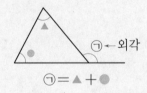

㉠=▲＋●

1 □ 안에 알맞은 수를 써넣으시오.

(1)

이등변삼각형

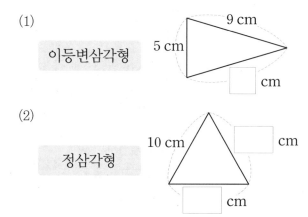

(2)

정삼각형

2 한 변이 14 cm인 정삼각형의 세 변의 길이의 합은 몇 cm입니까?

( )

3 삼각형 ㄱㄴㄷ은 세 변의 길이의 합이 26 cm 인 이등변삼각형입니다. 변 ㄱㄴ의 길이는 몇 cm입니까?

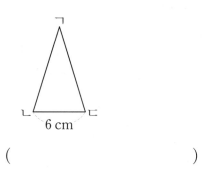

( )

4 이등변삼각형과 정삼각형에 대해 잘못 설명한 사람을 찾아 이름을 쓰시오.

정삼각형은 이등변삼각형이라고 할 수 있어.

지안

이등변삼각형은 정삼각형이라고 할 수 있어.

연우

( )

2

삼각형

5 똑같은 정삼각형 2개를 겹치지 않게 이어 붙여 만든 도형입니다. ㉠의 각도를 구하시오.

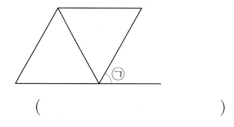

( )

6 삼각형 ㄱㄴㄷ이 이등변삼각형일 때, 각 ㄴㄱㄷ 의 크기를 구하시오.

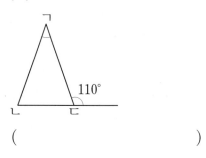

( )

1 삼각형을 각의 크기에 따라 분류하기

• **예각삼각형**: 세 각이 모두 예각인 삼각형

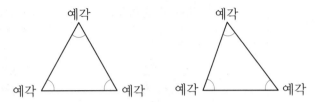

• **둔각삼각형**: 한 각이 둔각인 삼각형

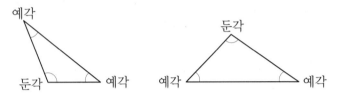

2 삼각형을 두 가지 기준으로 분류하기

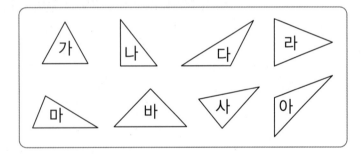

• 변의 길이에 따라 삼각형 분류하기

이등변삼각형	가, 다, 라, 바
세 변의 길이가 모두 다른 삼각형	나, 마, 사, 아

• 각의 크기에 따라 삼각형 분류하기

예각삼각형	직각삼각형	둔각삼각형
가, 라, 마, 사	나, 바	다, 아

• 변의 길이와 각의 크기에 따라 삼각형 분류하기

	예각삼각형	직각삼각형	둔각삼각형
이등변삼각형	가, 라	바	다
세 변의 길이가 모두 다른 삼각형	마, 사	나	아

이등변삼각형이면서
예각삼각형인 삼각형

참고

삼각형에 따른 예각, 직각, 둔각의 수

예각삼각형	예각 3개
직각삼각형	직각 1개
	예각 2개
둔각삼각형	둔각 1개
	예각 2개

개념 활용

삼각형의 세 각 중 두 각이 주어졌을 때 예각삼각형인지 둔각삼각형인지 알아보기

$$45°, 50°$$

(삼각형의 세 각의 크기의 합)
$= 180°$이므로
(나머지 한 각의 크기)
$= 180° - 45° - 50° = 85°$
⇨ 세 각이 모두 예각이므로 예각삼각형 입니다.

1 직사각형 모양의 종이를 선을 따라 모두 잘랐습니다. 물음에 답하시오.

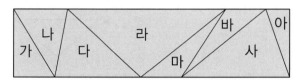

(1) 예각삼각형을 모두 찾아 기호를 쓰시오.

(   )

(2) 직각삼각형을 모두 찾아 기호를 쓰시오.

(   )

(3) 둔각삼각형을 모두 찾아 기호를 쓰시오.

(   )

2 다음 도형의 꼭짓점을 이은 선분을 두 개 그어 둔각삼각형을 3개 만들어 보시오.

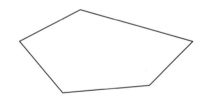

3 삼각형을 분류하여 빈칸에 기호를 써넣으시오.

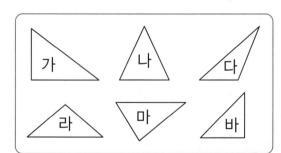

	예각 삼각형	직각 삼각형	둔각 삼각형
이등변삼각형			
세 변의 길이가 모두 다른 삼각형			

4 예각삼각형과 둔각삼각형을 1개씩 그려 보시오.

5 삼각형의 세 각 중 두 각의 크기가 다음과 같을 때, 예각삼각형을 모두 찾아 기호를 쓰시오.

> ㉠ 35°, 25°   ㉡ 80°, 40°
> ㉢ 30°, 45°   ㉣ 60°, 50°

(   )

6 삼각형 ㄱㄴㄷ은 어떤 삼각형이라고 할 수 있는지 모두 찾아 기호를 쓰시오.

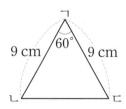

> ㉠ 이등변삼각형   ㉡ 정삼각형
> ㉢ 예각삼각형   ㉣ 둔각삼각형

(   )

2 삼각형

예제 1-1 오른쪽 도형에서 삼각형 ㄱㄴㄹ은 정삼각형이고, 삼각형 ㄴㄷㄹ은 이등변삼각형입니다. 사각형 ㄱㄴㄷㄹ의 네 변의 길이의 합이 40 cm일 때, 변 ㄴㄷ의 길이는 몇 cm입니까?

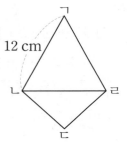

🔑 **문제해결 Key**

이등변삼각형은 두 변의 길이가 같고, 정삼각형은 세 변의 길이가 같습니다.

❶ (변 ㄴㄷ)+(변 ㄷㄹ)의 길이 구하기
❷ 변 ㄴㄷ의 길이 구하기

풀이

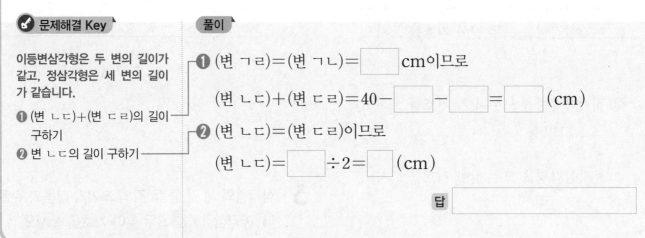

❶ (변 ㄱㄹ)=(변 ㄱㄴ)=☐ cm이므로

(변 ㄴㄷ)+(변 ㄷㄹ)=40−☐−☐=☐ (cm)

❷ (변 ㄴㄷ)=(변 ㄷㄹ)이므로

(변 ㄴㄷ)=☐÷2=☐ (cm)

답 ☐

예제 1-2 오른쪽 도형에서 삼각형 ㄱㄴㄹ은 정삼각형이고, 삼각형 ㄴㄷㄹ은 이등변삼각형입니다. 사각형 ㄱㄴㄷㄹ의 네 변의 길이의 합이 51 cm일 때, 변 ㄱㄴ의 길이는 몇 cm입니까?

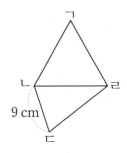

( )

응용 1-3 오른쪽 도형은 이등변삼각형 ㄱㄴㄷ에서 정삼각형 ㄱㄴㄹ을 잘라낸 것입니다. 삼각형 ㄱㄴㄷ의 세 변의 길이의 합이 29 cm일 때, 잘라내고 남은 도형의 네 변의 길이의 합은 몇 cm입니까?

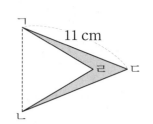

( )

유형 **2** 정삼각형을 활용한 문제

예제 **2-1** 오른쪽 도형에서 삼각형 ㄱㄴㄷ과 삼각형 ㄱㄹㅁ은 정삼각형입니다. 사각형 ㄹㄴㄷㅁ의 네 변의 길이의 합은 몇 cm입니까?

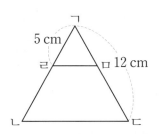

🔑 **문제해결 Key**

정삼각형은 세 변의 길이가 모두 같음을 이용합니다.

❶ 변 ㄹㅁ과 변 ㄴㄷ의 길이 알아보기
❷ 변 ㄹㄴ과 변 ㅁㄷ의 길이 구하기
❸ 사각형 ㄹㄴㄷㅁ의 네 변의 길이의 합 구하기

풀이

❶ 정삼각형은 세 변의 길이가 모두 같으므로

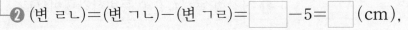

(변 ㄹㅁ)=(변 ㄱㅁ)=(변 ㄱㄹ)=5 cm,

(변 ㄴㄷ)=(변 ㄱㄴ)=(변 ㄱㄷ)=☐ cm

❷ (변 ㄹㄴ)=(변 ㄱㄴ)−(변 ㄱㄹ)=☐−5=☐ (cm),

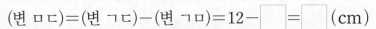

(변 ㅁㄷ)=(변 ㄱㄷ)−(변 ㄱㅁ)=12−☐=☐ (cm)

❸ (사각형 ㄹㄴㄷㅁ의 네 변의 길이의 합)

=5+☐+12+☐=☐ (cm)

답 ☐

2
삼각형

예제 **2-2** 오른쪽 도형은 크기가 다른 정삼각형 2개를 겹쳐 놓은 것입니다. 색칠한 부분의 네 변의 길이의 합은 몇 cm입니까?

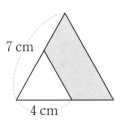

(   )

응용 **2-3** 오른쪽 도형은 크기가 다른 정삼각형 2개를 겹쳐 놓은 것입니다. 변 ㄱㄹ의 길이는 변 ㄹㄴ의 길이의 2배일 때, 사각형 ㄱㄹㅁㄷ의 네 변의 길이의 합은 몇 cm입니까?

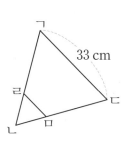

(   )

예제 **3-1** 오른쪽 도형에서 삼각형 ㄱㄴㄷ과 삼각형 ㄹㄴㄷ은 이등변삼 각형입니다. 각 ㄱㄴㄹ의 크기를 구하시오.

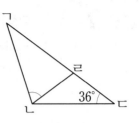

🔑 **문제해결 Key**

이등변삼각형은 두 각의 크기가 같습니다.

❶ 각 ㄱㄴㄷ의 크기 구하기
❷ 각 ㄱㄴㄹ의 크기 구하기

풀이

❶ 삼각형 ㄱㄴㄷ은 이등변삼각형이므로

(각 ㄷㄱㄴ)=(각 ㄴㄷㄱ)=◻°

⇨ (각 ㄱㄴㄷ)=180°−36°−36°=◻°

❷ 삼각형 ㄹㄴㄷ은 이등변삼각형이므로

(각 ㄹㄴㄷ)=(각 ㄴㄷㄹ)=◻°

⇨ (각 ㄱㄴㄹ)=(각 ㄱㄴㄷ)−(각 ㄹㄴㄷ)

=108°−◻°=◻°

답 ◻

예제 **3-2** 오른쪽 도형에서 삼각형 ㄱㄴㄷ은 정삼각형이고, 삼각형 ㄱㄷㄹ 은 이등변삼각형입니다. 각 ㄱㄹㄷ의 크기를 구하시오.

( )

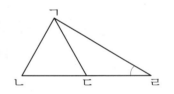

응용 **3-3** 오른쪽 도형에서 선분 ㄴㄷ과 선분 ㄷㄱ의 길이가 같고, 선분 ㄷㄹ과 선분 ㄹㄱ의 길이가 같습니다. 각 ㄱㄴㄷ의 크기를 구 하시오.

( )

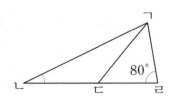

유형 ④ 찾을 수 있는 삼각형의 수를 구하는 문제

예제 4-1 오른쪽 그림에서 찾을 수 있는 크고 작은 예각삼각형은 모두 몇 개입니까?

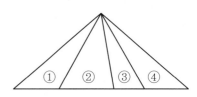

🔑 **문제해결 Key**

삼각형 1개, 2개, 3개짜리 예각삼각형을 각각 찾아봅니다.

❶ 삼각형 1개, 2개, 3개짜리 예각삼각형 각각 찾기
❷ 크고 작은 예각삼각형의 개수 구하기

풀이

❶ 삼각형 1개짜리: ☐

　삼각형 2개짜리: ①+②, ☐+☐

　삼각형 3개짜리: ①+②+☐, ②+☐+☐

❷ 찾을 수 있는 크고 작은 예각삼각형은 모두 ☐개입니다.

답 _____

예제 4-2 오른쪽 그림에서 찾을 수 있는 크고 작은 둔각삼각형은 모두 몇 개입니까?

(　　　　)

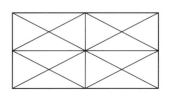

예제 4-3 오른쪽 그림은 한 변이 2 cm인 정삼각형 24개를 겹치지 않게 이어 붙인 것입니다. 그림에서 찾을 수 있는 한 변이 4 cm인 정삼각형은 모두 몇 개입니까?

(　　　　)

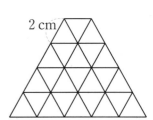

응용 4-4 오른쪽 그림과 같이 원 위에 일정한 간격으로 5개의 점을 찍었습니다. 그중 3개의 점을 이어 그릴 수 있는 이등변삼각형은 모두 몇 개입니까?

(　　　　)

예제 **5-1** 오른쪽 그림과 같이 정삼각형 모양의 종이를 접었습니다.
각 ㅁㅂㄹ의 크기를 구하시오.

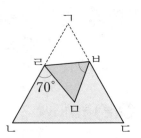

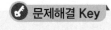 문제해결 Key

접은 모양 ㉮와 접기 전 모양 ㉯는 모양과 크기가 같습니다.

❶ 각 ㄹㅁㅂ의 크기 알아보기
❷ 각 ㅂㄹㅁ의 크기 구하기
❸ 각 ㅁㅂㄹ의 크기 구하기

 풀이

❶ 삼각형 ㄱㄹㅂ과 삼각형 ㅁㄹㅂ은 모양과 크기가 같으므로

(각 ㄹㅁㅂ)=(각 ㄹㄱㅂ)= ☐ °

❷ (각 ㄱㄹㅁ)=180°−70°= ☐ °,

(각 ㅂㄹㅁ)=(각 ㅂㄹㄱ)이므로 (각 ㅂㄹㅁ)= ☐ °÷2= ☐ °

❸ 삼각형 ㄹㅁㅂ에서

(각 ㅁㅂㄹ)=180°− ☐ °−60°= ☐ °

답 ☐

예제 **5-2** 오른쪽 그림과 같이 정삼각형 모양의 종이를 접었습니다. 각 ㄴㅂㅁ
의 크기를 구하시오.

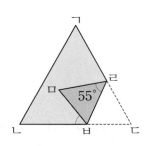

(   )

응용 **5-3** 오른쪽 그림과 같이 이등변삼각형 모양의 종이를 2번 접었습니
다. 각 ㄹㅁㅂ의 크기를 구하시오.

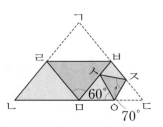

(   )

창의·융합 **유형 ⑥** 정삼각형의 성질을 이용하여 각도를 구하는 문제

예제 6-1

[수학 + 미술]

경주에는 *유네스코 세계문화유산으로 지정된 불국사가 있습니다. 이 불국사의 대웅전 앞에는 국보 제20호인 다보탑과 국보 제21호인 석가탑이 있는데 오른쪽 그림처럼 대웅전, 석가탑, 다보탑을 점을 찍어 선으로 이으면 정삼각형이 됩니다. 이 정삼각형의 각 꼭짓점에서 마주 보는 변의 한가운데 점을 이었을 때, ㉠의 각도를 구하시오.

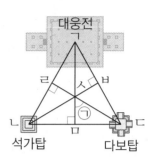

🔑 **문제해결 Key**

(정삼각형의 한 각의 크기)
＝60°

❶ 각 ㅁㅅㄹ의 크기 구하기
❷ ㉠의 각도 구하기

*유네스코 세계유산: 세계유산협약에 따라 유네스코가 인류 전체를 위해 보호해야 할 가치가 있다고 인정한 유산으로 문화유산, 자연유산, 복합 유산으로 나뉩니다.

풀이

❶ 사각형 ㄹㄴㅁㅅ에서

각 ㄹㄴㅁ은 정삼각형의 한 각이므로 ⬜°이고

(각 ㅅㄹㄴ)＝(각 ㄴㅁㅅ)＝90°입니다.

사각형의 네 각의 크기의 합은 360°이므로

(각 ㅁㅅㄹ)＝360°－⬜°－90°－90°

＝⬜°

❷ 한 직선이 이루는 각의 크기는 180°이므로

㉠＝180°－⬜°＝⬜°

답 ⬜

응용 6-2

[수학 + 사회]

국기는 한 나라를 상징하는 깃발입니다. 국기 중에는 다른 나라의 국기와 비슷하게 생긴 경우가 있는데 이것은 우연일 수도 있고 그 국가의 영향력을 받아서 그 국기를 본떠 만드는 경우도 있습니다. 다음은 모양이 비슷한 오스트리아, 폴란드, 체코의 국기입니다. 체코 국기의 파란 삼각형은 오스트리아 및 폴란드의 국기와 구별하기 위해 1920년에 추가된 것입니다.

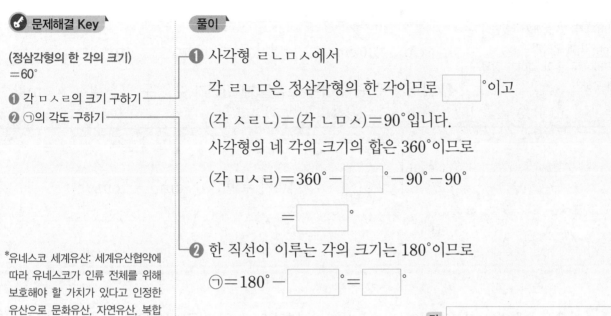

▲ 오스트리아   ▲ 폴란드   ▲ 체코

체코의 직사각형 모양의 국기에서 파란 삼각형이 정삼각형일 때, ㉠의 각도를 구하시오.

(   )

2

삼각형

STEP 2 Jump 유형 | 유형 7 이등변삼각형의 두 변이 될 수 있는 경우를 구하는 문제

예제 7-1 세 변의 길이의 합이 20 cm이고, 한 변이 6 cm인 이등변삼각형이 있습니다. 나머지 두 변의 길이가 될 수 있는 경우를 모두 쓰시오.

🔑 문제해결 Key

나머지 두 변 중에서 한 변이 6 cm인 경우와 나머지 두 변의 길이가 같은 경우로 나누어 생각해 봅니다.

❶ 나머지 두 변 중에서 한 변이 6 cm일 때 구하기
❷ 나머지 두 변의 길이가 같을 때 구하기

풀이

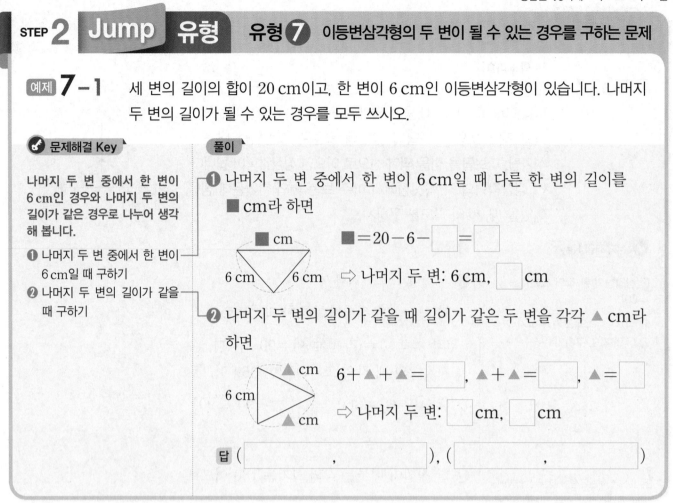

❶ 나머지 두 변 중에서 한 변이 6 cm일 때 다른 한 변의 길이를 ■ cm라 하면

$$■ = 20 - 6 - \boxed{} = \boxed{}$$

⇨ 나머지 두 변: 6 cm, $\boxed{}$ cm

❷ 나머지 두 변의 길이가 같을 때 길이가 같은 두 변을 각각 ▲ cm라 하면

$$6 + ▲ + ▲ = \boxed{}, \quad ▲ + ▲ = \boxed{}, \quad ▲ = \boxed{}$$

⇨ 나머지 두 변: $\boxed{}$ cm, $\boxed{}$ cm

답 (,   ), (,   )

예제 7-2 세 변의 길이의 합이 28 cm이고, 한 변이 8 cm인 이등변삼각형이 있습니다. 나머지 두 변의 길이가 될 수 있는 경우를 모두 쓰시오.

(   )

응용 7-3 철사를 겹치지 않게 모두 사용하여 한 변이 12 cm인 정삼각형을 한 개 만들었습니다. 이 철사를 다시 펴서 겹치지 않게 모두 사용하여 한 변이 10 cm인 이등변삼각형을 한 개 만들려고 합니다. 나머지 두 변의 길이가 될 수 있는 경우를 모두 쓰시오.

(   )

해법 경시 유형

01 오른쪽 이등변삼각형과 세 변의 길이의 합이 같은 정삼각형을 만들려고 합니다. 정삼각형의 한 변은 몇 cm로 하면 됩니까?

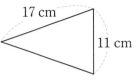

( )

2

삼각형

유형 ③ 삼각형의 성질을 이용하여 각도를 구하는 문제

02 오른쪽 도형에서 삼각형 ㄱㄴㄷ은 정삼각형이고, 삼각형 ㄹㄴㄷ은 이등변삼각형입니다. 각 ㄱㄴㄹ의 크기를 구하시오.

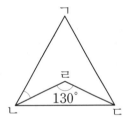

( )

유형 ① 삼각형을 활용한 문제

03 오른쪽 도형에서 삼각형 ㄱㄴㄷ은 이등변삼각형이고, 삼각형 ㄱㄷㄹ은 정삼각형입니다. 삼각형 ㄱㄴㄷ의 세 변의 길이의 합이 77 cm일 때, 삼각형 ㄱㄴㄹ의 세 변의 길이의 합은 몇 cm입니까?

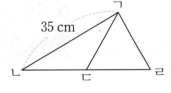

( )

유형 **3** 삼각형의 성질을 이용하여 각도를 구하는 문제

04 오른쪽 도형에서 선분 ㄷㄹ과 선분 ㄹㅁ의 길이가 같을 때, 각 ㄷㄹㅁ의 크기를 구하시오.

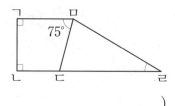

( )

유형 **3** 삼각형의 성질을 이용하여 각도를 구하는 문제

05 삼각형 ㄱㄴㄷ은 변 ㄱㄴ과 변 ㄴㄷ의 길이가 같고, 삼각형 ㅁㄷㄹ은 변 ㄷㄹ과 변 ㄹㅁ의 길이가 같은 이등변삼각형입니다. 각 ㄱㄷㅁ의 크기를 구하시오.

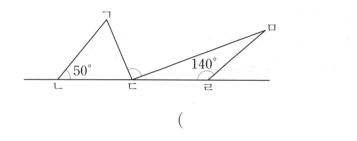

( )

창의·융합

06 [수학 + 과학]

만화경은 거울로 된 통 속에 작은 색종이를 넣어 만듭니다. 한쪽 끝을 통해 만화경을 들여다보면서 빙글빙글 돌리면 반사에 의해 다양한 무늬가 변화하며 여러 가지 아름다운 모양을 볼 수 있습니다.

▲ 만화경

▲ 만화경 안 무늬

[만화경 안 무늬]에서 굵은 선으로 둘러싸인 도형은 정삼각형을 겹치지 않게 이어 붙인 모양입니다. 가장 작은 정삼각형의 세 변의 길이의 합이 27 cm일 때, 굵은 선의 길이는 몇 cm입니까?

( )

유형 ❷ 정삼각형을 활용한 문제

07 다음 도형은 정삼각형 5개를 겹치지 않게 이어 붙여 만든 것입니다.
만든 도형의 둘레는 정삼각형 한 개의 세 변의 길이의 합보다 36 cm
더 길다고 합니다. 정삼각형의 한 변은 몇 cm입니까?

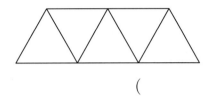

(   )

08 오른쪽 삼각형 ㄱㄴㄷ은 이등변삼각형이고, 긴 변의 길이
는 짧은 변의 길이의 2배입니다. 삼각형 ㄱㄴㄷ의 세 변
의 길이의 합이 40 cm일 때, 변 ㄱㄴ의 길이는 몇 cm
입니까?

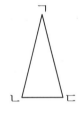

(   )

유형 ❷ 정삼각형을 활용한 문제

09 오른쪽 그림은 정삼각형의 각 변의 한가운데 점
을 이어 가면서 정삼각형을 만든 것입니다. 가
장 큰 정삼각형의 한 변이 32 cm일 때, 색칠한
부분의 모든 변의 길이의 합은 몇 cm입니까?

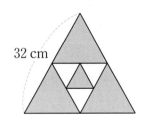

32 cm

(   )

성대 경시 유형

10 그림과 같이 규칙에 따라 반지름이 3 cm인 원들을 늘어놓았습니다. 바깥쪽의 원의 중심을 연결하여 정삼각형을 만들 때, 15째에서 만든 정삼각형의 세 변의 길이의 합은 몇 cm입니까?

첫째   둘째   셋째

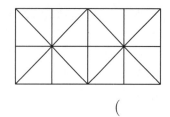

......

(   )

유형 **4** 찾을 수 있는 삼각형의 수를 구하는 문제

11 다음은 정사각형 2개를 각각 삼각형 8개로 똑같이 나눈 것입니다. 그림에서 찾을 수 있는 크고 작은 이등변삼각형은 모두 몇 개입니까?

(   )

유형 **3** 삼각형의 성질을 이용하여 각도를 구하는 문제

12 오른쪽 도형에서 선분 ㄴㄷ, 선분 ㄴㄹ, 선분 ㄱㄹ, 선분 ㄱㅁ의 길이가 같을 때 각 ㅁㄱㄹ의 크기를 구하시오.

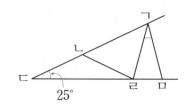

(   )

13 세 변의 길이의 합이 31 cm인 이등변삼각형 ㄱㄴㄷ을 그림과 같이 겹치지 않게 이어 붙였더니 만들어진 도형의 둘레가 166 cm가 되었습니다. 이 도형은 이등변삼각형을 몇 개 이어 붙여 만든 것입니까?

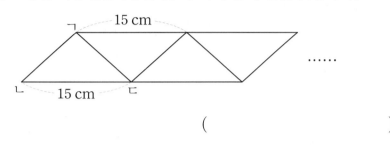

(   )

유형 ⑤ 접은 도형에서 각도를 구하는 문제

14 오른쪽 그림과 같이 정사각형 모양의 종이를 접었습니다. 점 ㄱ과 점 ㄷ을 선으로 이었을 때, ㉠의 각도를 구하시오.

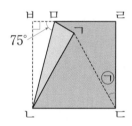

(   )

유형 ⑥ 정삼각형의 성질을 이용하여 각도를 구하는 문제

15 오른쪽 도형에서 사각형 ㄱㄴㄷㄹ은 정사각형이고, 삼각형 ㄹㅁㄷ은 정삼각형입니다. 각 ㄱㅁㄴ의 크기를 구하시오.

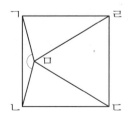

(   )

01 다음 중 두 각을 골라 둔각삼각형을 만들려고 합니다. 고를 수 있는 두 각은 모두 몇 가지입니까?

> 20°, 35°, 40°, 70°, 100°, 135°

(   )

고대 경시 유형

02 오른쪽 도형에서 사각형 ㄱㄴㄷㄹ은 정사각형이고, 삼각형 ㄹㄷㅁ은 정삼각형입니다. 각 ㄱㅂㄴ의 크기를 구하시오.

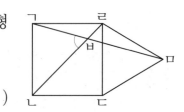

(   )

성대 경시 유형

03 오른쪽 그림은 정삼각형 6개를 변끼리 겹치지 않게 이어 붙이고, 삼각형의 꼭짓점을 점(•)으로 나타낸 것입니다. 점 7개 중에서 세 점을 꼭짓점으로 하여 만들 수 있는 정삼각형의 수와 정삼각형이 <u>아닌</u> 이등변삼각형의 수를 각각 구하시오.

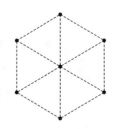

정삼각형의 수 (   )

정삼각형이 아닌 이등변삼각형의 수 (   )

04 오른쪽은 이등변삼각형 ㄱㄴㄷ 안에 사각형 ㄹㅁㅂㅅ을 그린 것입니다. ㉠과 ㉡의 각도의 차를 구하시오.

(　　　　　　)

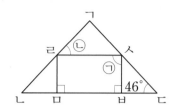

2

삼각형

창의·융합

05 시어핀스키 삼각형은 폴란드의 수학자 시어핀스키의 이름을 딴 프랙탈 도형입니다. 프랙탈 도형은 부분의 모양이 전체의 모양을 닮은 도형입니다. 다음은 시어핀스키 삼각형을 만드는 방법입니다.

> **방법**
> ① 정삼각형을 1개 그린 다음 색칠합니다.
> ② 정삼각형의 세 변의 한가운데 점을 모두 잇습니다.
> ③ 한가운데 있는 정삼각형 1개의 색을 지웁니다.
> ④ 색칠된 각각의 정삼각형에 대해서 ②와 ③을 되풀이합니다.

첫째 정삼각형의 세 변의 길이의 합이 96 cm라면 다섯째 그림에서 색칠하지 않은 정삼각형 중 가장 작은 것들의 세 변의 길이의 합을 모두 더하면 몇 cm입니까?

첫째　　　둘째　　　셋째　　　넷째

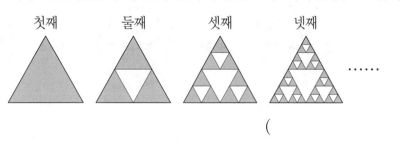

(　　　　　　　　　　)

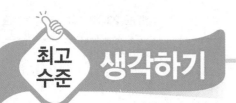

정삼각형과 이등변삼각형으로 이루어진 지오데식 돔

둥글게 만들어진 건물의 천장을 돔이라고 합니다. 지오데식 돔은 1923년 독일의 건축기술자인 발더 바우에르스펠드(1879~1959)가 만든 천체 투영관에서 처음 적용되었습니다. 이후 수많은 건축물에 활용되면서 대표적인 돔 구조로 유명해졌습니다.

우리나라에서도 놀이동산의 건축물 등에서 삼각형 조각으로 이루어진 지오데식 돔을 볼 수 있습니다.

지오데식 돔은 모든 면이 삼각형이기 때문에 매우 안정된 구조를 이루며 지오데식 돔을 만들기 위해서는 각 모서리의 길이만을 계산해 정확한 길이의 뼈대를 계속 이어나가면 되기 때문에 만들기가 쉽다는 장점이 있습니다.

지오데식 돔을 만드는 데 가장 많이 사용되는 도형은 가장 왼쪽과 같은 정이십면체입니다. 그림과 같이 정이십면체의 각 면을 크기와 모양이 같은 작은 삼각형으로 나누고 공 모양에 가깝도록 바깥쪽으로 조금씩 옮기면 지오데식 돔이 만들어집니다.

▲ 정이십면체　　　　　　　　　　▲ 지오데식 돔

이때 모서리의 길이는 공 모양에 가까운 모양을 만들기 위해서 길어진 모서리와 짧은 모서리, 두 종류로 나누어집니다. 이것이 정다면체에서 탄생한 지오데식 돔의 면이 정삼각형과 이등변삼각형으로 이루어지게 된 이유입니다.

3 소수의 덧셈과 뺄셈

단계	쪽수	공부한 날		점수	
1단계 Start 개념	50~57	월	일	O	X
2단계 Jump 유형	58~69	월	일	O	X
3단계 Master 심화	70~75	월	일	O	X
4단계 Top 최고수준	76~77	월	일	O	X

※ O에는 맞힌 개수, X에는 틀린 개수를 써넣으세요.

1 소수 두 자리 수

• 0.01 알아보기

분수 $\frac{1}{100}$ 은 소수로 0.01이라 쓰고,
영 점 영일이라고 읽습니다.

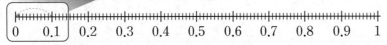

• 소수 두 자리 수의 각 자리 숫자와 나타내는 값

예) 2.37
　　└→이 점 삼칠이라고 읽습니다.

일의 자리		소수 첫째 자리	소수 둘째 자리
2	.		
0	.	3	
0	.	0	7

⇨ 2.37 = 2 + 0.3 + 0.07

2 소수 세 자리 수

• 0.001 알아보기

분수 $\frac{1}{1000}$ 은 소수로 0.001이라 쓰고,
영 점 영영일이라고 읽습니다.

0	0.01	0.02	0.03	0.04	0.05	0.06	0.07	0.08	0.09	0.1

• 소수 세 자리 수의 각 자리 숫자와 나타내는 값

예) 2.584
　　└→이 점 오팔사라고 읽습니다.

일의 자리		소수 첫째 자리	소수 둘째 자리	소수 셋째 자리
2	.			
0	.	5		
0	.	0	8	
0	.	0	0	4

⇨ 2.584 = 2 + 0.5 + 0.08 + 0.004

• **소수 읽기**
소수의 자연수 부분은 숫자와 자릿값을 모두 읽고, 소수점 아래의 숫자는 자릿값을 읽지 않고 숫자만 차례로 읽습니다.
예) 13.57 ⇨ 십삼 점 오칠(○)
　　　　　십삼 점 오십칠(×)

• **소수를 수직선에 나타내기**
예) 수직선에 3.17 나타내기

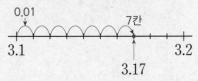

개념 활용 1

밑줄 친 5가 나타내는 값 알아보기
7.58 → 0.5　2.415 → 0.005
⇨ 같은 숫자라도 어느 자리에 있느냐에 따라 나타내는 값이 달라집니다.

개념 활용 2

0.0■ 큰 수, 0.00▲ 작은 수 구하기

> • 0.0■ 큰 수
> 　⇨ 소수 둘째 자리 숫자가
> 　　 ■ 큰 수
> • 0.00▲ 작은 수
> 　⇨ 소수 셋째 자리 숫자가
> 　　 ▲ 작은 수

예)　　0.001　　0.02
　　　작은 수　　큰 수
0.455 ←── 0.456 ──→ 0.476

1 3이 나타내는 값을 쓰시오.

(1) 0.123 ⇨ (　　　　　　　)

(2) 16.43 ⇨ (　　　　　　　)

4 빈칸에 알맞은 수를 써넣으시오.

2 수직선에서 ㉠과 ㉡에 알맞은 소수를 각각 구하시오.

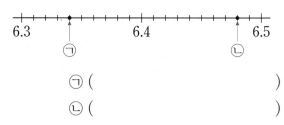

㉠ (　　　　　　　)

㉡ (　　　　　　　)

5 0.5와 0.6 사이에 있는 소수 두 자리 수는 모두 몇 개입니까?

(　　　　　　　)

3 숫자 6이 0.006을 나타내는 수를 찾아 기호를 쓰시오.

| ㉠ 3.605 | ㉡ 6.842 |
| ㉢ 1.246 | ㉣ 2.569 |

(　　　　　　　)

6 소수로 나타냈을 때, 소수 셋째 자리 숫자가 더 작은 수를 찾아 기호를 쓰시오.

㉠ 0.001이 4072개인 수
㉡ 1이 4개, 0.1이 2개, 0.01이 5개, 0.001이 9개인 수

(　　　　　　　)

1 소수의 크기 비교

- 0.5와 0.50은 같은 수입니다. 소수는 필요한 경우 오른쪽 끝자리에 0을 붙여서 나타낼 수 있습니다.

$$0.5 = 0.50$$

- 소수의 크기 비교
  ① 자연수 부분이 다를 때: 자연수 부분의 크기를 비교

$$3.48 \;\bigcirc\!\!>\; 2.69$$
$$\underset{3>2}{\underbrace{\qquad\qquad}}$$

  ② 자연수 부분이 같을 때: 소수 첫째 자리부터 차례로 비교
  [소수 첫째 자리 비교]

$$0.58 \;\bigcirc\!\!<\; 0.6$$
$$\underset{5<6}{\underbrace{\qquad\qquad}}$$

  [소수 둘째 자리 비교]

$$0.42 \;\bigcirc\!\!>\; 0.419$$
$$\underset{2>1}{\underbrace{\qquad\qquad}}$$

2 소수 사이의 관계

- 1, 0.1, 0.01, 0.001 사이의 관계

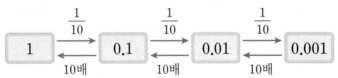

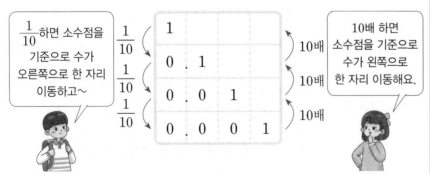

$\dfrac{1}{10}$ 하면 소수점을 기준으로 수가 오른쪽으로 한 자리 이동하고~

10배 하면 소수점을 기준으로 수가 왼쪽으로 한 자리 이동해요.

- 단위 사이의 관계
  ① 길이 단위
  $1\,\text{mm} = 0.1\,\text{cm}$, $1\,\text{cm} = 0.01\,\text{m}$, $1\,\text{m} = 0.001\,\text{km}$
  ② 무게와 들이 단위
  $1\,\text{g} = 0.001\,\text{kg}$, $1\,\text{mL} = 0.001\,\text{L}$

개념 활용 1

1, 2, 3, . 을 한 번씩 모두 사용하여 소수 두 자리 수 만들기

- 가장 큰 소수 두 자리 수

가장 큰 수	.	두 번째로 큰 수	세 번째로 큰 수

⇨ 3.21

- 가장 작은 소수 두 자리 수

가장 작은 수	.	두 번째로 작은 수	세 번째로 작은 수

⇨ 1.23

참고

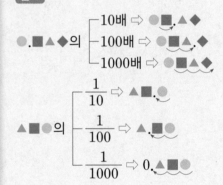

개념 활용 2

㉠에 알맞은 수 구하기

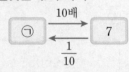

⇨ ㉠의 10배가 7이면

㉠은 7의 $\dfrac{1}{10}$ 인 0.7입니다.

1 큰 수부터 차례로 쓰시오.

| 0.39 | 3.09 | 0.309 |

(   )

2 ☐ 안에 알맞은 수를 써넣으시오.

(1) 21.9의 $\frac{1}{100}$ 은 ☐ 입니다.

(2) 3.156의 ☐ 배는 31.56입니다.

(3) 8.24의 ☐ 은 0.824입니다.

3 빈칸에 알맞은 수를 써넣으시오.

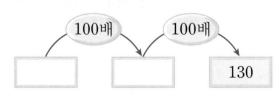

4 0.8의 $\frac{1}{10}$ 인 수는 0.001이 몇 개인 수입니까?

(   )

5 다음은 지안, 연우, 선호가 마신 우유의 양입니다. 우유를 가장 적게 마신 사람은 누구입니까?

지안	연우	선호
0.34 L	0.4 L	250 mL

(   )

6 5장의 카드를 한 번씩 모두 사용하여 가장 작은 소수 두 자리 수와 가장 큰 소수 세 자리 수를 각각 만들어 보시오.

| 4 | 6 | 1 | 7 | . |

소수 두 자리 수 (   )

소수 세 자리 수 (   )

3

소수의 덧셈과 뺄셈

1 소수 한 자리 수의 덧셈

• 0.5+0.6의 계산

$$
\begin{array}{r} 0.5 \\ +\ 0.6 \\ \hline \end{array}
\Rightarrow
\begin{array}{l} 0.5는\ 0.1이\ \ 5개 \\ +\ 0.6은\ 0.1이\ \ 6개 \\ \hline 0.1이\ 11개 \end{array}
\Rightarrow
\begin{array}{r} 1 \\ 0.5 \\ +\ 0.6 \\ \hline 1.1 \end{array}
\begin{array}{r} 1 \\ 0.5 \\ +\ 0.6 \\ \hline 1.1 \end{array}
$$

소수점은 그대로 내려 찍습니다.

> 소수점의 자리를 맞추어 세로로 쓰고 같은 자리 수끼리 더해요.

> 각 자리 수의 합이 10이거나 10보다 크면 윗자리로 받아올림하여 계산해요.

2 소수 두 자리 수의 덧셈

• 2.65+3.78의 계산

소수 둘째 자리	소수 첫째 자리	일의 자리

$$
\begin{array}{r} 1 \\ 2.6\ 5 \\ +\ 3.7\ 8 \\ \hline 3 \end{array}
\Rightarrow
\begin{array}{r} 1\ 1 \\ 2.6\ 5 \\ +\ 3.7\ 8 \\ \hline 4\ 3 \end{array}
\Rightarrow
\begin{array}{r} 1\ 1 \\ 2.6\ 5 \\ +\ 3.7\ 8 \\ \hline 6.4\ 3 \end{array}
\begin{array}{r} 1\ 1 \\ 2.6\ 5 \\ +\ 3.7\ 8 \\ \hline 6.4\ 3 \end{array}
$$

$5+8=13$ $1+6+7=14$ $1+2+3=6$

3 자릿수가 다른 소수의 덧셈

> 소수 끝자리 뒤에 0이 있는 것으로 생각하여 자릿수를 맞추어 더합니다.

• 1.82+0.6의 계산

$$
\begin{array}{r} 1 \\ 1.8\ 2 \\ +\ 0.6\ 0 \\ \hline 2.4\ 2 \end{array}
$$

• 1.74+0.596의 계산

$$
\begin{array}{r} 1\ 1 \\ 1.7\ 4\ 0 \\ +\ 0.5\ 9\ 6 \\ \hline 2.3\ 3\ 6 \end{array}
$$

참고

덧셈에 대한 교환법칙

> 두 수의 순서를 바꾸어 더해도 계산 결과는 같습니다.
> ㉠+㉡=㉡+㉠

예 $0.4+0.8=0.8+0.4$
　　　$=1.2$

단, 뺄셈에서는 교환법칙이 성립하지 않습니다.

미리보기 5-2

소수의 곱셈

소수의 덧셈을 이용하여 소수의 곱셈을 계산할 수 있습니다.

예 $0.5\times3=0.5+0.5+0.5=1.5$
　　　　　　　└─ 3번 ─┘

개념 활용

수 카드로 합이 가장 큰 덧셈식 만들기

> 더해지는 수와 더하는 수의 높은 자리부터 큰 숫자를 차례로 놓아 덧셈식을 만듭니다.

예 수 카드 1, 2, 3, 4, 5, 6
을 한 번씩 모두 사용하여 합이 가장 큰 □.□□+□.□□ 만들기

⇨
$$
\begin{array}{r} 6.4\ 2 \\ +\ 5.3\ 1 \\ \hline 1\ 1.7\ 3 \end{array}
$$

→ 합이 가장 큰 덧셈식은 여러 가지입니다.

예
$$
\begin{array}{r} 5.4\ 2 \\ +\ 6.3\ 1 \\ \hline 1\ 1.7\ 3 \end{array}
,\
\begin{array}{r} 6.3\ 2 \\ +\ 5.4\ 1 \\ \hline 1\ 1.7\ 3 \end{array}
$$

1 계산 결과를 비교하여 ○ 안에 >, =, <를 알맞게 써넣으시오.

(1) $0.6+0.8$ ○ $0.9+0.4$

(2) $0.55+0.62$ ○ $0.74+0.4$

2 은수네 집에서 도서관을 거쳐 학교까지의 거리는 몇 km입니까?

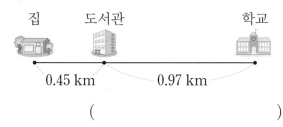

집   도서관   학교

0.45 km   0.97 km

(   )

3 건우는 고구마 0.4 kg과 감자 0.5 kg을 시장에서 샀습니다. 건우가 산 고구마와 감자는 모두 몇 kg입니까?

(   )

4 계산 결과가 큰 순서대로 ○ 안에 번호를 써넣으시오.

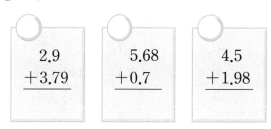

$$\begin{array}{r} 2.9 \\ +3.79 \\ \hline \end{array}$$ $$\begin{array}{r} 5.68 \\ +0.7 \\ \hline \end{array}$$ $$\begin{array}{r} 4.5 \\ +1.98 \\ \hline \end{array}$$

5 수직선에서 ㉠과 ㉡에 알맞은 수의 합을 구하시오.

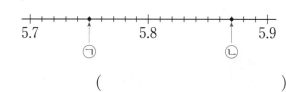

5.7   5.8   5.9
      ㉠   ㉡

(   )

6 6장의 수 카드를 한 번씩 모두 사용하여 합이 가장 큰 오른쪽과 같은 덧셈식을 만들고 계산하시오.

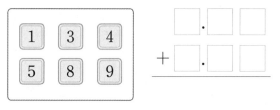

| 1 | 3 | 4 |
| 5 | 8 | 9 |

$$\begin{array}{r} \square.\square\square \\ +\square.\square\square \\ \hline \end{array}$$

3

소수의 덧셈과 뺄셈

1 소수 한 자리 수의 뺄셈

• 0.7−0.4의 계산

$$
\begin{array}{r}
0.7 \\
-\ 0.4 \\
\hline
\end{array}
$$

⇨ 0.7은 0.1이 7개
−0.4는 0.1이 4개
0.1이 3개

⇨
$$
\begin{array}{r}
0.7 \\
-\ 0.4 \\
\hline
0.3
\end{array}
$$

$$
\begin{array}{r}
0.7 \\
-\ 0.4 \\
\hline
0.3
\end{array}
$$
↑
소수점은 그대로
내려 찍습니다.

2 소수 두 자리 수의 뺄셈

• 1.86−0.59의 계산

| 소수 둘째 자리 | 소수 첫째 자리 | 일의 자리 |

$$
\begin{array}{r}
\overset{7}{}\overset{10}{}\\
1.\cancel{8}\,6 \\
-\ 0.5\,9 \\
\hline
7
\end{array}
$$
⇨
$$
\begin{array}{r}
\overset{7}{}\overset{10}{}\\
1.\cancel{8}\,6 \\
-\ 0.5\,9 \\
\hline
2\,7
\end{array}
$$
⇨
$$
\begin{array}{r}
\overset{7}{}\overset{10}{}\\
1.\cancel{8}\,6 \\
-\ 0.5\,9 \\
\hline
1.2\,7
\end{array}
$$

$$
\begin{array}{r}
\overset{7}{}\overset{10}{}\\
1.\cancel{8}\,6 \\
-\ 0.5\,9 \\
\hline
1.2\,7
\end{array}
$$

[10+6−9=7] [8−1−5=2] [1−0=1]

각 자리의 수끼리 뺄 수 없으면
윗자리에서 받아내림하여 계산해요.

3 자릿수가 다른 소수의 뺄셈

> 소수 끝자리 뒤에(자연수 소수점 아래에) 0이 있는 것으로
> 생각하여 자릿수를 맞추어 뺍니다.

• 3.2−1.67의 계산

$$
\begin{array}{r}
2\ \ 11\ 10\\
\cancel{3}.\cancel{2}\,0 \\
-\ 1.6\,7 \\
\hline
1.5\,3
\end{array}
$$

• 5−1.43의 계산

$$
\begin{array}{r}
4\ \ 9\ 10\\
\cancel{5}.0\,0 \\
-\ 1.4\,3 \\
\hline
3.5\,7
\end{array}
$$

미리보기 6−1

소수의 나눗셈

소수의 뺄셈을 이용하여 소수의 나눗셈
을 계산할 수 있습니다.

예 0.6÷0.2의 계산
0.6−0.2−0.2−0.2=0
└── 3번 ──┘
⇨ 0.6÷0.2=③

개념 활용 1

단위 사이의 관계를 이용한 소수의 계산

> 1 mm=0.1 cm, 1 cm=0.01 m
> 1 m=0.001 km, 1 g=0.001 kg
> 1 mL=0.001 L

예 1.2 L−400 mL의 계산
400 mL=0.4 L
⇨ 1.2 L−400 mL
 =1.2 L−0.4 L=0.8 L

개념 활용 2

**차가 가장 큰 □.□□−□.□□ 만
들기**

> ①>②>③>④>⑤>⑥일 때
>
> ①.②③ → (차가 가장 큰 뺄셈식)
> −⑥.⑤④   =(가장 큰 소수)
> ─────   −(가장 작은 소수)

예 0, 1, 3, 4, 7, 8을 한 번씩 모두 써서
차가 가장 큰 □.□□−□.□□
만들기

⇨
$$
\begin{array}{r}
8.7\,4 \\
-\ 0.1\,3 \\
\hline
8.6\,1
\end{array}
$$

1 가장 큰 소수와 가장 작은 소수의 차를 구하시오.

| 0.27 | 0.81 | 0.65 | 0.53 |

(   )

2 계산이 잘못된 곳을 찾아 바르게 계산하고 잘못된 이유를 쓰시오.

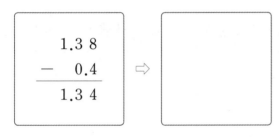

이유 _____

_____

_____

3 계산 결과를 비교하여 ◯ 안에 >, =, <를 알맞게 써넣으시오.

$0.9-0.5$ ◯ $0.62-0.23$

4 물병에 물이 1.12 L 들어 있었습니다. 성재가 물을 0.74 L 마셨다면 물병에 남은 물은 몇 L 입니까?

(   )

5 창섭이의 키는 148 cm이고, 다현이의 키는 1.53 m입니다. 창섭이와 다현이 중에서 누구의 키가 몇 m 더 큽니까?

(   ), (   )

6 수 1, 2, 5, 6, 8, 9를 ☐ 안에 한 번씩 모두 써넣어 차가 가장 큰 소수 두 자리 수의 뺄셈식을 만들고, 그 차를 구하시오.

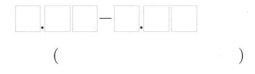

(   )

예제 **1-1** 0부터 9까지의 숫자 중에서 ■에 공통으로 들어갈 수 있는 숫자를 모두 구하시오.

> ㉠ 2.■3<2.61 ㉡ 3.2■>3.23

🔑 문제해결 Key

높은 자리 수가 클수록 큰 수입니다.

❶ ㉠에서 ■에 들어갈 숫자 구하기
❷ ㉡에서 ■에 들어갈 숫자 구하기
❸ ■에 공통으로 들어갈 숫자 구하기

풀이

❶ ㉠에서 일의 자리 숫자가 같고 소수 둘째 자리 숫자가 3>1이므로
 ■에 들어갈 수 있는 숫자는 ☐☐☐☐☐☐☐☐ 입니다.

❷ ㉡에서 일의 자리 숫자와 소수 첫째 자리 숫자가 각각 같으므로
 ■에 들어갈 수 있는 숫자는 ☐☐☐☐☐☐☐☐ 입니다.

❸ ■에 공통으로 들어갈 수 있는 숫자는 ☐☐ 입니다.

답 ☐☐☐☐☐☐☐☐

예제 **1-2** 0부터 9까지의 숫자 중에서 ☐ 안에 공통으로 들어갈 수 있는 숫자를 모두 구하시오.

> ㉠ 4.0☐3>4.064 ㉡ 6.865<6.86☐

( )

응용 **1-3** 0부터 9까지의 숫자 중에서 ☐ 안에 공통으로 들어갈 수 있는 숫자를 모두 구하시오.

> 7.3☐8<7.352<7.☐78

( )

유형 ② 수직선에서 길이를 구하는 문제

예제 **2-1** ㉠에서 ㉣까지의 길이는 몇 m입니까?

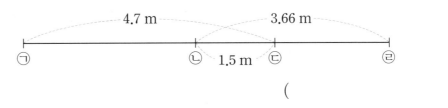

🔑 **문제해결 Key**

■ = ▲ + ● − ★

❶ (㉠~㉢)+(㉡~㉣) 구하기

❷ (㉠~㉣) 구하기

풀이

❶ (㉠~㉢)+(㉡~㉣)=0.65+0.8=□ (m)

❷ (㉠~㉣)=❶−(㉡~㉢)

= □ −0.28= □ (m)

답 _____

예제 **2-2** ㉠에서 ㉣까지의 길이는 몇 m입니까?

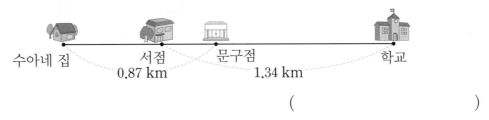

(　　　　　　　　　)

예제 **2-3** 수아네 집에서 학교까지의 거리가 1.9 km일 때, 서점에서 문구점까지의 거리는 몇 km 입니까?

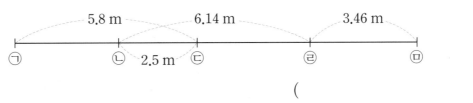

(　　　　　　　　　)

응용 **2-4** ㉠에서 ㉤까지의 길이는 몇 m입니까?

5.8 m　　　6.14 m　　　3.46 m

㉠　　　㉡　 2.5 m ㉢　　　　㉣　　　　㉤

(　　　　　　　　　)

3 소수의 덧셈과 뺄셈

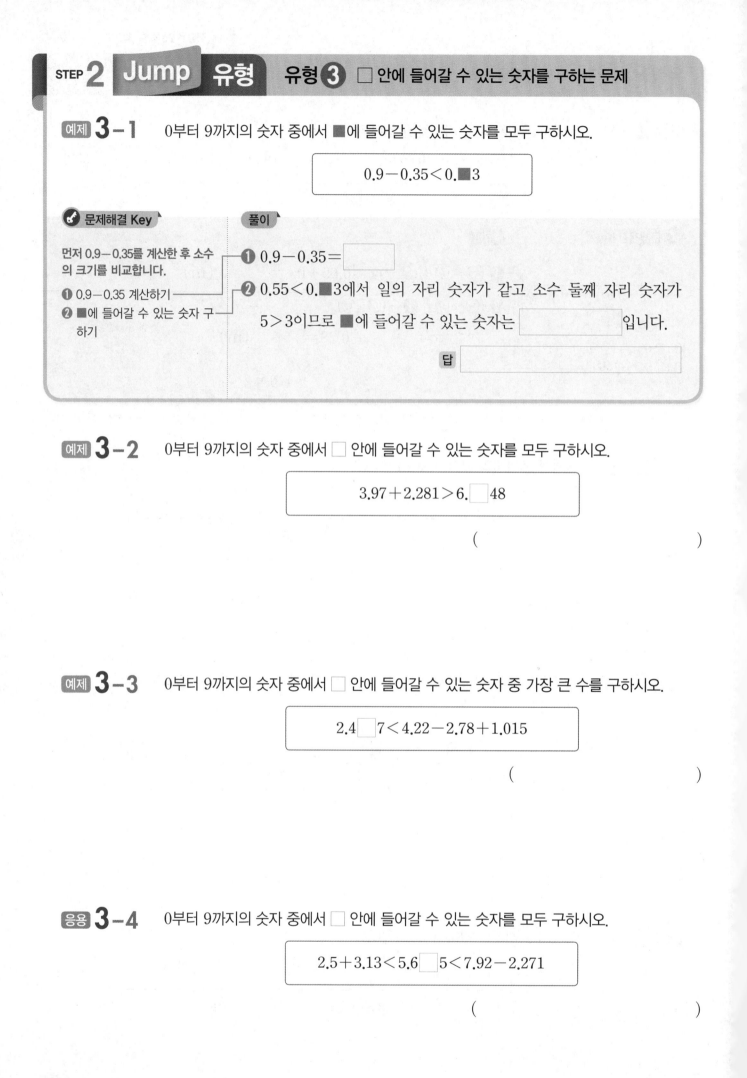

예제 **3-1** 0부터 9까지의 숫자 중에서 ■에 들어갈 수 있는 숫자를 모두 구하시오.

$$0.9-0.35<0.\blacksquare3$$

🔑 문제해결 Key

먼저 0.9−0.35를 계산한 후 소수의 크기를 비교합니다.

❶ 0.9−0.35 계산하기
❷ ■에 들어갈 수 있는 숫자 구하기

풀이

❶ $0.9-0.35=$ ☐

❷ $0.55<0.\blacksquare3$에서 일의 자리 숫자가 같고 소수 둘째 자리 숫자가 5>3이므로 ■에 들어갈 수 있는 숫자는 ☐ 입니다.

답 ☐

예제 **3-2** 0부터 9까지의 숫자 중에서 ☐ 안에 들어갈 수 있는 숫자를 모두 구하시오.

$$3.97+2.281>6.\boxed{}48$$

( )

예제 **3-3** 0부터 9까지의 숫자 중에서 ☐ 안에 들어갈 수 있는 숫자 중 가장 큰 수를 구하시오.

$$2.4\boxed{}7<4.22-2.78+1.015$$

( )

응용 **3-4** 0부터 9까지의 숫자 중에서 ☐ 안에 들어갈 수 있는 숫자를 모두 구하시오.

$$2.5+3.13<5.6\boxed{}5<7.92-2.271$$

( )

유형 4 도형의 둘레를 활용한 문제

예제 4-1 길이가 3 m인 철사를 겹치지 않게 사용하여 오른쪽과 같은 이등변삼각형을 한 개 만들었습니다. 사용하고 남은 철사는 몇 m입니까?

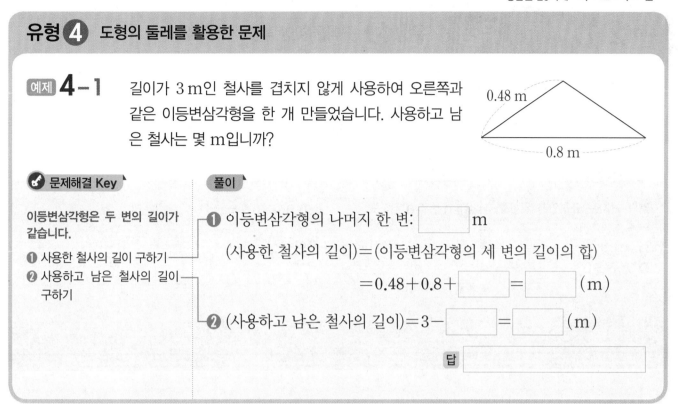

0.48 m

0.8 m

🔑 문제해결 Key

이등변삼각형은 두 변의 길이가 같습니다.

❶ 사용한 철사의 길이 구하기

❷ 사용하고 남은 철사의 길이 구하기

풀이

❶ 이등변삼각형의 나머지 한 변: ⬜ m

(사용한 철사의 길이)＝(이등변삼각형의 세 변의 길이의 합)

＝0.48＋0.8＋⬜＝⬜ (m)

❷ (사용하고 남은 철사의 길이)＝3－⬜＝⬜ (m)

답 ⬜

예제 4-2 한 변이 0.53 m인 정사각형 모양의 거울이 있습니다. 길이가 4 m인 색 테이프로 이 거울의 네 변을 따라 겹치지 않게 이어 붙였습니다. 사용하고 남은 색 테이프는 몇 m입니까? (단, 색 테이프의 두께는 생각하지 않습니다.)

(   )

응용 4-3 가로가 2.32 m이고 세로는 가로보다 0.86 m 더 짧은 직사각형 모양의 게시판이 있습니다. 가지고 있던 끈으로 이 게시판의 네 변을 따라 겹치지 않게 이어 붙였더니 0.44 m의 끈이 남았습니다. 처음에 있던 끈은 몇 m입니까? (단, 끈의 두께는 생각하지 않습니다.)

(   )

3

소수의 덧셈과 뺄셈

예제 **5-1** 규칙에 따라 뛰어 셀 때, ㉠에 알맞은 수를 구하시오.

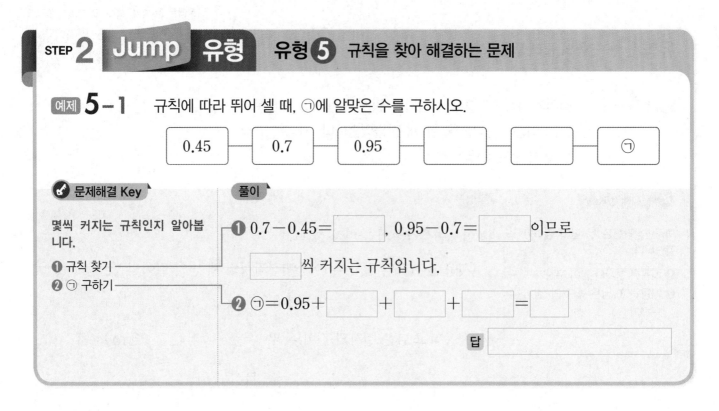

🔑 **문제해결 Key**

몇씩 커지는 규칙인지 알아봅니다.

❶ 규칙 찾기

❷ ㉠ 구하기

풀이

❶ 0.7－0.45＝ [   ], 0.95－0.7＝ [   ] 이므로

[   ] 씩 커지는 규칙입니다.

❷ ㉠＝0.95＋ [   ] ＋ [   ] ＋ [   ] ＝ [   ]

답 [   ]

예제 **5-2** 수를 일정한 수씩 뛰어 센 것입니다. ㉠에 알맞은 수를 구하시오.

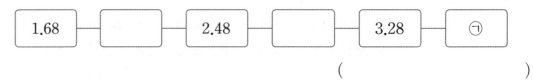

( )

예제 **5-3** 다음과 같이 뛰어 센 규칙으로 1.85부터 뛰어 셀 때, 3번째에 올 소수를 구하시오.

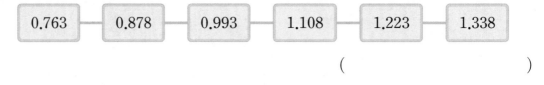

( )

응용 **5-4** 규칙에 따라 소수를 늘어놓았습니다. 6번째에 올 소수를 구하시오.

9.24, 8.19, 7.14 ······

( )

유형 **6** 카드로 만든 소수의 합과 차를 구하는 문제

예제 6-1 4장의 카드를 한 번씩 모두 사용하여 만들 수 있는 소수 중에서 가장 큰 수와 가장 작은 수의 합을 구하시오.

| 8 | 3 | 5 | . |

🔑 **문제해결 Key**

만들 수 있는 소수 중
가장 큰 수는 □□.□이고,
가장 작은 수는 □.□□입니다.

❶ 가장 큰 수 만들기
❷ 가장 작은 수 만들기
❸ 가장 큰 수와 가장 작은 수의 합 구하기

풀이

❶ 만들 수 있는 가장 큰 수:

8>5>3이고 자연수 부분이 클수록 큰 수이므로 소수 한 자리 수입니다. ⇨ [　　]

❷ 만들 수 있는 가장 작은 수:

3<5<8이고 자연수 부분이 작을수록 작은 수이므로 소수 두 자리 수입니다. ⇨ [　　]

❸ (가장 큰 수와 가장 작은 수의 합)=85.3+[　　]=[　　]

답 [　　]

예제 6-2 4장의 카드를 한 번씩 모두 사용하여 만들 수 있는 소수 중에서 가장 큰 수와 가장 작은 수의 차를 구하시오.

| 7 | 2 | 6 | . |

(　　　　　　　　　)

응용 6-3 4 , 7 , 3 , 9 , . 5장의 카드를 각각 한 번씩 모두 사용하여 연우와 다인이가 수를 만들었습니다. 두 사람이 만든 수의 차를 구하시오.

나는 두 번째로 큰 소수 세 자리 수를 만들었어. 연우

나는 가장 작은 소수 두 자리 수를 만들었어. 다인

(　　　　　　　　　)

3 소수의 덧셈과 뺄셈

예제 7-1 오른쪽 계산이 맞도록 ㉠, ㉡, ㉢에 알맞은 숫자를 각각 구하시오.

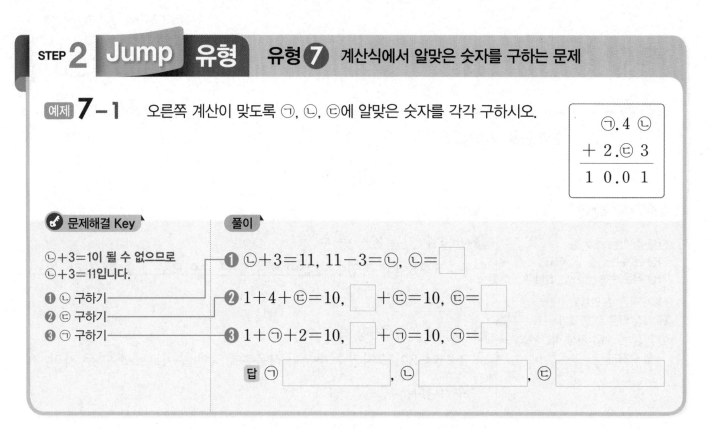

㉠.4 ㉡
+ 2.㉢ 3
————
1 0.0 1

🔑 **문제해결 Key**

㉡+3=1이 될 수 없으므로
㉡+3=11입니다.

❶ ㉡ 구하기
❷ ㉢ 구하기
❸ ㉠ 구하기

풀이

❶ ㉡+3=11, 11-3=㉡, ㉡=□

❷ 1+4+㉢=10, □+㉢=10, ㉢=□

❸ 1+㉠+2=10, □+㉠=10, ㉠=□

답 ㉠ □ , ㉡ □ , ㉢ □

예제 7-2 오른쪽 계산이 맞도록 ㉠, ㉡, ㉢에 알맞은 숫자를 각각 구하시오.

㉠ ( )
㉡ ( )
㉢ ( )

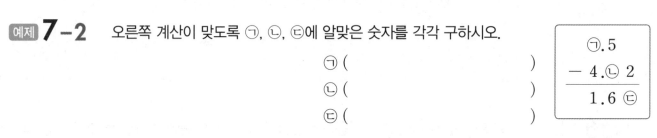

㉠.5
- 4.㉡ 2
————
1.6 ㉢

예제 7-3 □ 안에 알맞은 숫자들의 합을 구하시오.

( )

6.□ 3
- 1.7 □
————
□.4 8

응용 7-4 ㉠, ㉡, ㉢, ㉣은 서로 다른 숫자이고, 같은 기호는 같은 숫자를 나타냅니다. 소수 ㉠.㉡㉢㉣을 구하시오.

( )

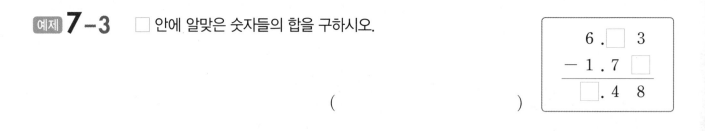

㉠㉡㉢㉣
+ ㉠㉡㉢㉣
————
8 6.5 0 4

유형 8   조건을 만족하는 수를 구하는 문제

예제 8-1   조건을 모두 만족하는 소수 세 자리 수를 구하시오.

> **조건**
> ① 3보다 크고 5보다 작습니다.
> ② 소수 셋째 자리 숫자에 2를 곱하면 일의 자리 숫자와 같습니다.
> ③ 소수 둘째 자리 숫자와 어떤 수를 곱하면 항상 0이 됩니다.
> ④ 소수 첫째 자리 숫자는 일의 자리 숫자보다 1 작습니다.

🔑 문제해결 Key

소수 세 자리 수를 □.□□□로 놓고 각 자리에 알맞은 숫자를 구합니다.

❶ 일의 자리 숫자와 소수 셋째 자리 숫자 구하기

❷ 소수 둘째 자리 숫자와 소수 첫째 자리 숫자 구하기

❸ 소수 세 자리 수 구하기

풀이

❶ 소수 세 자리 수를 ㉠.㉡㉢㉣이라 하면

①, ②의 조건에서 ㉠은 [   ]이고, ㉣은 [   ]입니다.

❷ ③, ④의 조건에서 ㉢은 [   ], ㉡은 ㉠보다 1 작으므로 [   ]입니다.

❸ 조건을 모두 만족하는 소수 세 자리 수는 [   ]입니다.

답 [   ]

예제 8-2   조건을 모두 만족하는 소수 세 자리 수를 구하시오.

> **조건**
> • 7보다 크고 10보다 작습니다.
> • 소수 셋째 자리 숫자에 3을 곱하면 일의 자리 숫자와 같습니다.
> • 소수 첫째 자리 숫자와 어떤 수를 곱하면 항상 어떤 수가 됩니다.
> • 소수 둘째 자리 숫자는 일의 자리 숫자보다 2 작습니다.

(   )

응용 8-3   조건을 모두 만족하는 소수 세 자리 수 중 가장 작은 수를 구하시오.

> **조건**
> • 20보다 크고 30보다 작습니다.
> • 일의 자리 숫자는 4로 나누어떨어집니다.
> • 소수 첫째 자리 숫자와 소수 셋째 자리 숫자의 합은 11입니다.
> • 소수 둘째 자리 숫자는 일의 자리 숫자보다 3 큽니다.

(   )

예제 **9−1**   ㉮와 ㉯를 각각 구하시오.

$$㉮+㉯=4.18, \qquad ㉮-㉯=1.82$$

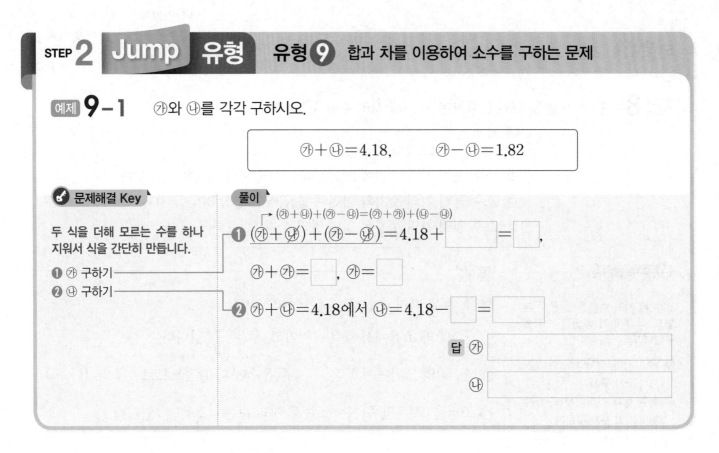

🔑 **문제해결 Key**

두 식을 더해 모르는 수를 하나 지워서 식을 간단히 만듭니다.

❶ ㉮ 구하기
❷ ㉯ 구하기

풀이

→ (㉮+㉯)+(㉮−㉯)=(㉮+㉮)+(㉯−㉯)

❶ (㉮+~~㉯~~)+(㉮−~~㉯~~)=4.18+☐=☐,

㉮+㉮=☐, ㉮=☐

❷ ㉮+㉯=4.18에서 ㉯=4.18−☐=☐

답 ㉮ ☐

㉯ ☐

예제 **9−2**   ㉮와 ㉯를 각각 구하시오.

$$㉮+㉯=5.24, \qquad ㉮-㉯=2.76$$

㉮ (   )
㉯ (   )

응용 **9−3**   두 수 ㉮와 ㉯가 있습니다. ㉮와 ㉯의 합은 6.25이고, ㉮와 ㉯의 차가 1.95일 때, ㉮와 ㉯를 각각 구하시오. (단, ㉮>㉯)

㉮ (   )
㉯ (   )

창의·융합 **유형 ⑩** 소수 사이의 관계를 활용한 문제

예제 10-1

[수학 + 문화]

석가탑은 다보탑과 함께 경주 불국사에 있는 신라시대의 대표적인 돌탑입니다. 다보탑은 화려하고 정교한 돌탑을 대표한다면 석가탑은 별다른 장식없이 완벽한 비율로 최고의 미를 표현한 대표적인 돌탑입니다. 석가탑의 높이는 ◆ m이고, ◆의 10배인 수는 10이 10개, 1이 6개, 0.1이 15개인 수와 같습니다. 석가탑의 높이는 몇 m입니까?

▲ 석가탑

🔑 **문제해결 Key**

어떤 수 $\xrightarrow[\frac{1}{10}]{10배}$ ▲

❶ 10이 10개, 1이 6개, 0.1이 15개인 수 구하기
❷ 석가탑의 높이 구하기

풀이

❶ 10이　10개이면　100 ┐
　1이　6개이면　□ ├ $100+□+□=□$
　0.1이 15개이면 □ ┘

❷ ◆의 10배인 수가 □ 이므로 ◆는 107.5의 $\frac{1}{10}$인 □ 입니다.

⇨ 석가탑의 높이는 □ m입니다.

답 □

예제 10-2

[수학 + 문화]

다보탑은 10원짜리 동전에 새겨진 탑으로 불국사 대웅전 앞에 석가탑과 함께 나란히 서 있는 탑입니다. 다보탑의 높이는 ▲ m이고, ▲의 $\frac{1}{10}$인 수는 0.1이 8개, 0.01이 20개, 0.001이 29개인 수와 같습니다. 다보탑의 높이는 몇 m입니까?

(　　　　　　)

▲ 다보탑

응용 10-3 어떤 수의 $\frac{1}{100}$인 수는 10보다 1.07 작습니다. 어떤 수를 구하시오.

(　　　　　　)

3
소수의 덧셈과 뺄셈

예제 **11 – 1** 일정한 빠르기로 지수는 20분 동안 2.016 km를 걷고, 승민이는 30분 동안 3.18 km를 걷습니다. 두 사람이 같은 곳에서 동시에 출발하여 서로 같은 방향으로 걸을 때, 1시간 후 두 사람 사이의 거리는 몇 km입니까?

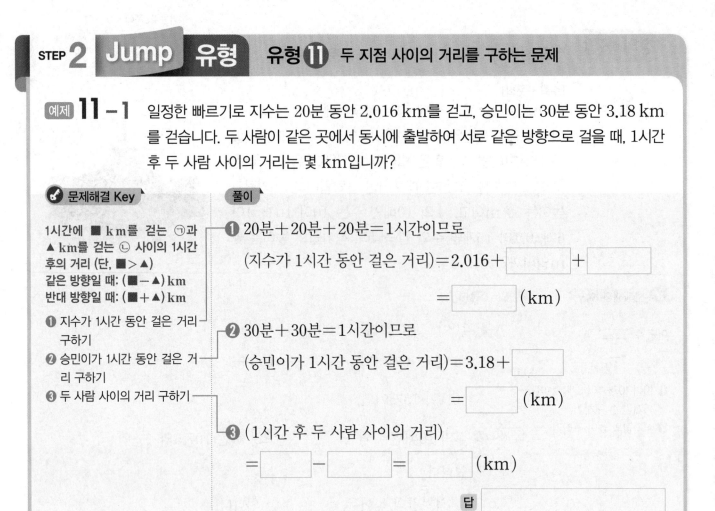

문제해결 Key

1시간에 ■ km를 걷는 ㉠과 ▲ km를 걷는 ㉡ 사이의 1시간 후의 거리 (단, ■>▲)
같은 방향일 때: (■−▲) km
반대 방향일 때: (■+▲) km

❶ 지수가 1시간 동안 걸은 거리 구하기
❷ 승민이가 1시간 동안 걸은 거리 구하기
❸ 두 사람 사이의 거리 구하기

풀이

❶ 20분＋20분＋20분＝1시간이므로

  (지수가 1시간 동안 걸은 거리)＝2.016＋[   ]＋[   ]

     ＝[   ] (km)

❷ 30분＋30분＝1시간이므로

  (승민이가 1시간 동안 걸은 거리)＝3.18＋[   ]

     ＝[   ] (km)

❸ (1시간 후 두 사람 사이의 거리)

  ＝[   ]−[   ]＝[   ] (km)

답 [   ]

예제 **11 – 2** 일정한 빠르기로 은주는 30분 동안 3.09 km를 걷고, 수현이는 15분 동안 1.524 km를 걷습니다. 두 사람이 같은 곳에서 동시에 출발하여 일직선 위를 서로 반대 방향으로 걸을 때, 1시간 후 두 사람 사이의 거리는 몇 km입니까?

(   )

응용 **11 – 3** 자전거를 타고 일정한 빠르기로 동욱이는 20분 동안 7.212 km를 달리고, 재한이는 15분 동안 4.88 km를 달립니다. 100 km인 길의 양쪽 끝에서 두 사람이 동시에 출발하여 서로 마주 보며 달릴 때, 1시간 후 두 사람 사이의 거리는 몇 km입니까?

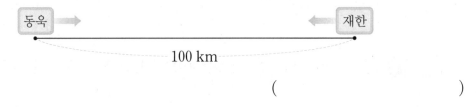

(   )

창의·융합 **유형 ⑫** 소수의 덧셈과 뺄셈을 활용한 문제

[수학 + 사회]

예제 12-1 빅맥지수란 세계적인 햄버거 가게인 맥도널드의 대표
메뉴 '빅맥'의 세계 주요 나라의 가격을 달러로 고쳐
비교한 것으로 그 나라의 돈의 가치를 평가하는 수단
으로 사용됩니다. 이것은 빅맥이 세계 어느 나라에서
도 쉽게 사먹을 수 있고 품질이 일정하여 값이 거의
일정하기 때문에 생각해 낸 것입니다. 어느 해에 발표
한 빅맥지수에 따르면 미국에서 빅맥 한 개의 값이
5.04달러일 때, 대한민국은 3.86달러이고 대만은
미국보다 2.89달러 적었습니다. 대한민국과 대만의
빅맥지수의 차를 구하시오.

대한민국, 4400원
빅맥지수 아시아 2위

주요국 빅맥지수 순위
단위: 달러(2008년 7월 현재)

1위 스위스	6.59
2위 노르웨이	5.51
3위 스웨덴	5.23
4위 핀란드	5.06
5위 미국	5.04
⋮	
16위 유로존	4.21
20위 싱가포르	4.01
22위 영국	3.91
23위 대한민국	3.86
32위 일본	3.47
44위 중국	2.79
47위 홍콩	2.48
52위 대만	?

*출처: 이코노미스트

🔑 **문제해결 Key**

먼저 대만의 빅맥지수를 구합니다.

❶ 대만의 빅맥지수 구하기
❷ 대한민국과 대만의 빅맥지수의 차 구하기

풀이

❶ (대만의 빅맥지수) = (미국의 빅맥지수) − ☐

  = 5.04 − ☐ = ☐ (달러)

❷ (대한민국과 대만의 빅맥지수의 차) = ☐ − ☐

  = ☐ (달러)

답 ☐

[수학 + 사회]

응용 12-2 유엔에서 발표한 세계 행복 보고서는 국내총생산(GDP), 사회적 지원, 기대수명, 선택의 ┌ 우리나라에서 생산된 모든 소득
자유, 사회의 너그러움, 부패지수 등의 기준으로 행복지수를 조사한 것입니다. 다음은
2018년 1위부터 5위까지 나라의 행복지수를 나타낸 표입니다. 우리나라는 행복지수가
57위로 1위한 핀란드보다 1.757점 낮습니다. 이는 2017년보다 0.037점 높아진 것이라고
할 때, 2017년 우리나라의 행복지수는 몇 점입니까?

2018년 세계 행복지수

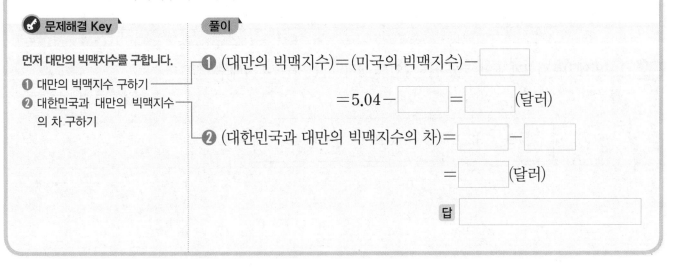

순위	나라	행복지수
1	핀란드	7.632
2	노르웨이	7.594
3	덴마크	7.555
4	아이슬란드	7.495
5	스위스	7.487

(   )

3

소수의 덧셈과 뺄셈

01 ㉠이 나타내는 값은 ㉡이 나타내는 값의 몇 배입니까?

$$17.457$$
㉠ ㉡

( )

02 ☐ 안에 0부터 9까지 어느 숫자를 넣어도 됩니다. 큰 수부터 차례로 기호를 쓰시오.

㉠ 9.☐32   ㉡ ☐.019   ㉢ 9.94☐

( )

창의·융합

[수학+과학] 유형 ⑫ 소수의 덧셈과 뺄셈을 활용한 문제

03 지안이는 필통과 풀의 무게를 어림해 보고 *용수철저울로 무게를 재어 보았습니다. 각 물건의 어림한 무게와 저울로 잰 무게의 차가 같을 때, 지안이가 풀을 어림한 무게가 될 수 있는 것을 모두 구하시오.

*용수철저울: 용수철의 한쪽 끝에 물건을 매달아 용수철이 늘어지는 길이를 보고 그 물건의 무게를 재는 저울

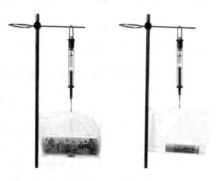

물건	어림한 무게	저울로 잰 무게
필통	0.59 kg	0.68 kg
풀		0.2 kg

( )

04 수직선에서 ㉠과 ㉡에 알맞은 수의 차를 구하시오.

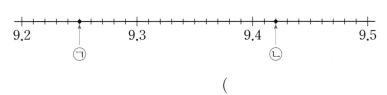

(   )

유형 ❺ 규칙을 찾아 해결하는 문제

05 수를 일정한 수씩 뛰어 센 것입니다. ㉠에 알맞은 수를 구하시오.

(   )

유형 ❿ 소수 사이의 관계를 활용한 문제

06 떨어진 높이의 $\frac{1}{10}$만큼씩 뛰어 오르는 공이 있습니다. 이 공을 45 m 높이의 건물에서 떨어뜨렸습니다. 세 번째로 뛰어 오른 공의 높이는 몇 cm입니까?

(   )

3

소수의 덧셈과 뺄셈

해법 경시 유형   **유형 ①** 크기를 비교하여 □ 안의 숫자를 구하는 문제

07 ㉠, ㉡, ㉢, ㉣, ㉤에 알맞은 숫자들의 합을 구하시오.

(단, ㉠, ㉡, ㉢, ㉣, ㉤은 한 자리 수입니다.)

$$8.2㉠8 < 8.20㉡ < ㉢.088 < ㉣.0㉤$$

(   )

유형 ③ □ 안에 들어갈 수 있는 숫자를 구하는 문제

08 □ 안에 들어갈 수 있는 수 중에서 가장 큰 소수 세 자리 수를 구하시오.

$$3.56 + 4.75 < 10 - \boxed{}$$

(   )

성대 경시 유형   **유형 ⑥** 카드로 만든 소수의 합과 차를 구하는 문제

09 다음 소수의 뺄셈식에서 □ 안에 5, 6, 7, 8, 9를 한 번씩 모두 써넣어
서 계산하려고 합니다. 계산 결과가 가장 큰 값과 가장 작은 값을 각각
구하시오.

$$\boxed{}\boxed{}.\boxed{} - \boxed{}.\boxed{}$$

가장 큰 값 (   )

가장 작은 값 (   )

10 똑같은 음료수 4병이 들어 있는 상자의 무게가 0.78 kg입니다. 음료
수 1병을 꺼낸 다음 무게를 재었더니 0.64 kg이었습니다. 빈 상자의
무게는 몇 kg입니까?

(　　　　　　　　　)

11 0.6보다 크고 0.7보다 작은 소수 세 자리 수 중에서 소수 셋째 자리 숫
자가 소수 둘째 자리 숫자보다 더 큰 수는 모두 몇 개입니까?

(　　　　　　　　　)

창의·융합

[수학＋사회]　유형 **8**　조건을 만족하는 수를 구하는 문제

12 현재 전남 지역의 평균 해수 온도는 다음 조건 을 만족하는 소수 세 자
리 수입니다. 기사를 보고 1970년 전남 지역의 평균 해수 온도는 몇
도인지 구하시오.

조건
- 자연수는 13보다 크고 16보다 작으며 3으로 나누어떨어집니다.
- 소수 첫째 자리 숫자와 어떤 수를 곱하면 항상 0이 됩니다.
- 소수 둘째 자리 숫자는 일의 자리 숫자보다 3 큽니다.
- 소수 셋째 자리 숫자는 소수 둘째 자리 숫자보다 1 작습니다.

20XX년 OO월 △△일 X요일

해수 온도 상승! 생태계 크게 바뀌어...

바닷물 온도 상승 등 기후변화로 전남 서남해안의 생태계 판도가 크게 바뀐 것으로 나타났습니다.
전라남도해양수산과학원에 따르면 현재 전남 지역의 평균 해수 온도는 1970년 이후 평균 0.81℃
상승했습니다. 최근 100년간 지구 평균 상승 온도 0.74℃보다 0.07℃ 높은 것입니다.
전라남도해양수산과학원은 이로 인해 그동안 많은 비중을 차지하던 해조류와 온대성 어류
들이 사라지고 대신 아열대성의 서식이 크게 늘었다고 설명했습니다. 동해안에서 주로
잡히던 오징어도 수년 전부터 서남해안에서 많이 잡히고 있습니다.

(　　　　　　　　　)

3

소수의 덧셈과 뺄셈

해법 경시 유형

13 길이가 6.35 cm인 색 테이프 3장을 같은 길이만큼씩 겹쳐서 한 줄로 길게 이어 붙였더니 이은 색 테이프의 전체 길이가 15.05 cm가 되었습니다. 색 테이프를 몇 cm씩 겹쳐서 이었습니까?

( )

유형 **9** 합과 차를 이용하여 소수를 구하는 문제

14 *우사인 볼트는 2012년 런던 올림픽 남자 육상 100 m에서 4년 전 베이징 올림픽에서 세운 기록을 0.06초 앞당겨 2연패 금메달을 획득했습니다. 두 기록의 합이 19.32초일 때, 우사인 볼트의 런던 올림픽 기록은 몇 초입니까?

( )

*우사인 볼트: 자메이카의 육상 선수로 남자 100 m, 200 m 세계 기록을 가지고 있습니다.

고대 경시 유형 유형 **2** 수직선에서 길이를 구하는 문제

15 그림을 보고 <u>잘못</u> 말한 사람을 찾아 이름을 쓰시오.

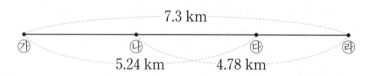

- 다인: ㉯에서 ㉰까지의 거리는 2.72 km야.
- 연우: ㉯에서 ㉰까지의 거리는 ㉯에서 ㉮까지의 거리보다 0.2 km 더 멀어.
- 선호: ㉰에서 ㉭까지의 거리는 ㉰에서 ㉯까지의 거리보다 2.06 km 더 가까워.

( )

유형 ❼ 계산식에서 알맞은 숫자를 구하는 문제

16 어떤 두 소수의 합과 차가 다음과 같을 때 ㉠, ㉡, ㉢, ㉣에 알맞은 숫자들의 합을 구하시오.

$$
\begin{array}{r}
㉠.6\ 9\ ㉡ \\
+\ 3.㉢\ 4\ ㉣ \\
\hline
9.5\ 4\ 0
\end{array}
\qquad
\begin{array}{r}
㉠.6\ 9\ ㉡ \\
-\ 3.㉢\ 4\ ㉣ \\
\hline
1.8\ 4\ 6
\end{array}
$$

(   )

유형 ❹ 도형의 둘레를 활용한 문제

17 길이가 30 cm인 끈을 사용하여 가로가 세로보다 1.4 cm 더 긴 직사각형을 만들었더니 7.2 cm가 남았습니다. 만든 직사각형의 가로와 세로는 각각 몇 cm입니까?

가로 (   )

세로 (   )

유형 ⓫ 두 지점 사이의 거리를 구하는 문제

18 일정한 빠르기로 수아는 한 시간에 1.2 km를 가고, 승주는 한 시간에 0.88 km를 갑니다. 두 사람이 같은 곳에서 동시에 출발하여 일직선 위를 서로 반대 방향으로 간다면 3시간 30분 후에 두 사람 사이의 거리는 몇 km가 됩니까?

(   )

3

소수의 덧셈과 뺄셈

고대 경시 유형

01 다음은 ㉠에서 ㉤까지 가는 길의 각 구간별 거리를 나타낸 것입니다. ㉠과 ㉡ 사이의 거리는 3.8 km, ㉡과 ㉢ 사이의 거리는 6.4 km입니다. ㉣과 ㉤ 사이의 거리는 몇 km입니까?

㉠				
3.8 km	㉡			
	6.4 km	㉢		
16.6 km			㉣	
		11.2 km		㉤

(   )

02 네 사람이 달리기를 하고 있습니다. 민희는 정훈이보다 2.72 m 앞에 있고, 현아보다는 363 cm 앞에 있습니다. 또 현아는 현진이보다 1.2 m 뒤에 있습니다. 정훈이와 현진이 사이의 거리와 정훈이와 현아 사이의 거리의 차는 몇 m입니까?

(   )

창의·융합

03 [수학 + 과학]

물체가 어느 한쪽으로 기울지 않고 평평한 상태를 수평이라고 합니다. 그림과 같이 윗접시저울을 이용하여 상자의 무게를 재었더니 수평을 이루었습니다. 큰 분동의 무게는 1 kg, 작은 분동의 무게는 0.1 kg일 때, 세 상자 ㉮, ㉯, ㉰의 무게는 각각 몇 kg인지 구하시오.

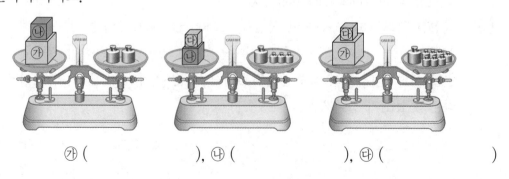

㉮ (   ), ㉯ (   ), ㉰ (   )

성대 경시 유형

04 소수 세 자리 수 ㉠은 소수 두 자리 수 ㉡보다 4.623만큼 더 큽니다. ㉠은 6보다 크고 6.5보다 작을 때, ㉠이 될 수 있는 수는 모두 몇 개입니까?

(단, 3.20처럼 소수 둘째 자리 숫자가 0인 수는 소수 한 자리 수입니다.)

(　　　　　　　　)

해법 경시 유형

05 4장의 수 카드 [1], [8], [6], [㉠]에는 1부터 9까지의 숫자 중 서로 다른 숫자가 적혀 있습니다. 이 수 카드를 한 번씩 모두 사용하여 만들 수 있는 소수 중 가장 큰 소수 두 자리 수와 가장 작은 소수 세 자리 수의 차는 84.942입니다. ㉠에 들어갈 수 있는 수 중에서 가장 큰 수를 구하시오.

(　　　　　　　　)

성대 경시 유형

06 다음과 같은 규칙에 따라 계산을 하였더니 1.16이 나왔습니다. ㉣에 알맞은 소수를 구하시오.

0.03+0.04−0.01−0.02+0.07+0.08−0.05−0.06+0.11+0.12 −0.09−0.1+0.15+0.16−0.13−0.14+······+㉠+㉡−㉢−㉣=1.16

(　　　　　　　　)

소수는 어떻게 생겨났을까요?

처음으로 소수를 사용한 사람은 네덜란드의 시몬 스테빈이라는 수학자예요. 처음으로 사용한 소수의 모습은 지금과는 달랐다는데 어떤 모습이었을까요?

그럼 오늘날과 같은 소수점을 찍게 된 건 언제부터일까요?

오늘날과 같은 소수점을 찍게 된 건 스테빈이 소수를 처음 생각했을 때로부터 32년이 지난 후예요. 하지만 지금도 소수를 나타내는 방법은 세계적으로 통일되어 있지 않아요. 유럽의 어떤 나라에서는 아직도 소수점 대신 쉼표를 찍고 있다니 무척 재미있는 일이지요?

[소수를 나타내는 방법의 변화 과정]

1522년에 리제가 소개한 방법		1579년에 비에트가 소개한 방법		1585년에 스테빈이 소개한 방법		1617년에 네이피어가 소개한 방법
4○172	→	4 | 172	→	4◎1①7②③	→	4.172

4 사각형

단계	쪽수	공부한 날	점수	
1단계 Start 개념	80~87	월 일	O	X
2단계 Jump 유형	88~97	월 일	O	X
3단계 Master 심화	98~103	월 일	O	X
4단계 Top 최고수준	104~105	월 일	O	X

※ O에는 맞힌 개수, X에는 틀린 개수를 써넣으세요.

1 수직

- 두 직선이 만나서 이루는 각이 직각일 때, 두 직선은 서로 수직이라고 합니다.

- 두 직선이 서로 수직으로 만나면 한 직선을 다른 직선에 대한 수선이라고 합니다.

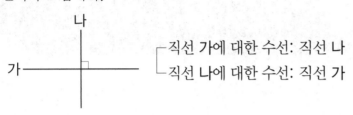

┌ 직선 가에 대한 수선: 직선 나
└ 직선 나에 대한 수선: 직선 가

2 수선 긋기

- 삼각자를 사용하여 주어진 직선에 대한 수선 긋기

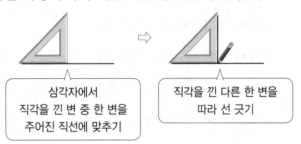

삼각자에서
직각을 낀 변 중 한 변을
주어진 직선에 맞추기

직각을 낀 다른 한 변을
따라 선 긋기

- 각도기를 사용하여 주어진 직선에 대한 수선 긋기

주어진 직선
위에 점 ㄱ
찍기

각도기의 중심을 점 ㄱ에,
각도기의 밑금을 주어진 직선과
일치하도록 맞추고 각도기에서
90°가 되는 눈금 위에 점 ㄴ 찍기

점 ㄱ과 점 ㄴ을
직선으로 잇기

- 각도기를 사용하여 점 ㄱ을 지나고 주어진 직선에 대한 수선 긋기

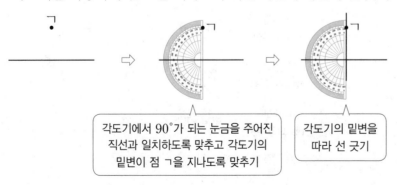

각도기에서 90°가 되는 눈금을 주어진
직선과 일치하도록 맞추고 각도기의
밑변이 점 ㄱ을 지나도록 맞추기

각도기의 밑변을
따라 선 긋기

개념 활용

수선의 개수

① 한 직선에 대한 수선은 셀 수 없이 많이 그을 수 있습니다.

② 한 점을 지나고 한 직선에 대한 수선은 1개만 그을 수 있습니다.

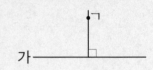

미리보기 중1

맞꼭지각

두 직선이 한 점에서 만날 때 서로 마주 보는 두 각을 맞꼭지각이라 하고 맞꼭지각의 크기는 서로 같습니다.

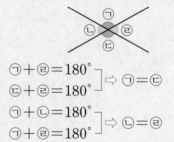

ㄱ + ㄹ = 180° ┐
ㄷ + ㄹ = 180° ┘ ⇨ ㄱ = ㄷ

ㄱ + ㄴ = 180° ┐
ㄱ + ㄹ = 180° ┘ ⇨ ㄴ = ㄹ

1 서로 수직인 직선은 모두 몇 쌍입니까?

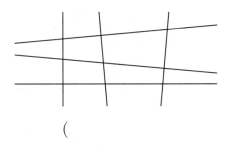

(   )

2 오른쪽 도형에 대해 <u>잘못</u> 설명한 사람을 찾아 이름을 쓰시오.

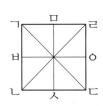

〈연우〉 선분 ㄱㄷ과 선분 ㄴㄹ은 서로 수직이야.

〈지안〉 선분 ㅁㅅ은 선분 ㅂㅇ에 대한 수선이야.

〈선호〉 선분 ㄴㄷ에 대한 수선은 1개뿐이야.

(   )

3 선분 ㄴㄷ에 대한 수선을 모두 찾아 쓰시오.

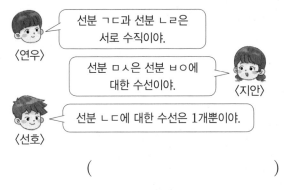

(   )

4 점 ㄱ을 지나고 직선 가에 수직인 직선은 몇 개 그을 수 있습니까?

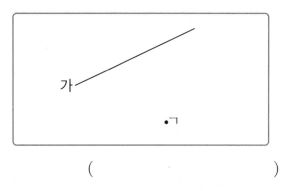

(   )

5 삼각자를 사용하여 점 ㄱ을 지나고 변 ㄴㄷ에 수직인 직선을 그어 보시오.

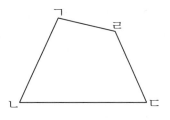

6 직선 나는 직선 가에 대한 수선입니다. ㉠의 각도를 구하시오.

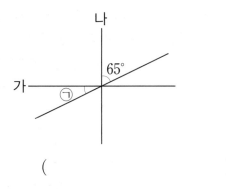

(   )

1 평행

- 한 직선에 수직인 두 직선을 그었을 때, 그 두 직선은 서로 만나지 않습니다. 이와 같이 서로 만나지 않는 두 직선을 평행하다고 합니다.
- 평행선: 평행한 두 직선

평행선

2 평행선 긋기

- 삼각자를 사용하여 주어진 직선과 평행한 직선 긋기

한 삼각자를 고정하고 다른 삼각자를 움직여 평행선을 긋습니다.

- 삼각자를 사용하여 점 ㄱ을 지나고 주어진 직선과 평행한 직선 긋기

삼각자의 한 변을 직선에 맞추고 다른 한 변이 점 ㄱ을 지나도록 놓기

다른 삼각자를 사용하여 점 ㄱ을 지나고 주어진 직선과 평행한 직선 긋기

3 평행선 사이의 거리

- 평행선 사이의 거리: 평행선의 한 직선에서 다른 직선에 수선을 그었을 때 이 수선의 길이

←평행선 사이의 거리

- 평행선 사이에 그은 선분

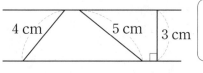
4 cm   5 cm 3 cm

평행선 사이의 선분 중 수선의 길이가 가장 짧고 그 길이는 모두 같아요.

개념 활용

평행선의 성질

① 평행선과 한 직선이 만날 때 생기는 같은 위치에 있는 두 각의 크기는 같습니다.

ㄱ ㄴ
ㄹ ㄷ
┌ ㄱ=ㄹ
└ ㄴ=ㄷ

② 평행선과 한 직선이 만날 때 생기는 엇갈린 위치에 있는 두 각의 크기는 같습니다.

ㄱ ㄴ
ㄹ ㄷ
┌ ㄱ=ㄷ
└ ㄴ=ㄹ

미리보기 중1

평행선과 한 직선이 만날 때 생기는 각

- 같은 위치에 있는 두 각 ⇨ 동위각
- 엇갈린 위치에 있는 두 각 ⇨ 엇각

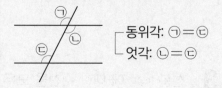
ㄱ
ㄴ
ㄷ
┌ 동위각: ㄱ=ㄷ
└ 엇각: ㄴ=ㄷ

4

1 도형에서 변 ㄱㄴ과 평행한 변은 모두 몇 개입니까?

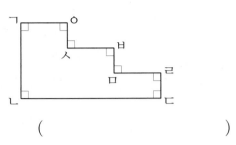

( )

2 삼각자를 사용하여 점 ㄱ을 지나고 변 ㄷㄹ과 평행한 직선을 그어 보시오.

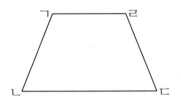

3 직선 가와 직선 나, 직선 다와 직선 라는 각각 서로 평행합니다. □ 안에 알맞은 수를 써넣으시오.

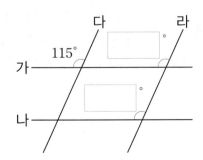

4 수선도 있고 평행선도 있는 도형을 찾아 기호를 쓰시오.

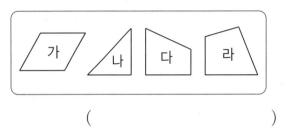

( )

5 변 ㄱㅇ과 변 ㄴㄷ은 서로 평행합니다. 이 평행선 사이의 거리는 몇 cm입니까?

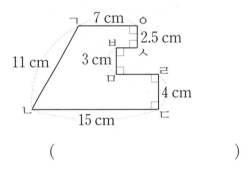

( )

6 직선 가와 직선 나는 서로 평행합니다. ㉠의 각도를 구하시오.

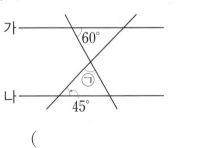

( )

1 사다리꼴

• 사다리꼴: 평행한 변이 한 쌍이라도 있는 사각형

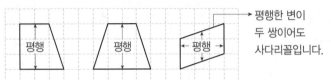

평행한 변이
두 쌍이어도
사다리꼴입니다.

2 평행사변형

• 평행사변형: 마주 보는 두 쌍의 변이 서로 평행한 사각형

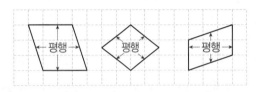

• 평행사변형의 성질

① 마주 보는 두 변의 길이가 같습니다.

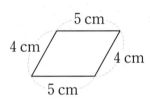

② 마주 보는 두 각의 크기가 같습니다.

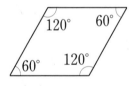

3 마름모

• 마름모: 네 변의 길이가 모두 같은 사각형

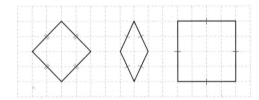

• 마름모의 성질

① 마주 보는 두 쌍의 변이 서로 평행합니다.

② 마주 보는 두 각의 크기가 같습니다.

③ 마주 보는 꼭짓점끼리 이은 선분이 서로 수직으로 만납니다.

미리보기 중2

등변사다리꼴

사다리꼴 중에서 아랫변의 양 끝 각의 크기가 같은 사다리꼴

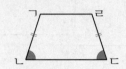

⇨ (각 ㄱㄴㄷ)=(각 ㄹㄷㄴ)
　 (변 ㄱㄴ)=(변 ㄹㄷ)

개념 활용

평행사변형의 성질

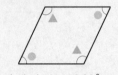

▲＋●＋▲＋●＝360˚,
▲＋●＝180˚
⇨ (이웃한 두 각의 크기의 합)＝180˚

참고

• 평행사변형은 마주 보는 두 쌍의 변이 서로 평행하므로 사다리꼴이라고 할 수 있습니다.
• 마름모는 마주 보는 두 쌍의 변이 서로 평행하므로 사다리꼴, 평행사변형이라고 할 수 있습니다.

4

1 직사각형 모양의 종이띠를 선을 따라 모두 잘 랐습니다. 잘라 낸 도형 중 사다리꼴은 모두 몇 개입니까?

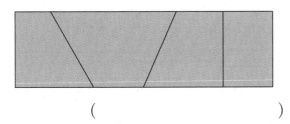

( )

2 점 ㄱ을 옮겨 마름모를 만들려면 어느 점으로 옮겨야 합니까? ·················· ( )

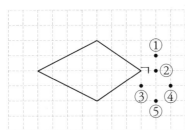

3 사각형에 대해 잘못 말한 사람을 찾아 이름을 쓰시오.

| 사다리꼴은 평행한 변이 한 쌍이라도 있는 사각형이야. | 마름모는 네 각의 크기가 모두 같아. | 평행사변형은 마주 보는 두 각의 크기가 같아. |
| 지안 | 연우 | 다인 |

( )

4 사각형 ㄱㄴㄷㄹ은 평행사변형입니다. □ 안에 알맞은 수를 써넣으시오.

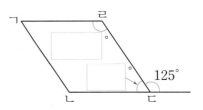

5 마름모의 네 변의 길이의 합은 32 cm입니다. 마름모의 한 변은 몇 cm입니까?

( )

6 길이가 1 m인 철사를 겹치지 않게 사용하여 그림과 같은 평행사변형을 만들었습니다. 평행 사변형을 만들고 남은 철사는 몇 cm입니까?

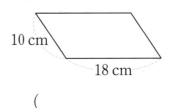

( )

1 직사각형과 정사각형의 성질

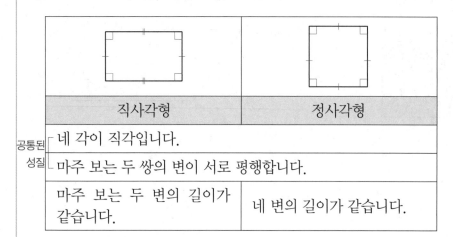

	직사각형	정사각형
공통된 성질	네 각이 직각입니다.	
	마주 보는 두 쌍의 변이 서로 평행합니다.	
	마주 보는 두 변의 길이가 같습니다.	네 변의 길이가 같습니다.

2 사각형의 포함 관계

성질 \ 사각형	사다리꼴 ▱	평행사변형 ▱	마름모 ◇	직사각형 ▭	정사각형 ▢
마주 보는 한 쌍의 변이 서로 평행한 사각형	○	○	○	○	○
마주 보는 두 쌍의 변이 서로 평행한 사각형	×	○	○	○	○
네 변의 길이가 모두 같은 사각형	×	×	○	×	○
네 변의 길이가 모두 같고 네 각의 크기가 모두 같은 사각형	×	×	×	×	○

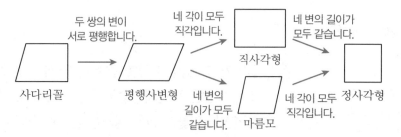

• 평행사변형은 사다리꼴의 성질을 모두 가지고 있습니다.
• 직사각형과 마름모는 평행사변형과 사다리꼴의 성질을 모두 가지고 있습니다.
• 정사각형은 직사각형, 마름모, 평행사변형, 사다리꼴의 성질을 모두 가지고 있습니다.

여러 가지 사각형의 관계

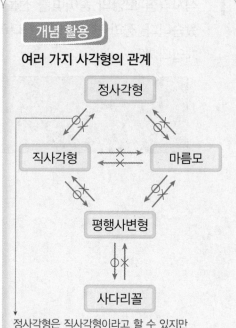

정사각형은 직사각형이라고 할 수 있지만 직사각형은 정사각형이라고 할 수 없습니다.

참고

사각형의 포함 관계

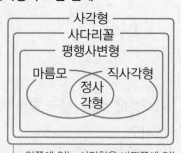

→ 안쪽에 있는 사각형은 바깥쪽에 있는 사각형의 성질을 모두 가지고 있습니다.

1 바르게 설명한 것은 ○표, 잘못 설명한 것은 ×표 하시오.

(1) 마름모는 사다리꼴입니다. (   )

(2) 평행사변형은 마름모입니다. (   )

(3) 정사각형은 평행사변형입니다. (   )

2 다음을 모두 만족하는 사각형의 이름을 쓰시오.

> • 마주 보는 두 쌍의 변이 서로 평행합니다.
> • 네 각의 크기가 모두 같습니다.
> • 네 변의 길이가 모두 같습니다.

(   )

3 오른쪽 사각형의 이름이 될 수 있는 것을 모두 찾아 기호를 쓰시오.

> ㉠ 사다리꼴   ㉡ 마름모
> ㉢ 정사각형   ㉣ 평행사변형

(   )

4 막대 4개로 만들 수 있는 사각형에 모두 ○표 하시오.

> 사다리꼴   평행사변형
> 마름모   직사각형   정사각형

5 정사각형에 대한 설명으로 잘못된 것은 어느 것입니까? ……………………… (   )

① 네 변의 길이가 모두 같습니다.
② 네 각의 크기가 모두 같습니다.
③ 마주 보는 두 쌍의 변은 서로 평행합니다.
④ 사다리꼴이라고 할 수 없습니다.
⑤ 직사각형이라고 할 수 있습니다.

6 직사각형을 정사각형이라고 할 수 없는 이유를 쓰시오.

이유 _____

_____

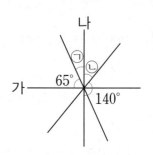

예제 **1-1** 오른쪽 그림에서 직선 가와 직선 나는 서로 수직입니다.
㉠과 ㉡의 각도의 합을 구하시오.

🔑 문제해결 Key

직선 가와 직선 나가 만나서 이루는 각은 직각입니다.

❶ ㉠의 각도 구하기
❷ ㉡의 각도 구하기
❸ ㉠+㉡ 구하기

풀이

❶ 직선 가와 직선 나가 만나서 이루는 각의 크기는 90°이므로

$㉠ = 90° - 65° = \boxed{}°$

❷ 한 직선이 이루는 각의 크기는 180°이므로

$㉡ = 180° - \boxed{}° = \boxed{}°$

❸ $㉠ + ㉡ = \boxed{}° + \boxed{}° = \boxed{}°$

답 ⬚

예제 **1-2** 오른쪽 그림에서 직선 가와 직선 나는 서로 수직입니다. ㉠과 ㉡의 각도의 차를 구하시오.

(   )

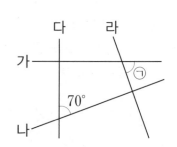

응용 **1-3** 오른쪽 그림에서 직선 가와 직선 다, 직선 나와 직선 라는 각각 서로 수직입니다. ㉠의 각도를 구하시오.

(   )

유형 ② 평행선 사이의 거리를 구하는 문제

예제 2-1 오른쪽 그림에서 직선 가, 직선 나, 직선 다는 서로 평행합니다. 직선 가와 직선 다 사이의 거리는 몇 cm입니까?

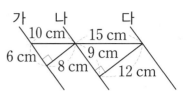

🔑 문제해결 Key

(평행선 사이의 거리)
=(평행선 사이의 수선의 길이)

❶ 직선 가와 직선 나 사이의 거리 알아보기

❷ 직선 나와 직선 다 사이의 거리 알아보기

❸ 직선 가와 직선 다 사이의 거리 구하기

풀이

❶ 직선 가와 직선 나 사이의 수선의 길이: ☐ cm

❷ 직선 나와 직선 다 사이의 수선의 길이: ☐ cm

❸ (직선 가와 직선 다 사이의 거리)
  =(직선 가와 직선 나 사이의 거리)+(직선 나와 직선 다 사이의 거리)
  = ☐ + ☐ = ☐ (cm)

답 ☐

예제 2-2 오른쪽 그림에서 직선 가, 직선 나, 직선 다는 서로 평행합니다. 직선 가와 직선 다 사이의 거리는 몇 cm입니까?

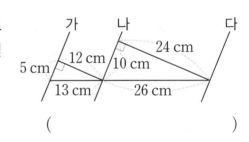

( )

응용 2-3 오른쪽 그림에서 직선 가, 나, 다, 라는 서로 평행합니다. 직선 가와 직선 라 사이의 거리가 28 cm일 때, 직선 나와 직선 다 사이의 거리는 몇 cm입니까?

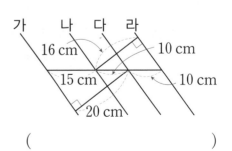

( )

예제 **3-1** 오른쪽 그림에서 직선 가와 직선 나는 서로 평행합니다.
㉠의 각도를 구하시오.

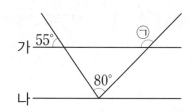

🔑 **문제해결 Key**

평행선과 한 직선이 만날 때 생기는 같은 위치에 있는 두 각의 크기는 같습니다.

❶ ㉡의 각도 알아보기
❷ ㉠의 각도 구하기

풀이

❶ 평행선과 한 직선이 만날 때 생기는 같은 위치에 있는 각의 크기는 같으므로

㉡ = ☐ °

❷ ㉠ = ㉡ + 80°

= ☐ ° + 80° = ☐ °

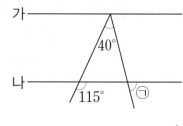

답 ☐

예제 **3-2** 오른쪽 그림에서 직선 가와 직선 나는 서로 평행합니다.
㉠의 각도를 구하시오.

(   )

응용 **3-3** 오른쪽 그림에서 직선 가와 직선 나는 서로 평행합니다.
㉠의 각도를 구하시오.

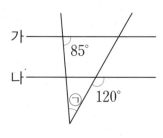

(   )

유형 ④ 엇갈린 위치에 있는 각을 이용하여 각도를 구하는 문제

예제 4-1 오른쪽 그림에서 직선 ㄱㄴ과 직선 ㄷㄹ은 서로 평행합니다. 각 ㅊㅈㅋ의 크기를 구하시오.

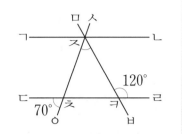

🔑 문제해결 Key

평행선과 한 직선이 만날 때 생기는 엇갈린 위치에 있는 두 각의 크기는 같습니다.

❶ 각 ㄱㅈㅋ의 크기 알아보기
❷ 각 ㄱㅈㅊ의 크기 알아보기
❸ 각 ㅊㅈㅋ의 크기 구하기

풀이

❶ 평행선과 한 직선이 만날 때 생기는 엇갈린 위치에 있는 각의 크기는 같으므로 (각 ㄱㅈㅋ)=(각 ㅈㅋㄹ)=□°

❷ 평행선과 한 직선이 만날 때 생기는 같은 위치에 있는 각의 크기는 같으므로 (각 ㄱㅈㅊ)=(각 ㄷㅊㅇ)=□°

❸ (각 ㅊㅈㅋ)=(각 ㄱㅈㅋ)-(각 ㄱㅈㅊ)
=□°-□°=□°

답 _____

예제 4-2 오른쪽 그림에서 직선 가와 직선 나는 서로 평행합니다. ㉠의 각도를 구하시오.

(   )

응용 4-3 오른쪽 그림에서 직선 가와 직선 나는 서로 평행합니다. ㉠의 각도를 구하시오.

(   )

예제 **5-1** 오른쪽 사각형 ㄱㄴㄷㄹ은 직사각형이고, 선분 ㄴㅁ과 선분 ㅁㄷ은 서로 수직입니다. 각 ㄱㄴㅁ의 크기를 구하시오.

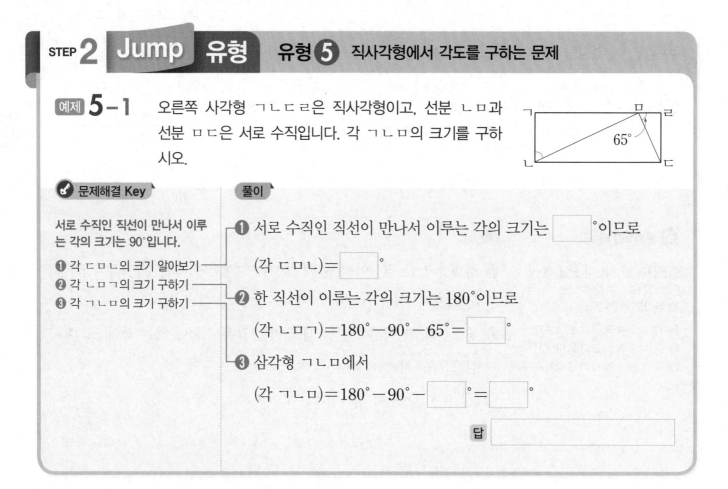

🔑 **문제해결 Key**

서로 수직인 직선이 만나서 이루는 각의 크기는 90°입니다.

❶ 각 ㄷㅁㄴ의 크기 알아보기
❷ 각 ㄴㅁㄱ의 크기 구하기
❸ 각 ㄱㄴㅁ의 크기 구하기

풀이

❶ 서로 수직인 직선이 만나서 이루는 각의 크기는 ⬜° 이므로

(각 ㄷㅁㄴ)= ⬜°

❷ 한 직선이 이루는 각의 크기는 180°이므로

(각 ㄴㅁㄱ)=180°−90°−65°= ⬜°

❸ 삼각형 ㄱㄴㅁ에서

(각 ㄱㄴㅁ)=180°−90°− ⬜°= ⬜°

답 ⬜

예제 **5-2** 오른쪽 사각형 ㄱㄴㄷㄹ은 직사각형이고, 선분 ㄴㅁ과 선분 ㅁㄷ은 서로 수직입니다. 각 ㅁㄷㄹ의 크기를 구하시오.

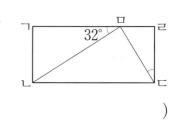

( )

응용 **5-3** 오른쪽 사각형 ㄱㄴㄷㄹ은 직사각형이고, 선분 ㄱㅁ과 선분 ㅁㄹ은 서로 수직입니다. 각 ㄴㄱㅁ의 크기를 구하시오.

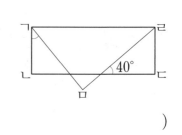

( )

유형 **6** 사각형의 성질을 이용하여 변의 길이를 구하는 문제

예제 **6-1** 오른쪽은 사다리꼴 ㄱㄴㄷㄹ 안에 선분 ㄱㄴ과 평행한 선분 ㄹㅁ을 그은 것입니다. 삼각형 ㄹㅁㄷ의 세 변의 길이의 합은 몇 cm입니까?

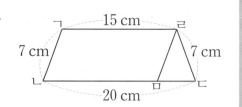

문제해결 Key

사각형 ㄱㄴㅁㄹ은 **평행사변형**입니다.

❶ 선분 ㄹㅁ, 선분 ㄴㅁ의 길이 알아보기
❷ 선분 ㅁㄷ의 길이 구하기
❸ 삼각형 ㄹㅁㄷ의 세 변의 길이의 합 구하기

풀이

❶ 사각형 ㄱㄴㅁㄹ은 평행사변형이고 평행사변형은 마주 보는 두 변의 길이가 같으므로 (선분 ㄹㅁ)=(선분 ㄱㄴ)= ☐ cm,

(선분 ㄴㅁ)=(선분 ㄱㄹ)= ☐ cm

❷ (선분 ㅁㄷ)=(선분 ㄴㄷ)-(선분 ㄴㅁ)

=20- ☐ = ☐ (cm)

❸ (삼각형 ㄹㅁㄷ의 세 변의 길이의 합)= ☐ + ☐ +7

= ☐ (cm)

답 ☐

예제 **6-2** 오른쪽은 사다리꼴 ㄱㄴㄷㄹ 안에 선분 ㄹㄷ과 평행한 선분 ㄱㅁ을 그은 것입니다. 삼각형 ㄱㄴㅁ의 세 변의 길이의 합은 몇 cm입니까?

(　　　　　　　　)

응용 **6-3** 오른쪽은 삼각형 ㄱㄴㅁ과 사다리꼴 ㅁㄴㄷㄹ을 이어 붙여 평행사변형을 만든 것입니다. 평행사변형 ㄱㄴㄷㄹ의 네 변의 길이의 합은 몇 cm입니까?

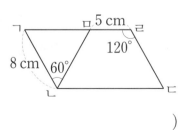

(　　　　　　　　)

예제 **7-1** 오른쪽은 평행사변형 ㄱㄴㄷㅁ과 이등변삼각형 ㅁㄷㄹ
을 겹치지 않게 이어 붙인 것입니다. 각 ㅁㄱㄴ의 크기를
구하시오.

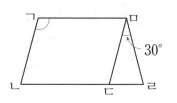

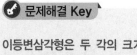 🔑 문제해결 Key

이등변삼각형은 두 각의 크기가
같고, 평행사변형은 마주 보는
각의 크기가 같습니다.

❶ 각 ㅁㄷㄹ의 크기 구하기
❷ 각 ㄴㄷㅁ의 크기 구하기
❸ 각 ㅁㄱㄴ의 크기 구하기

 풀이

❶ 이등변삼각형 ㅁㄷㄹ은 두 각의 크기가 같습니다.

(각 ㅁㄷㄹ)+(각 ㄷㄹㅁ)=180°−30°=□°

⇨ (각 ㅁㄷㄹ)=(각 ㄷㄹㅁ)이므로

(각 ㅁㄷㄹ)=□°÷2=□°

❷ 한 직선이 이루는 각의 크기는 180°이므로

(각 ㄴㄷㅁ)=180°−□°=□°

❸ 평행사변형은 마주 보는 각의 크기가 같으므로

(각 ㅁㄱㄴ)=(각 ㄴㄷㅁ)=□°

답 _____

예제 **7-2** 오른쪽은 평행사변형 ㄱㄴㄷㅂ과 마름모 ㅂㄷㄹㅁ을 겹치
지 않게 이어 붙인 것입니다. 각 ㄱㄴㄷ의 크기를 구하시오.

(   )

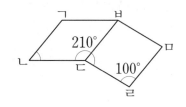

응용 **7-3** 오른쪽은 마름모 ㄱㄴㄷㅂ과 정사각형 ㅂㄷㄹㅁ을 겹치지 않게
이어 붙인 것입니다. 각 ㅂㅁㄱ의 크기를 구하시오.

(   )

유형 ⑧ 크고 작은 사각형의 개수를 구하는 문제

예제 8-1 오른쪽 그림에서 찾을 수 있는 크고 작은 마름모는 모두 몇 개입니까?

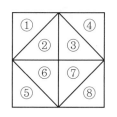

🔑 문제해결 Key

도형 2개, 4개, 8개로 이루어진 마름모를 각각 찾아봅니다.

❶ 도형 2개, 4개, 8개로 이루어진 마름모의 개수 구하기
❷ 크고 작은 마름모의 개수 구하기

풀이

❶ • 도형 2개로 이루어진 마름모:
　①+②, ③+④, ⑤+☐, ⑦+☐

• 도형 4개로 이루어진 마름모:
　②+③+⑥+☐

• 도형 8개로 이루어진 마름모:
　①+②+③+④+⑤+⑥+⑦+☐

❷ 찾을 수 있는 크고 작은 마름모는 모두 ☐ 개입니다.

답 _____

예제 8-2 오른쪽 그림에서 찾을 수 있는 크고 작은 평행사변형은 모두 몇 개입니까?

(　　　　　　　　　)

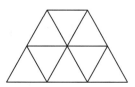

응용 8-3 오른쪽 그림에서 찾을 수 있는 크고 작은 사다리꼴과 마름모의 개수의 차는 몇 개입니까?

(　　　　　　　)

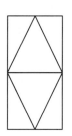

예제 9-1 오른쪽 그림과 같이 평행사변형 모양의 종이를 접었습니다. 각 ㄱㅂㄷ의 크기를 구하시오.

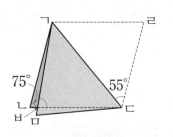

🔑 **문제해결 Key**

종이를 접었을 때 생기는 각도

⇨ (접은 각의 크기)
= (접힌 각의 크기)

❶ 각 ㄱㄷㄴ의 크기 구하기
❷ 각 ㄹㄱㄷ의 크기 구하기
❸ 각 ㄱㅂㄷ의 크기 구하기

풀이

❶ 평행사변형에서 이웃한 두 각의 크기의 합은 180°이므로
75° + (각 ㄱㄷㄴ) + 55° = 180°,
(각 ㄱㄷㄴ) = 180° − 75° − 55° = ☐°

❷ (각 ㄱㄹㄷ) = (각 ㄱㄴㄷ) = 75°이므로 삼각형 ㄱㄷㄹ에서
(각 ㄹㄱㄷ) = 180° − 75° − ☐° = ☐°

❸ (각 ㅂㄱㄷ) = (각 ㄹㄱㄷ) = ☐°이므로 삼각형 ㄱㅂㄷ에서
(각 ㄱㅂㄷ) = 180° − ☐° − ☐° = ☐°

답 ☐

예제 9-2 오른쪽 그림과 같이 평행사변형 모양의 종이를 접었습니다. 각 ㄱㅂㄷ의 크기를 구하시오.

( )

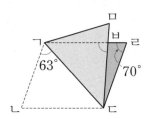

응용 9-3 오른쪽 그림과 같이 마름모 모양의 종이를 접었습니다. 각 ㄱㄴㅁ의 크기를 구하시오.

( )

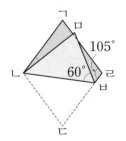

창의·융합 **유형 ⑩ 수선 또는 평행선을 이용하여 각도를 구하는 문제**

예제 10-1

[수학＋과학]

한낮에 비치는 태양의 각도는 계절에 따라 여름에는 높고 겨울에는 낮습니다. 한옥의 처마는 여름에는 방 안으로 들어오는 햇빛을 막아 주어 시원하게 해 주고, 겨울에는 집안 가득히 햇빛이 들어오게 하여 따뜻하게 해 줍니다. 오른쪽 그림에서 직선 가와 직선 나가 서로 평행할 때, 각 ㄱㄴㄷ의 크기를 구하시오.

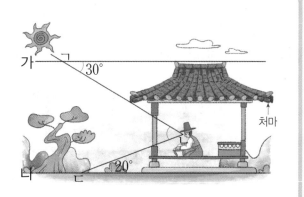

🔑 문제해결 Key

수선 또는 평행선을 그어 각각 문제를 해결합니다.

방법① 수선을 그어 문제 해결하기

방법② 평행선을 그어 문제 해결하기

풀이

방법①

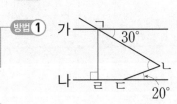

점 ㄱ에서 직선 [ ]에 수선을 긋습니다.

(각 ㄴㄱㄹ)＝90°－30°＝[ ]°

(각 ㄱㄹㄷ)＝[ ]°

(각 ㄹㄷㄴ)＝180°－20°＝[ ]°

➡ (각 ㄱㄴㄷ)＝360°－[ ]°－[ ]°－[ ]°＝[ ]°

방법②

직선 가와 평행한 직선 [ ]를 긋습니다.

평행선과 한 직선이 만날 때 생기는 엇갈린 위치에 있는 각의 크기는 같으므로

㉠＝[ ]°, ㉡＝[ ]°

➡ (각 ㄱㄴㄷ)＝㉠＋㉡＝[ ]°＋[ ]°＝[ ]°

답 [ ]

예제 10-2

태양의 위치가 오른쪽과 같이 달라졌습니다. 오른쪽 그림에서 직선 가와 직선 나가 서로 평행할 때, 각 ㄱㄴㄷ의 크기를 구하시오.

( )

01 수선도 있고 평행선도 있는 글자는 모두 몇 개입니까?

C I T E S

(   )

02 오른쪽 도형에서 평행선은 모두 몇 쌍입니까?

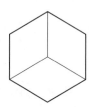

(   )

03 정사각형 모양의 색종이를 그림과 같이 반으로 두 번 접은 다음 점선을 따라 잘랐습니다. 자른 종이를 펼쳤을 때 만들어진 도형의 이름은 무엇인지 모두 고르시오. ································ (   )

 ⇨ ⇨

① 평행사변형   ② 직사각형   ③ 마름모
④ 사다리꼴   ⑤ 정사각형

성대 경시 유형

04 크기가 같은 정사각형 5개를 겹치지 않게 이어 붙인 그림에 정사각형의 꼭짓점을 연결하여 직선 **가**를 그은 것입니다. 그림에서 정사각형의 꼭짓점을 연결하여 직선 **가**와 평행한 직선은 모두 몇 개 그을 수 있습니까?

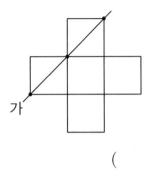

(   )

유형 **②** 평행선 사이의 거리를 구하는 문제

05 크기가 다른 정사각형 **가**, **나**, **다**를 겹치지 않게 이어 붙인 것입니다. 변 ㄱㄴ과 변 ㄹㄷ이 서로 평행할 때, 변 ㄱㄴ과 변 ㄹㄷ 사이의 거리는 몇 cm입니까?

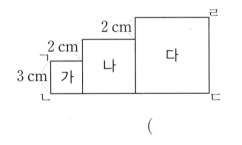

(   )

유형 **⑤** 직사각형에서 각도를 구하는 문제

06 오른쪽 직사각형에서 ㉠의 각도를 구하시오.

(   )

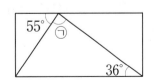

유형 **3** 같은 위치에 있는 각을 이용하여 각도를 구하는 문제

07 오른쪽 그림에서 직선 가와 직선 나는 서로 평행합니다. ㉠의 각도를 구하시오.

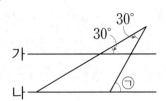

(   )

유형 **6** 사각형의 성질을 이용하여 변의 길이를 구하는 문제

08 오른쪽은 마름모를 모양과 크기가 같은 평행사변형 3개로 나눈 것입니다. 평행사변형 한 개의 네 변의 길이의 합이 48 cm일 때, 마름모의 네 변의 길이의 합은 몇 cm입니까?

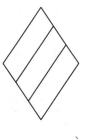

(   )

유형 **8** 크고 작은 사각형의 개수를 구하는 문제

09 오른쪽 그림에서 찾을 수 있는 크고 작은 사다리꼴은 모두 몇 개입니까?

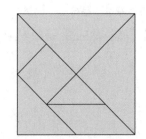

(   )

유형 ❶ 수직을 이용하여 각도를 구하는 문제

10 그림에서 선분 ㄱㄷ은 선분 ㄴㄹ에 대한 수선입니다. ㉠의 각도를 구하시오.

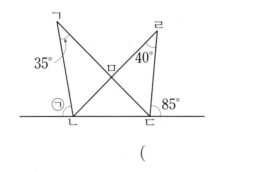

(   )

유형 ❼ 사각형의 성질을 이용하여 각도를 구하는 문제

11 오른쪽 사각형 ㄱㄴㄷㄹ은 마름모이고, 삼각형 ㄱㅁㅂ은 정삼각형입니다. ㉠의 각도를 구하시오.

(   )

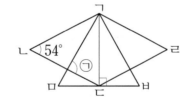

유형 ❼ 사각형의 성질을 이용하여 각도를 구하는 문제

12 오른쪽은 모양과 크기가 같은 마름모 8개를 겹치지 않게 이어 붙인 것입니다. ㉠의 각도를 구하시오.

(   )

유형 **9** 접은 도형에서 각도를 구하는 문제

13 오른쪽은 직사각형 모양의 종이를 접은 것입니다.
㉠의 각도를 구하시오.

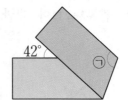

(   )

14 사각형 ㄱㄴㄷㅅ과 사각형 ㄱㄷㄹㅅ은 마름모이고, 사각형 ㅅㄹㅁㅂ은
정사각형입니다. 각 ㄱㄷㅁ의 크기를 구하시오.

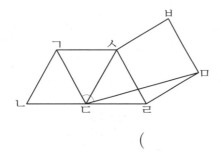

(   )

창의·융합

15 [수학 + 미술]
스테인드 글라스는 구운 색판 유리 조각을 붙여
만든 유리공예로 주로 유리창에 쓰입니다. 성당
의 필수 예술작품으로 자리잡아 스테인드 글라
스를 통해 신비로운 공간을 연출하기도 합니다.
오른쪽은 평행선 무늬로 만들어진 스테인드 글
라스 창문입니다. ㉡의 각도가 ㉠의 각도의 2배
일 때, ㉠과 ㉡의 각도의 차를 구하시오.

(   )

고대 경시 유형   유형 ❹ 엇갈린 위치에 있는 각을 이용하여 각도를 구하는 문제

16 직선 가와 직선 나는 서로 평행합니다. ㉠과 ㉡의 각도의 합을 구하시오.

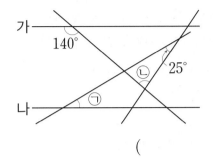

(   )

해법 경시 유형   유형 ❿ 수선 또는 평행선을 이용하여 각도를 구하는 문제

17 직선 가와 직선 나는 서로 평행합니다. ㉠의 각도를 구하시오.

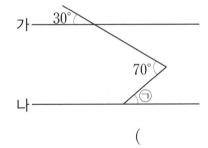

(   )

해법 경시 유형   유형 ❾ 접은 도형에서 각도를 구하는 문제

18 사각형 ㄱㄴㄷㄹ은 마름모입니다. 그림과 같이 마름모 모양의 종이를 접어서 각 ㄴㄱㅂ과 각 ㅂㄱㅇ의 크기를 같게 만들었습니다. 각 ㅁㅅㅇ의 크기를 구하시오.

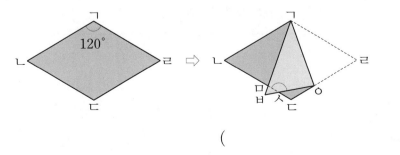

(   )

창의·융합

01 [수학＋과학] 고대 경시 유형

빛은 곧게 나아가다 물체에 닿으면 앞으로 나아가지 못하고 반사되어 다시 나옵니다. 빛은 오른쪽 그림과 같이 물체에 닿은 면과 수직인 법선을 기준으로 입사각과 반사각의 크기는 서로 같습니다. 다음 그림과 같이 거울 2개를 서로 평행하게 놓고 빛을 쏘았습니다. ㉠과 ㉡의 각도의 합을 구하시오.

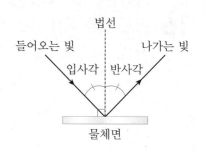

(   )

해법 경시 유형

02 규칙에 따라 수선을 그어 무늬를 만들려고 합니다. 무늬를 다 만들었을 때, 처음 2 cm짜리 선분과 마지막으로 그은 선분 사이의 거리는 몇 cm입니까?

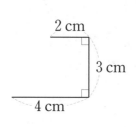

규칙

① 2 cm짜리 선분을 긋습니다.

② 시계 방향으로 선분의 수선의 길이를 1 cm 늘려 긋습니다.

③ 길이가 3 cm인 선분을 포함하여 ②와 같은 방법을 6번 반복합니다.

(   )

고대 경시 유형

03 그림과 같이 변 ㄱㄴ과 변 ㄹㄷ의 길이가 같은 사다리꼴이 있습니다. 이 사다리꼴을 길이가 같은 변끼리 겹치지 않게 이어 붙이려고 합니다. 이어 붙일 수 있는 사다리꼴은 모두 몇 개입니까?

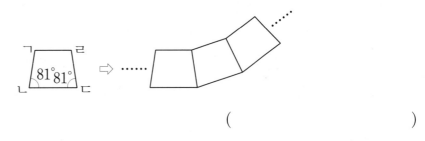

( )

04 오른쪽 그림에서 직선 **가**와 직선 **나**는 서로 평행합니다. 각 ㄱㄴㄹ의 크기는 각 ㄹㄴㄷ의 크기의 3배일 때, 각 ㄴㄹㄷ의 크기를 구하시오.

( )

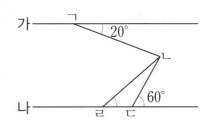

해법 경시 유형

05 사다리꼴 ㄱㄴㄷㄹ을 오른쪽과 같이 접었습니다. 선분 ㄱㄴ과 선분 ㄹㅊ, 선분 ㄱㅈ과 선분 ㄹㄷ이 서로 평행할 때, ㉠과 ㉡의 각도의 차를 구하시오.

( )

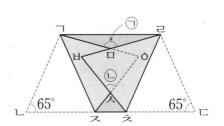

수학자 탈레스와 유클리드를 알고 있나요?

탈레스와 유클리드는 그리스의 수학자예요. 탈레스의 정리와 유클리드의 5대 공준을 이용하면 평행선과 한 직선이 만날 때 생기는 엇갈린 위치에 있는 각의 크기가 같다는 사실을 알 수 있어요.

〈탈레스의 정리〉

1. 지름은 원을 이등분합니다.
2. 이등변삼각형의 두 각의 크기는 같습니다.
3. 만나는 직선에 의해 생긴 맞꼭지각의 크기는 서로 같습니다.

4. 한 변과 그 양 끝 각의 크기가 같은 두 개의 삼각형은 서로 합동(똑같은 도형)입니다.
5. 반원 안에 접하는 삼각형은 직각삼각형입니다.

〈유클리드의 5대 공준〉

1. 두 점을 지나는 직선은 하나밖에 존재하지 않습니다.
2. 선분은 무한히 늘릴 수 있습니다.
3. 한 점을 중심으로 어떤 길이를 반지름으로 하는 원을 그릴 수 있습니다.
4. 직각은 모두 서로 같습니다.
5. 직선과 한 점이 주어졌을 때 주어진 직선과 평행하면서 점을 지나는 직선은 하나밖에 없습니다.

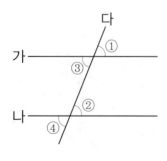

유클리드 공준 5번에 의해 직선 가와 평행한 직선 나를 그을 수 있어요. 평행선과 모두 만나는 직선 다를 그었을 때 평행선과 한 직선이 만날 때 생기는 같은 위치에 있는 각의 크기는 같으므로 ①=②이고, 탈레스의 정리에 따라 ③, ④는 각각 ①, ②의 맞꼭지각으로 크기가 같아요.
따라서 ①=②=③=④에서 ②=③이므로 엇갈린 위치에 있는 각의 크기가 같다는 사실을 알 수 있어요.

5 꺾은선그래프

단계	쪽수	공부한 날	점수	
1단계 Start 개념	108~111	월 일	O	X
2단계 Jump 유형	112~118	월 일	O	X
3단계 Master 심화	119~123	월 일	O	X
4단계 Top 최고수준	124~125	월 일	O	X

※ O에는 맞힌 개수, X에는 틀린 개수를 써넣으세요.

1 꺾은선그래프

• 꺾은선그래프: 수량을 점으로 표시하고, 그 점들을 선분으로 이어 그린 그래프

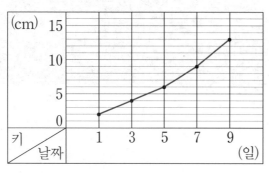

고구마 싹의 키

• 2일의 고구마 싹의 키
  ⇨ **예상** **예** 3 cm (2 cm와 4 cm 사이로 답하면 정답입니다.)
  이유 **예** 1일의 키인 2 cm와 3일의 키인 4 cm의 중간이 3 cm이기 때문입니다.

2 꺾은선그래프에서 무엇을 알 수 있을까요

(가) 기온이 영하로 내려간 날수   (나) 기온이 영하로 내려간 날수

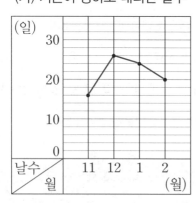   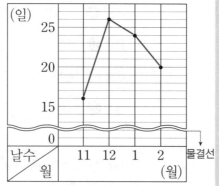

두 그래프의 같은 점	두 그래프의 다른 점
기온이 영하로 내려간 날수를 월별로 조사하여 나타낸 것입니다.	(나) 그래프는 물결선이 있어 필요없는 부분을 줄여서 나타내기 때문에 변화하는 모습이 (가) 그래프보다 잘 나타납니다.

• 기온이 영하로 내려간 날수가 가장 많은 때: 12월 (점이 가장 높게 찍힌 때)
• 기온이 영하로 내려간 날수가 가장 적은 때: 11월 (점이 가장 낮게 찍힌 때)

참고

꺾은선그래프에서 변화하는 모양과 정도 알아보기

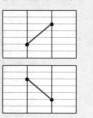

오른쪽이 올라감.
⇨ 값이 늘어남.

오른쪽이 내려감.
⇨ 값이 줄어듦.

변화 없음.

⇨ 선이 많이 기울어질수록 변화가 많습니다.

개념 활용

가장 많이 저금한 달과 가장 적게 저금한 달의 저금액의 차 구하기

저금액

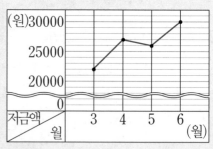

방법1
(6월의 저금액)−(3월의 저금액)
=30000−22000=8000(원)

방법2
세로 눈금 한 칸의 크기: 1000원
3월과 6월의 세로 눈금의 차: 8칸
⇨ 1000×8=8000(원)

[1~3] 강낭콩 싹의 키를 조사하여 나타낸 꺾은선그래프입니다. 물음에 답하시오.

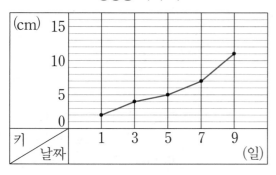

강낭콩 싹의 키

1 그래프에서 가로와 세로는 각각 무엇을 나타냅니까?

가로 (   )

세로 (   )

2 꺾은선그래프를 보고 표로 나타내시오.

강낭콩 싹의 키

날짜(일)	1	3	5	7	9
키(cm)					

3 강낭콩 싹의 키가 가장 많이 자란 때는 며칠과 며칠 사이입니까?

(   )

[4~6] 어느 마을의 강수량을 조사하여 나타낸 꺾은선그래프입니다. 물음에 답하시오.

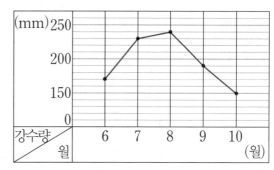

강수량

4 꺾은선그래프에 물결선을 그려 보시오.

5 설명이 **틀린** 것을 찾아 기호를 쓰시오.

> ㉠ 8월의 강수량은 240 mm입니다.
>
> ㉡ 강수량이 전달에 비해 줄어든 달은 9월뿐입니다.
>
> ㉢ 강수량이 가장 적은 때는 10월입니다.

(   )

6 강수량이 가장 많은 때와 가장 적은 때의 강수량의 차는 몇 mm입니까?

(   )

5

꺾은선그래프

1 꺾은선그래프를 어떻게 그릴까요

기온

시각	오전 11시	낮 12시	오후 1시	오후 2시	오후 3시
기온(℃)	13	15	18	16	14

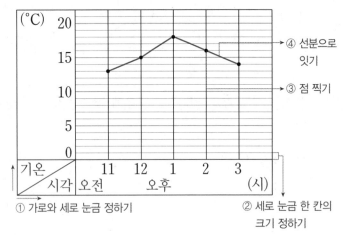

기온 ⟶ ⑤ 제목 쓰기

④ 선분으로 잇기
③ 점 찍기
① 가로와 세로 눈금 정하기
② 세로 눈금 한 칸의 크기 정하기

주의

꺾은선그래프를 그릴 때 주의할 점 알아보기

(×)   (○)

① 점을 정확히 찍어야 합니다.
② 점과 점을 선분으로 반듯하게 이어야 합니다.

2 꺾은선그래프는 어디에 쓰일까요

어느 지역의 해 뜨는 시각   어느 지역의 해 지는 시각

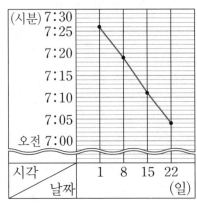 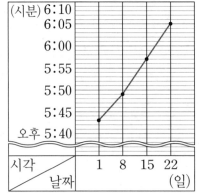

• 해 뜨는 시각: 빨라지고 있습니다.

• 해 지는 시각: 늦어지고 있습니다.

• 일주일 후인 29일의 해 뜨는 시각

  ⇨ 예상 22일보다 빨라질 것입니다.

  이유 해 뜨는 시각이 점점 빨라지고 있기 때문입니다.

• 일주일 후인 29일의 해 지는 시각

  ⇨ 예상 22일보다 늦어질 것입니다.

  이유 해 지는 시각이 점점 늦어지고 있기 때문입니다.

참고

생활 속에서 꺾은선그래프를 사용해야 하는 경우

예 온도, 키, 몸무게, 물의 양의 변화를 나타낼 때

[1~3] 어느 마을의 연도별 학급당 학생 수를 조사하여 나타낸 표입니다. 물음에 답하시오.

학급당 학생 수

연도(년)	1995	2000	2005	2010	2015
학생 수(명)	38	36	28	26	22

학급당 학생 수

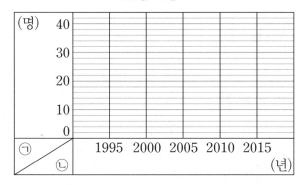

1 ㉠과 ㉡에는 각각 무엇을 써야 하는지 쓰시오.

㉠ (   )

㉡ (   )

2 표를 보고 꺾은선그래프로 나타내시오.

3 학급당 학생 수가 가장 많이 변한 때는 몇 년과 몇 년 사이입니까?

(   )

[4~6] 세 식물의 키의 변화를 조사하여 나타낸 꺾은선그래프입니다. 물음에 답하시오.

식물 (가)의 키

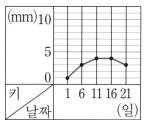

식물 (나)의 키 　　　　 식물 (다)의 키

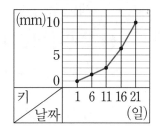 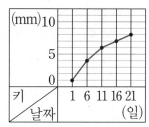

4 처음에는 천천히 자라다가 시간이 지나면서 빠르게 자라는 식물은 어느 것입니까?

(   )

5 처음에는 빠르게 자라다가 시간이 지나면서 천천히 자라는 식물은 어느 것입니까?

(   )

6 조사하는 동안 시들기 시작한 식물을 찾아 쓰고, 그렇게 생각한 이유를 쓰시오.

답 ＿＿＿＿＿＿＿＿＿＿＿＿＿＿＿＿＿

이유 ＿＿＿＿＿＿＿＿＿＿＿＿＿＿＿＿＿

＿＿＿＿＿＿＿＿＿＿＿＿＿＿＿＿＿＿

5

꺾은선그래프

예제 1-1 오른쪽은 어느 가게의 아이스크림 판매량을 조사하여 나타낸 꺾은선그래프입니다. 아이스크림 한 개가 1000원일 때, 조사한 기간 동안의 아이스크림 판매액은 모두 얼마입니까?

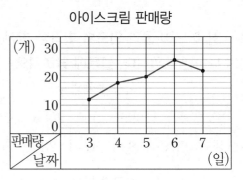

아이스크림 판매량

🔑 문제해결 Key

세로 눈금 5칸이 ■를 나타내면
(세로 눈금 한 칸의 크기)
=■÷5

❶ 세로 눈금 한 칸의 크기 구하기
❷ 조사한 기간의 아이스크림 판매량 구하기
❸ 조사한 기간의 아이스크림 판매액 구하기

풀이

❶ 세로 눈금 5칸이 10개를 나타내므로
(세로 눈금 한 칸의 크기)=10÷5=□ (개)

❷ (조사한 기간의 아이스크림 판매량)
=12+18+20+□+□=□ (개)

❸ (조사한 기간의 아이스크림 판매액)=1000×□=□ (원)

답 □

예제 1-2 오른쪽은 어느 가게의 김밥 판매량을 조사하여 나타낸 꺾은선그래프입니다. 김밥 한 줄이 2000원일 때, 조사한 기간 동안의 김밥 판매액은 모두 얼마입니까?

( )

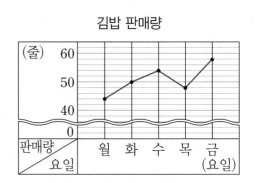

김밥 판매량

응용 1-3 어느 회사의 인형 생산량과 판매량을 조사하여 나타낸 꺾은선그래프입니다. 조사한 기간 동안 이 회사에서 생산한 인형 중 팔리지 않고 남은 인형은 몇 개입니까?

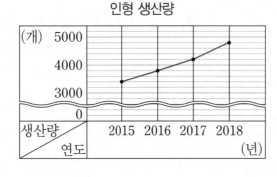

인형 생산량

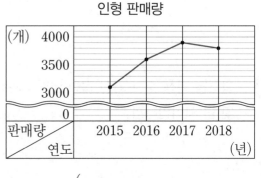

인형 판매량

( )

유형 ② 눈금의 크기를 구하는 문제

예제 2-1 오른쪽은 승민이의 운동 시간을 조사하여 나타
낸 꺾은선그래프입니다. 승민이가 화요일에 운동
한 시간이 30분일 때, 승민이가 운동을 가장
많이 한 날의 운동 시간은 몇 분입니까?

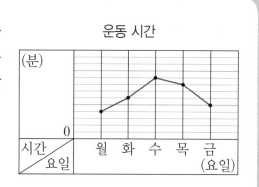

운동 시간

🔑 문제해결 Key

6칸 = 30분
↓   ↓
1칸 =   ?

❶ 세로 눈금 한 칸의 크기 구하기
❷ 운동을 가장 많이 한 날의 운동 시간 구하기

풀이

❶ 화요일의 세로 눈금 ☐ 칸이 30분을 나타내므로

  (세로 눈금 한 칸의 크기)=30÷☐=☐ (분)

❷ 승민이가 운동을 가장 많이 한 날은 ☐ 요일이므로

  (운동 시간)=5×☐=☐ (분)

답 _____

예제 2-2 오른쪽은 어느 서점의 책 판매량을 조사하여 나타
낸 꺾은선그래프입니다. 8월의 책 판매량이 100권
일 때, 조사한 기간의 책 판매량은 모두 몇 권입니
까?

(_____)

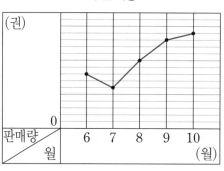

책 판매량

응용 2-3 오른쪽은 어느 과수원의 사과 생산량을 조사하여
나타낸 꺾은선그래프입니다. 조사한 기간 동안 생
산한 사과가 모두 4300상자일 때, ㉠과 ㉡에 알맞
은 수를 각각 구하시오.

㉠ (_____), ㉡ (_____)

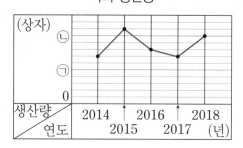

사과 생산량

예제 **3-1** 오른쪽은 민현이의 턱걸이 횟수를 조사하여 나타낸 꺾은선그래프입니다. 1일부터 5일까지 민현이의 턱걸이 횟수가 58회일 때, 1일과 3일의 턱걸이 횟수의 차는 몇 회입니까?

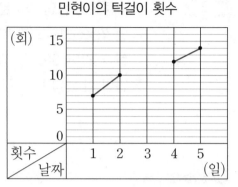

민현이의 턱걸이 횟수

🔑 **문제해결 Key**

먼저 민현이의 3일의 턱걸이 횟수를 구합니다.

❶ 3일의 턱걸이 횟수 구하기
❷ 1일과 3일의 턱걸이 횟수의 차 구하기

풀이

❶ 턱걸이 횟수를 알아보면

1일: 7회, 2일: 10회, 4일: ☐ 회, 5일: ☐ 회

⇨ (3일의 턱걸이 횟수)

$= 58 - 7 - 10 - \boxed{} - \boxed{} = \boxed{}$ (회)

❷ (1일과 3일의 턱걸이 횟수의 차) $= \boxed{} - \boxed{} = \boxed{}$ (회)

답 ☐

예제 **3-2** 오른쪽은 어느 영화관의 입장객 수를 조사하여 나타낸 꺾은선그래프입니다. 월요일부터 금요일까지 영화관의 입장객이 3220명일 때, 수요일과 금요일의 입장객 수의 차는 몇 명입니까?

(   )

영화관의 입장객 수

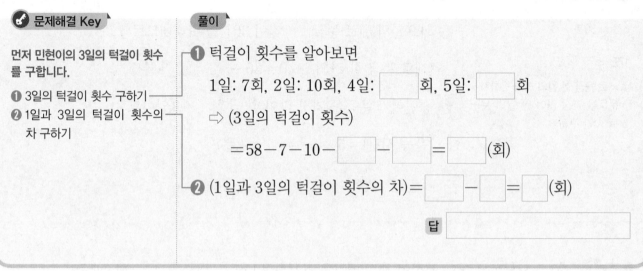

응용 **3-3** 오른쪽은 어느 문구점의 공책 판매량을 조사하여 나타낸 꺾은선그래프입니다. 공책 한 권의 값은 500원이고, 1월부터 6월까지 판매한 공책의 값은 730000원입니다. 4월의 공책 판매량은 몇 권입니까?

(   )

공책 판매량

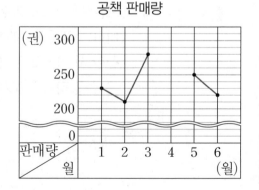

유형 ④ 두 개의 꺾은선그래프를 해석하여 구하는 문제

예제 4-1 오른쪽은 동우와 지수의 윗몸 일으키기 기록을 조사하여 나타낸 꺾은선그래프입니다. 두 사람의 윗몸 일으키기 기록의 차가 가장 작은 때는 언제이고, 이때의 기록의 차는 몇 회입니까?

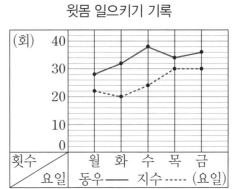

윗몸 일으키기 기록

🔑 **문제해결 Key**

기록의 차가 가장 작은 때
⇨ 두 꺾은선 사이의 간격이 가장 작은 때

❶ 기록의 차가 가장 작은 때 알아보기
❷ 기록의 차 구하기

풀이

❶ 두 사람의 윗몸 일으키기 기록의 차가 가장 작은 때:

두 꺾은선 사이의 간격이 가장 작은 ▢ 요일입니다.

❷ 이때의 동우의 기록은 ▢ 회이고, 지수의 기록은 ▢ 회이므로

(기록의 차)= ▢ − ▢ = ▢ (회)

답 ▢ , ▢

예제 4-2 오른쪽은 승준이와 영서의 키를 조사하여 나타낸 꺾은선그래프입니다. 두 사람의 키의 차가 가장 큰 때는 몇 월이고, 이때의 키의 차는 몇 cm입니까?

(   ), (   )

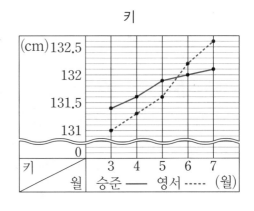

키

응용 4-3 오른쪽은 민혁이와 가은이의 몸무게를 조사하여 나타낸 꺾은선그래프입니다. 두 사람 중 조사한 기간 동안 몸무게가 더 많이 늘어난 사람은 누구이고, 몇 kg 늘었습니까?

(   ), (   )

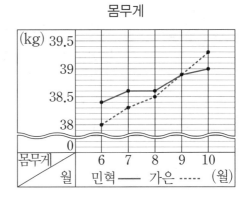

몸무게

5

꺾은선그래프

예제 5-1 오른쪽은 세호가 자전거를 타고 일정한 빠르기로 달린 거리를 나타낸 꺾은선그래프입니다. 세호가 같은 빠르기로 달린다면 1분 동안 달리는 거리는 몇 m가 되겠습니까?

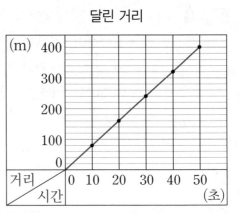

🔑 **문제해결 Key**

일정한 시간이 지날 때마다 몇 m씩 달리는지 알아봅니다.

❶ 10초마다 몇 m씩 달리는지 구하기
❷ 1분 동안 달리는 거리 구하기

풀이

❶ 달린 거리

시간(초)	10	20	30	40	50
거리(m)					

⇨ 10초마다 [   ] m씩 달립니다.

❷ (세호가 1분 동안 달리는 거리)＝(50초 동안 달린 거리)＋[   ]

＝[   ]＋[   ]＝[   ] (m)

답 [   ]

예제 5-2 오른쪽은 일정한 빠르기로 물탱크에 채운 물의 양을 나타낸 꺾은선그래프입니다. 같은 빠르기로 물을 채운다면 6분 동안 물탱크에 채우는 물의 양은 몇 L가 되겠습니까?

(   )

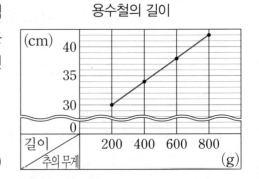

응용 5-3 오른쪽은 용수철에 매달은 추의 무게가 200 g씩 늘어날 때마다 용수철의 길이를 재어 나타낸 꺾은선그래프입니다. 이 용수철에 2 kg의 추를 매달면 용수철의 길이는 몇 cm가 되겠습니까?

(   )

창의·융합

유형 6 조건에 맞게 꺾은선그래프를 완성하는 문제

예제 6-1

*평균: 여러 수치의 중간값

[수학 + 사회]

지구의*평균 기온이 점점 높아지는 지구 온난화의 징후가 나타나고 있습니다. 화학 원료가 이산화탄소를 만들고, 그 이산화탄소가 지구를 덮어서 온도를 높이기 때문에 북극의 얼음이 점점 녹아 북극곰의 생존을 위협하는 등의 문제점이 발생하고 있습니다. 다음은 우리나라 연평균 기온을 조사하여 나타낸 꺾은선그래프입니다. 1990년과 2000년의 연평균 기온의 합은 27.3 °C이고, 2000년이 1990년보다 0.1 °C 더 높다고 합니다. 꺾은선그래프를 완성하시오.

우리나라의 연평균 기온

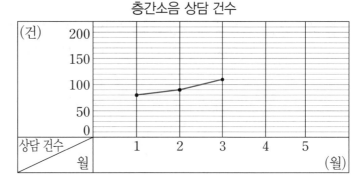

🔑 문제해결 Key

1990년의 연평균 기온을 ■ °C라 놓고 식을 세웁니다.

❶ 1990년의 연평균 기온 구하기 ─┐

❷ 2000년의 연평균 기온 구하기 ─┤

❸ 꺾은선그래프 완성하기 ─────┘

📝 풀이

❶ 1990년의 연평균 기온을 ■ °C라 하면

2000년의 연평균 기온은 (■ + ⬚) °C입니다.

■ + ■ + ⬚ = 27.3, ■ + ■ = ⬚, ■ = ⬚

❷ (2000년의 연평균 기온) = ⬚ + 0.1 = ⬚ (°C)

❸ 세로 눈금 한 칸의 크기가 ⬚ °C이므로 알맞게 꺾은선그래프로 나타냅니다.

응용 6-2

[수학 + 사회]

층간소음은 아파트 같은 공동주택에서 발생하는 소음 공해를 말합니다. 층간소음으로 인한 다툼이 일어나는 경우가 많아 큰 사회적인 문제가 되고 있습니다. 다음은 어느 도시의 층간소음 민원 상담 건수를 조사하여 나타낸 꺾은선그래프입니다. 1월부터 5월까지 상담 건수는 630건이고, 5월의 상담 건수는 4월보다 10건 줄었습니다. 꺾은선그래프를 완성하시오.

층간소음 상담 건수

STEP 2 Jump 유형   유형 ⑦ 세로 눈금 한 칸의 크기를 다르게 하여 구하는 문제

예제 **7-1** 오른쪽은 코스모스의 키를 조사하여 나타낸 꺾은선그래프입니다. 세로 눈금 한 칸의 크기를 2 cm로 하여 꺾은선그래프를 다시 그린다면 4일과 5일의 세로 눈금은 몇 칸 차이가 나겠습니까?

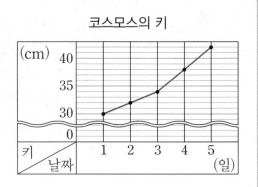

코스모스의 키

🔑 **문제해결 Key**

(세로 눈금 칸 수의 차)
=(자료값의 차)
÷(세로 눈금 한 칸의 크기)

❶ 4일과 5일의 코스모스의 키 알아보기
❷ 코스모스의 키의 차 구하기
❸ 세로 눈금 칸 수의 차 구하기

풀이

❶ 코스모스의 키는 4일에 ☐ cm, 5일에 ☐ cm입니다.

❷ (코스모스의 키의 차)
　 =(5일의 코스모스의 키)−(4일의 코스모스의 키)
　 = ☐ − ☐ = ☐ (cm)

❸ 세로 눈금 한 칸의 크기를 2 cm로 하면 세로 눈금은

　 ☐ ÷2= ☐ (칸) 차이가 납니다.

답 ☐

예제 **7-2** 오른쪽은 민규의 줄넘기 횟수를 조사하여 나타낸 꺾은선그래프입니다. 세로 눈금 한 칸의 크기를 5회로 하여 꺾은선그래프를 다시 그린다면 3일과 4일의 세로 눈금은 몇 칸 차이가 나겠습니까?

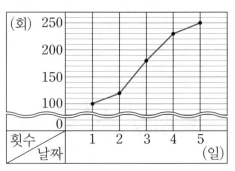

민규의 줄넘기 횟수

(　　　　　)

응용 **7-3** 오른쪽 꺾은선그래프의 세로 눈금 한 칸의 크기를 다르게 하여 다시 그렸더니 자동차 생산량이 가장 많은 달과 가장 적은 달의 세로 눈금의 차가 26칸이었습니다. 다시 그린 그래프는 세로 눈금 한 칸의 크기를 몇 대로 한 것입니까?

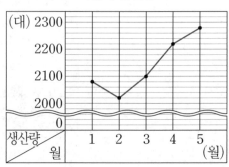

자동차 생산량

(　　　　　)

01 오른쪽은 지안이가 운동장의 온도를 조사하여 나타낸 꺾은선그래프입니다. 운동장의 온도는 오후 3시에 몇 ℃였을 것이라고 예상하는지 쓰고, 그렇게 예상한 이유를 쓰시오.

운동장의 온도

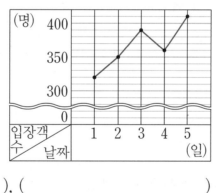

예상 _____

이유 _____

_____

02 오른쪽은 어느 공연의 입장객 수를 조사하여 나타낸 꺾은선그래프입니다. 한 명의 입장료가 20000원일 때, 전체 입장료가 전날보다 줄어든 날은 언제이고, 얼마나 줄었습니까?

공연의 입장객 수

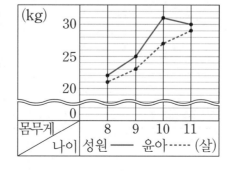

( ), ( )

유형 ④ 두 개의 꺾은선그래프를 해석하여 구하는 문제

03 오른쪽은 성원이와 윤아의 몸무게를 매년 6월에 조사하여 나타낸 꺾은선그래프입니다. 성원이의 몸무게가 전년에 비해 가장 많이 늘어난 때에 윤아의 몸무게는 전년에 비해 몇 kg 늘었습니까?

( )

성원이와 윤아의 몸무게

유형 ④ 두 개의 꺾은선그래프를 해석하여 구하는 문제

04 오른쪽은 성수와 서윤이의 수학
점수를 나타낸 꺾은선그래프입니
다. 3월에 비해 7월의 수학 점수
가 더 많이 오른 사람은 누구이고,
몇 점 올랐습니까?

(   )
(   )

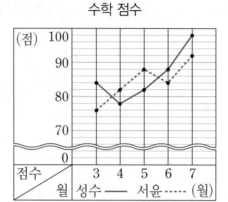

유형 ② 눈금의 크기를 구하는 문제

05 오른쪽은 종현이의 팔 굽혀펴기 횟수
를 조사하여 나타낸 꺾은선그래프
입니다. 조사한 기간 동안 종현이가
한 팔 굽혀펴기 횟수가 모두 74회
일 때, ㉠+㉡을 구하시오.

(   )

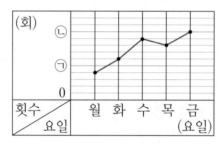

유형 ① 조사한 전체 자료값을 이용하여 구하는 문제

06 건우가 1월에 통장을 만들어 매월 마지막 날에 그 달에 저금한 금액과
찾은 금액을 나타낸 꺾은선그래프입니다. 6월 30일에 통장에 남아 있
는 돈은 얼마입니까? (단, 이자는 생각하지 않습니다.)

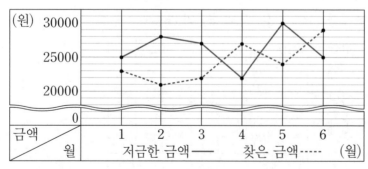

(   )

고대 경시 유형 **유형 ③** **모르는 자료값을 구하는 문제**

07 왼쪽은 요일별 효진이의 홈페이지에 들어온 방문객 수를 나타낸 표이고, 오른쪽은 월요일부터 각 요일까지 효진이의 홈페이지에 들어온 *누적 방문객 수를 나타낸 꺾은선그래프입니다. ㉠에 알맞은 수를 구하시오.

*누적: 어떤 사실이나 현상 따위가 반복되거나 겹쳐 늘어남
■일의 누적 방문객 수는 처음부터 ■일까지의 방문객 수를 더한 것입니다.

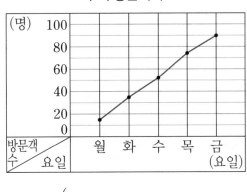

요일별 방문객 수

요일	방문객 수(명)
월	15
화	20
수	17
목	㉠
금	16

누적 방문객 수

(   )

08 (가)와 (나) 회사의 컴퓨터 판매량을 나타낸 꺾은선그래프입니다. 컴퓨터 판매량이 가장 많았던 해와 가장 적었던 해의 판매량의 차가 더 큰 회사를 찾아 쓰시오.

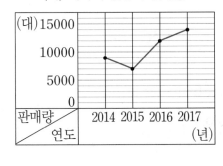

(가) 회사의 컴퓨터 판매량

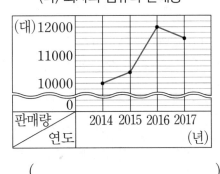

(나) 회사의 컴퓨터 판매량

(   )

유형 ⑦ **세로 눈금 한 칸의 크기를 다르게 하여 구하는 문제**

09 오른쪽 꺾은선그래프의 세로 눈금 한 칸의 크기를 다르게 하여 다시 그렸더니 학생 수가 가장 많은 해와 가장 적은 해의 세로 눈금의 차가 16칸이었습니다. 다시 그린 그래프는 세로 눈금 한 칸의 크기를 몇 명으로 한 것입니까?

최고 초등학교 4학년 학생 수

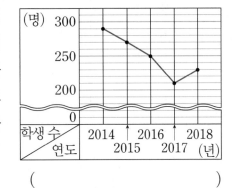

(   )

유형 **6** 조건에 맞게 꺾은선그래프를 완성하는 문제

10 태하네 아파트의 음식물 쓰레기 배출량을 조사하여 나타낸 꺾은선그래프입니다. 일주일 동안의 음식물 쓰레기 배출량은 404 kg이고, 토요일은 금요일보다 5 kg 더 많고, 일요일은 토요일보다 3 kg 더 많습니다. 꺾은선그래프를 완성하시오.

음식물 쓰레기 배출량

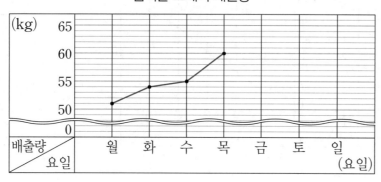

창의·융합

[수학＋사회] 고대 경시 유형

11 전기 요금은 전기를 많이 사용할수록 기준 가격도 더 높아지기 때문에 더 많은 요금을 내야 합니다. 예를 들어 전기 사용량이 310 kWh일 때 전기 요금은 다음과 같이 기본요금과 *전력량 요금을 더하여 계산합니다.

*전력량: 사용한 전기 에너지 양, 단위는 kWh(킬로와트시) 사용

$$310=200+110$$

$$(\text{전기 요금})=\underbrace{1600}_{\text{기본요금}}+\underbrace{200\times 93+110\times 187}_{\text{전력량 요금}}=40770(\text{원})$$

연우네 집의 월별 전기 사용량을 나타낸 꺾은선그래프입니다. 전기 사용량이 두 번째로 많이 나온 달의 전기 요금은 얼마입니까?

주택용 전력(저압) 사용량별 전기 요금   (2016년 기준)

기본요금(원 / 호)		전력량 요금(원 / kWh)	
0~200 kWh	910	처음 200 kWh까지	93
201~400 kWh	1600	다음 200 kWh까지	187
401 kWh~	7300	401 kWh~	280

월별 전기 사용량

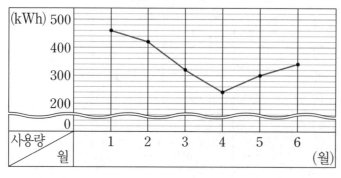

(   )

성대 경시 유형 　**유형 ⑥** 　조건에 맞게 꺾은선그래프를 완성하는 문제

12 오른쪽은 어느 날의 기온을 나타낸 꺾은선그래프입니다. 낮 12시부터 오후 2시까지 올라간 기온이 오후 2시부터 오후 4시까지 내려간 기온의 2배일 때, 꺾은선그래프를 완성하시오.

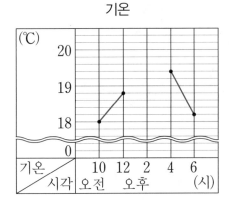

기온

13 어느 나라의 연도별 외국인 관광객 수와 관광 수입액을 나타낸 꺾은선그래프입니다. 전년에 비해 관광객은 늘었지만 관광 수입액은 줄어든 해의 관광 수입액은 전년에 비해서 얼마나 줄었습니까?

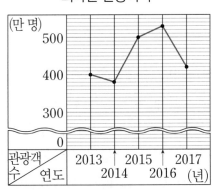
외국인 관광객 수

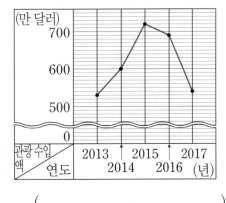
관광 수입액

(　　　　　　　　　　)

해법 경시 유형 　**유형 ⑤** 　변화량이 일정할 때 자료값을 예상하는 문제

14 오른쪽은 기차와 버스가 달린 거리를 나타낸 꺾은선그래프입니다. 기차와 버스가 동시에 출발하여 각각 일정한 빠르기로 쉬지 않고 180 km 떨어져 있는 곳에 간다면 기차는 버스보다 몇 시간 더 빨리 도착하겠습니까?

(　　　　　　)

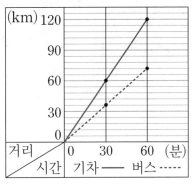
달린 거리

01 4가지 종류의 장난감 ㉠, ㉡, ㉢, ㉣을 만드는 공장이 있습니다. 왼쪽은 월별 장난감 생산량을 나타낸 꺾은선그래프이고, 오른쪽은 5월의 종류별 장난감 생산량을 나타낸 막대그래프입니다. 장난감 ㉡ 한 개의 가격은 2000원이고, 5월에 생산한 장난감 ㉡은 모두 팔았습니다. 5월에 생산한 장난감 ㉡을 판 돈은 모두 얼마입니까?

(단, 불량품은 없습니다.)

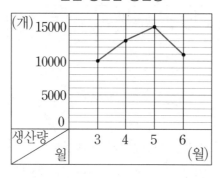

월별 장난감 생산량

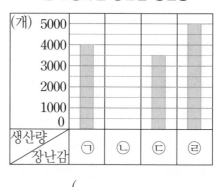

5월의 종류별 장난감 생산량

(   )

창의·융합

02

[수학 + 과학]

물을 가열하면 온도가 100 °C일 때 끓기 시작하지만 *소금물을 가열하면 100 °C보다 높은 온도에서 끓기 시작합니다. 또한 소금물이 끓게 되면 물은 날아가고 소금은 그대로 남아 있어 온도는 계속 올라갑니다. 다음은 16 °C인 물과 소금물을 각각 알코올램프로 가열할 때의 온도를 나타낸 꺾은선그래프입니다. 물과 소금물의 온도가 끓을 때까지 각각 일정하게 높아지고 소금물은 104 °C일 때 끓기 시작했습니다. 물과 소금물을 동시에 가열했을 때 어느 것이 몇 분 먼저 끓었습니까?

*소금물은 농도에 따라 끓는 온도가 다릅니다.

물과 소금물의 온도

(   ), (   )

해법 경시 유형

03 준영이와 어머니가 집에서 1800 m 떨어진 공원까지 가는 데 걸린 시간과 거리의 관계를 나타낸 꺾은선그래프입니다. 준영이는 어머니와 동시에 출발하여 일정한 빠르기로 걷다가 20분 후 뛰기 시작하여 어머니와 동시에 도착했습니다. 이와 같은 빠르기로 준영이가 처음부터 뛴다면 어머니보다 몇 분 빨리 도착하겠습니까?

간 거리

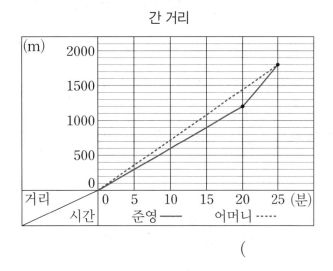

(   )

해법 경시 유형

04 일정한 양의 물이 나오는 2개의 수도꼭지 ㉠과 ㉡이 있습니다. 200 L들이의 통에 2개의 수도꼭지로 물을 받다가 도중에 수도꼭지 ㉡을 잠갔을 때 통에 담기는 물의 양을 나타낸 꺾은선그래프입니다. 들이가 210 L인 물통에 수도꼭지 ㉠으로만 먼저 30분 동안 물을 받은 후 수도꼭지 ㉡으로만 물을 받으려고 합니다. 이 물통에 처음부터 물을 가득 채우는 데 걸리는 시간은 몇 분입니까?

통에 담긴 물의 양

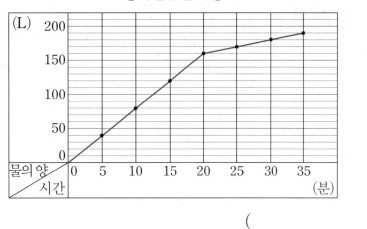

(   )

일상생활에서 그래프가 어떻게 활용되는지 알고 있나요?

우리 생활 속에서 그래프가 다양하게 사용되고 있어요. 자료를 그래프로 나타내면 수량의 크기를 비교하거나 수량이 변화하는 것을 한눈에 알아보기 쉬워요. 뿐만 아니라 글로 읽는 것보다 그래프로 나타내면 더 빠르고 쉽게 내용을 알려주는 역할도 한답니다. 그래서 신문이나 잡지 등에서 많이 활용되고 있어요. 생활 속에서 다양하게 활용되는 그래프를 찾아볼까요?

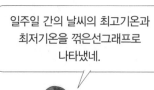

일주일 간의 날씨의 최고기온과 최저기온을 꺾은선그래프로 나타냈네.

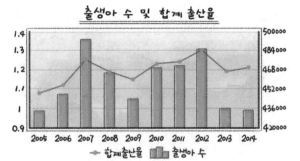

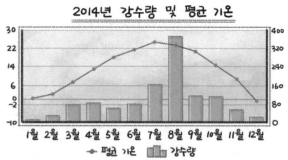

또한, 위의 그래프처럼 두 자료를 막대그래프와 꺾은선그래프로 한꺼번에 그려서 보여주기도 해요.
이외에도 그래프의 종류에는 원그래프, 띠그래프, 도넛그래프…… 등이 있어요.
그래프로 나타내고자 하는 내용이 무엇인지에 따라 종류를 선택해서 사용하면 된답니다.

6 다각형

※ O에는 맞힌 개수, X에는 틀린 개수를 써넣으세요.

1 다각형

- 다각형: 선분으로만 둘러싸인 도형
- 다각형은 변의 수에 따라 변이 6개이면 육각형, 변이 7개이면 칠각형, 변이 8개이면 팔각형이라고 부릅니다.

　　육각형　　　　　칠각형　　　　　팔각형

참고
- 변이 ■개인 다각형의 이름
  ⇨ ■각형
- 변이 ▲개인 정다각형의 이름
  ⇨ 정▲각형

2 정다각형

- 정다각형: 변의 길이가 모두 같고, 각의 크기가 모두 같은 다각형

　정삼각형　　　정사각형　　　정오각형　　　정육각형

 정다각형은 변의 수에 따라 정삼각형, 정사각형, 정오각형, 정육각형이라고 불러요.

- 정다각형의 각의 크기

정다각형	도형 안의 모든 각의 크기의 합	한 각의 크기
정삼각형	$180°$	$180° \div 3 = 60°$ ┗→변의 수 또는 각의 수
정사각형	$180° \times 2 = 360°$ ┗→삼각형의 개수	$360° \div 4 = 90°$
정오각형	$180° \times 3 = 540°$	$540° \div 5 = 108°$
정육각형	$180° \times 4 = 720°$	$720° \div 6 = 120°$

개념 활용

정다각형의 각의 크기 구하기
정■각형은 삼각형 (■-2)개로 나눌 수 있습니다.
⇨ (정■각형의 모든 각의 크기의 합)
　$= 180° \times (■-2)$
⇨ (정■각형의 한 각의 크기)
　$= 180° \times (■-2) \div ■$
정■각형은 ■개의 각의 ┘
크기가 모두 같습니다.

1 변의 수가 가장 많은 다각형의 이름을 쓰시오.

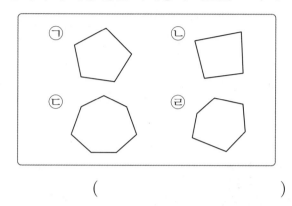

( )

2 다음 도형이 다각형이 <u>아닌</u> 이유를 쓰시오.

이유 _____

_____

3 정다각형이 <u>아닌</u> 것을 찾아 기호를 쓰고, 그 이유를 쓰시오.

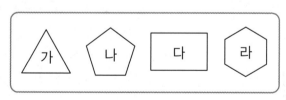

답 _____

이유 _____

_____

4 정팔각형의 한 각의 크기를 구하시오.

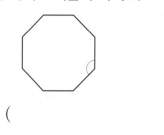

( )

5 한 변이 9 cm이고 모든 변의 길이의 합이 81 cm인 정다각형이 있습니다. 이 도형의 이름을 쓰시오.

( )

6 다음 도형은 정오각형입니다. ㉠의 각도를 구하시오.

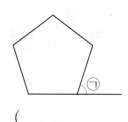

( )

6

다각형

1 대각선

- 대각선: 다각형에서 선분 ㄱㄷ, 선분 ㄴㄹ과 같이 서로 이웃하지 않는 두 꼭짓점을 이은 선분

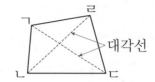

- 사각형에서 대각선의 성질

사각형 대각선의 성질	사다 리꼴 ▱	평행 사변형 ▱	마름모 ◇	직사 각형 ⊠	정사 각형 ⊠
두 대각선의 길이가 같은 사각형	×	×	×	○	○
두 대각선이 서로 수직으로 만나는 사각형	×	×	○	×	○
한 대각선이 다른 대각선을 반으로 나누는 사각형	×	○	○	○	○
두 대각선이 서로 수직으로 만나고 길이가 같은 사각형	×	×	×	×	○

2 모양 만들기와 모양 채우기

- 모양 조각의 이름 알아보기

▲	⬡	◇	■	⬡
정삼각형	사다리꼴	마름모	정사각형	정육각형

- 모양 조각으로 모양 만들기

예)

- 정육각형을 다양한 방법으로 채우기

예)

참고

삼각형은 3개의 꼭짓점이 모두 이웃하고 있으므로 대각선을 그을 수 없습니다.

개념 활용

대각선의 수 구하기

> ■각형의 꼭짓점의 수: ■
> 한 꼭짓점에서 그을 수 있는 대각선의 수: ■−3
> ⇨ (■각형의 대각선의 수)
> =(■−3)×■÷2

각 꼭짓점에서 대각선을 그으면 2번씩 겹치므로 2로 나누어줍니다.

예) 오각형의 대각선의 수 구하기

(오각형의 꼭짓점 ㄱ에서 그을 수 있는 대각선의 수)=5−3=2(개)
점 ㄱ과 이웃한 꼭짓점 ㄴ과 ㅁ

⇨ (오각형의 대각선의 수)
=(한 꼭짓점에서 그을 수 있는 대각선의 수)
×(꼭짓점의 수)÷2
=2×5÷2=5(개)

1 두 대각선이 서로 수직으로 만나고 길이가 같은 사각형을 찾아 기호를 쓰시오.

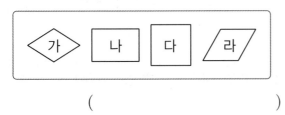

( )

[2~3] 모양 조각을 보고 물음에 답하시오.

2 모양 조각을 여러 개 사용하여 서로 다른 모양의 평행사변형을 2개 만들어 보시오.

3 모양 조각을 여러 개 사용하여 다음 모양을 채워 보시오.

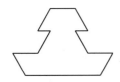

4 십각형의 대각선은 모두 몇 개입니까?

( )

5 왼쪽 모양 조각으로 오른쪽 모양을 겹치지 않게 빈틈없이 채우려면 모양 조각이 모두 몇 개 필요합니까?

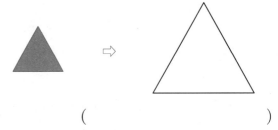

( )

6 직사각형 ㄱㄴㄷㄹ에서 선분 ㅁㄷ의 길이는 몇 cm입니까?

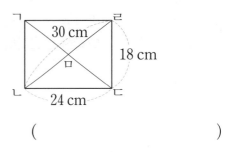

( )

6
다각형

예제 **1-1** 오른쪽 평행사변형 ㄱㄴㄷㄹ에서 삼각형 ㄱㅁㄹ의 세 변의 길이의 합은 몇 cm입니까?

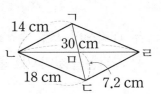

문제해결 Key

평행사변형의 한 대각선은 다른 대각선을 반으로 나눕니다.

❶ 선분 ㄱㅁ의 길이 알아보기
❷ 선분 ㅁㄹ의 길이 구하기
❸ 삼각형 ㄱㅁㄹ의 세 변의 길이의 합 구하기

풀이

평행사변형에서 한 대각선이 다른 대각선을 반으로 나누므로

❶ (선분 ㄱㅁ)＝(선분 ☐)＝ ☐ cm

❷ (선분 ㅁㄹ)＝30÷2＝ ☐ (cm)

❸ 평행사변형에서 마주 보는 변의 길이는 같으므로

(선분 ㄱㄹ)＝(선분 ㄴㄷ)＝ ☐ cm

⇨ (삼각형 ㄱㅁㄹ의 세 변의 길이의 합)

＝ ☐ ＋ ☐ ＋18＝ ☐ (cm)

답 ☐

예제 **1-2** 오른쪽 직사각형에서 색칠한 삼각형의 세 변의 길이의 합은 몇 cm입니까?

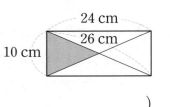

( )

응용 **1-3** 오른쪽은 직사각형 ㄱㄴㄷㄹ 안에 각 변의 한가운데 점을 이어 마름모 ㅁㅂㅅㅇ을 그린 것입니다. 마름모 ㅁㅂㅅㅇ의 모든 대각선의 길이의 합은 몇 cm입니까?

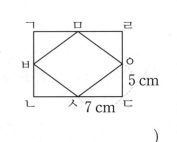

( )

유형 ② 정다각형을 활용한 문제

예제 2-1 철사를 겹치지 않게 모두 사용하여 한 변이 20 cm인 정육각형을 한 개 만들었습니다. 이 철사를 다시 펴서 한 변이 8 cm인 정오각형을 만들려고 합니다. 정오각형은 몇 개까지 만들 수 있습니까?

🔑 문제해결 Key

정다각형은 변의 길이가 모두 같습니다.

❶ 전체 철사의 길이 구하기
❷ 정오각형을 한 개 만드는 데 필요한 철사의 길이 구하기
❸ 만들 수 있는 정오각형의 수 구하기

풀이

❶ (전체 철사의 길이)=20×6=◻ (cm)

❷ (정오각형을 한 개 만드는 데 필요한 철사의 길이)
　=8×◻=◻ (cm)

❸ (만들 수 있는 정오각형의 수)=◻ ÷ ◻ = ◻ (개)

답 ◻

예제 2-2 끈을 겹치지 않게 모두 사용하여 한 변이 36 cm인 정오각형을 한 개 만들었습니다. 이 끈으로 한 변이 5 cm인 정구각형을 만들려고 합니다. 정구각형은 몇 개까지 만들 수 있습니까?

(　　　　　　　)

예제 2-3 길이가 70 cm인 색 테이프를 겹치지 않게 사용하여 한 변이 7 cm인 정다각형을 한 개 만들었습니다. 남은 색 테이프가 14 cm일 때, 만든 정다각형의 이름을 쓰시오.

(　　　　　　　)

응용 2-4 철사를 겹치지 않게 모두 사용하여 한 변이 15 cm인 정팔각형을 한 개 만들었습니다. 이 철사를 다시 펴서 겹치지 않게 모두 사용하여 똑같은 정사각형을 5개 만들었습니다. 만든 정사각형의 한 변은 몇 cm입니까?

(　　　　　　　)

6

다각형

예제 3-1 두 도형에 각각 그을 수 있는 대각선의 수의 합은 몇 개인지 구하시오.

육각형, 팔각형

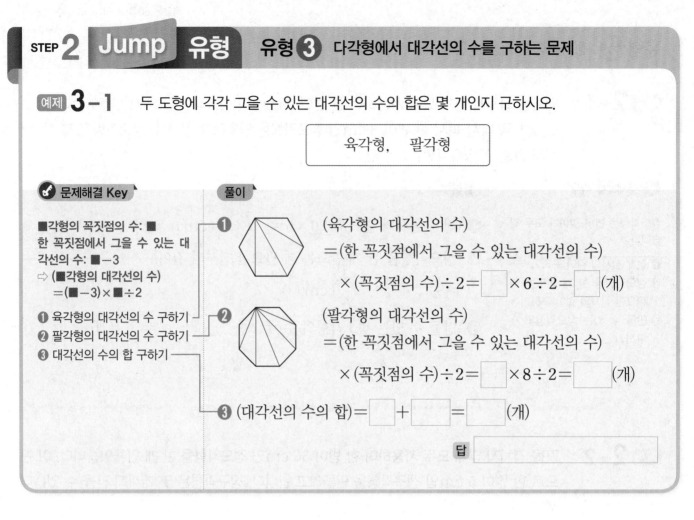

🔑 **문제해결 Key**

■각형의 꼭짓점의 수: ■
한 꼭짓점에서 그을 수 있는 대각선의 수: ■−3
⇨ (■각형의 대각선의 수)
 =(■−3)×■÷2

❶ 육각형의 대각선의 수 구하기
❷ 팔각형의 대각선의 수 구하기
❸ 대각선의 수의 합 구하기

풀이

❶ (육각형의 대각선의 수)
 =(한 꼭짓점에서 그을 수 있는 대각선의 수)
  ×(꼭짓점의 수)÷2=☐×6÷2=☐(개)

❷ (팔각형의 대각선의 수)
 =(한 꼭짓점에서 그을 수 있는 대각선의 수)
  ×(꼭짓점의 수)÷2=☐×8÷2=☐(개)

❸ (대각선의 수의 합)=☐+☐=☐(개)

답 _____

예제 3-2 두 도형에 각각 그을 수 있는 대각선의 수의 차는 몇 개인지 구하시오.

오각형, 구각형

(   )

응용 3-3 선호는 다각형을 그린 후 그 다각형에 대각선을 그었더니 모두 14개였습니다. 선호가 그린 다각형의 이름을 쓰시오.

(   )

유형 ❹ 정다각형에서 각도를 구하는 문제

예제 4-1 오른쪽 정팔각형에서 ㉠의 각도를 구하시오.

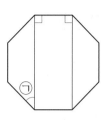

🔑 **문제해결 Key**

(정■각형의 한 각의 크기)
=(정■각형의 모든 각의 크기의 합)÷■

❶ 정팔각형의 모든 각의 크기의 합 구하기
❷ 정팔각형의 한 각의 크기 구하기
❸ ㉠의 각도 구하기

풀이

❶ 정팔각형은 사각형 3개로 나눌 수 있으므로

(정팔각형의 모든 각의 크기의 합)=360° × ⬚ = ⬚ °

❷ (정팔각형의 한 각의 크기)= ⬚ °÷8= ⬚ °

❸ ㉠= ⬚ °−90°= ⬚ °

답 ⬚

예제 4-2 오른쪽 정구각형에서 각 ㄴㄷㄱ의 크기를 구하시오.

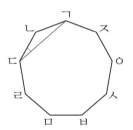

(   )

응용 4-3 오른쪽 정육각형에서 각 ㄷㅅㄹ의 크기를 구하시오.

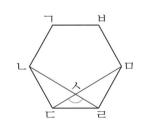

(   )

6 다각형

예제 5-1 왼쪽 사다리꼴 모양 조각으로 오른쪽 직사각형 모양을 겹치지 않게 빈틈없이 채우려고 합니다. 사다리꼴 모양 조각은 모두 몇 개 필요합니까?

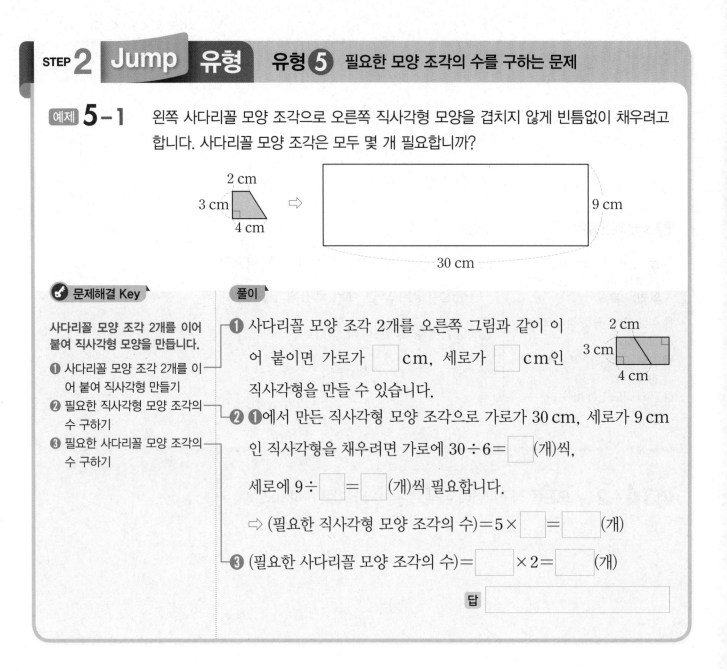

🔑 **문제해결 Key**

사다리꼴 모양 조각 2개를 이어 붙여 직사각형 모양을 만듭니다.

❶ 사다리꼴 모양 조각 2개를 이어 붙여 직사각형 만들기
❷ 필요한 직사각형 모양 조각의 수 구하기
❸ 필요한 사다리꼴 모양 조각의 수 구하기

풀이

❶ 사다리꼴 모양 조각 2개를 오른쪽 그림과 같이 이어 붙이면 가로가 ☐ cm, 세로가 ☐ cm인 직사각형을 만들 수 있습니다.

❷ ❶에서 만든 직사각형 모양 조각으로 가로가 30 cm, 세로가 9 cm인 직사각형을 채우려면 가로에 $30 \div 6 =$ ☐ (개)씩,

세로에 $9 \div$ ☐ $=$ ☐ (개)씩 필요합니다.

⇨ (필요한 직사각형 모양 조각의 수)$= 5 \times$ ☐ $=$ ☐ (개)

❸ (필요한 사다리꼴 모양 조각의 수)$=$ ☐ $\times 2 =$ ☐ (개)

답 ☐

예제 5-2 왼쪽 직각삼각형 모양 조각으로 오른쪽 직사각형 모양을 겹치지 않게 빈틈없이 채우려고 합니다. 직각삼각형 모양 조각은 모두 몇 개 필요합니까?

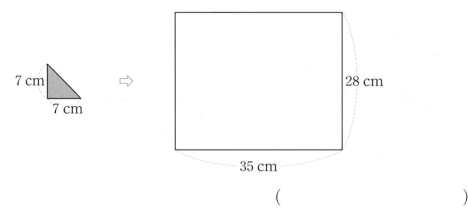

( )

창의·융합 **유형 ⑥** 정다각형의 각도를 활용한 문제

[수학 + 사회]

예제 6-1 다음은 이스라엘의 국기입니다. 이스라엘 국기의 가운데에 삼각형이 2개 겹쳐 있는 육각별은 다윗의 별이라고 부릅니다. 똑바로 선 정삼각형은 땅, 고요함, 평화, 여성을 상징하고 거꾸로 선 정삼각형은 하늘, 움직임, 용맹, 남성을 상징합니다. 이 두 개의 정삼각형을 결합하여 만든 다윗의 별은 사랑, 결혼, 우주를 나타내며 완전함을 상징합니다. 다윗의 별에 표시한 12개의 각의 크기의 합을 구하시오.

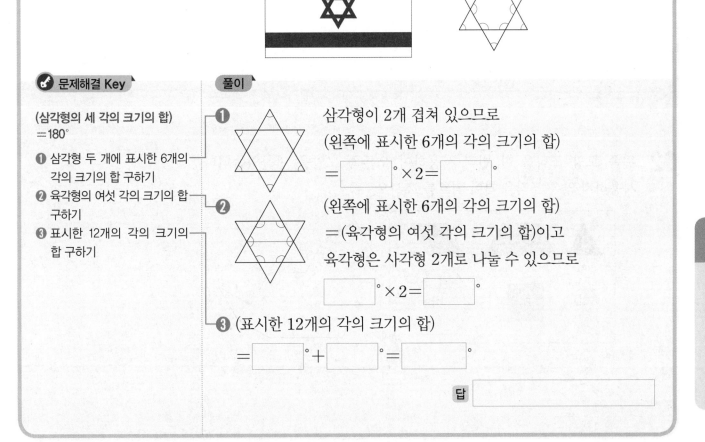

🔑 **문제해결 Key**

(삼각형의 세 각의 크기의 합)
=180°

❶ 삼각형 두 개에 표시한 6개의 각의 크기의 합 구하기

❷ 육각형의 여섯 각의 크기의 합 구하기

❸ 표시한 12개의 각의 크기의 합 구하기

풀이

❶ 삼각형이 2개 겹쳐 있으므로
(왼쪽에 표시한 6개의 각의 크기의 합)
= ☐ ° ×2 = ☐ °

❷ (왼쪽에 표시한 6개의 각의 크기의 합)
=(육각형의 여섯 각의 크기의 합)이고
육각형은 사각형 2개로 나눌 수 있으므로
☐ ° ×2 = ☐ °

❸ (표시한 12개의 각의 크기의 합)
= ☐ ° + ☐ ° = ☐ °

답 ☐

응용 6-2 정오각형의 대각선을 모두 그리고 오각형의 각 변을 지우면 그림과 같은 별 모양이 됩니다. *피타고라스학파의 회원들은 이 별 모양의 정오각형 작도를 발견하고 이 도형의 아름다움에 반해 별 모양의 배지를 달고 다녔다고 합니다. 정오각형의 안에 그려진 별에서 ㉠의 각도를 구하시오.

*피타고라스:
고대 그리스의 수학자

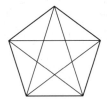 ⇨

( )

유형 ① 대각선의 성질을 활용한 문제

01 오른쪽은 마름모 ㄱㄴㄷㄹ에 대각선을 그은 것입니다. 각 ㄱㄹㄴ의 크기를 구하시오.

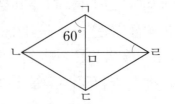

(   )

02 왼쪽 모양 조각을 한 번씩 사용하여 오른쪽 모양을 만들었습니다. 사용하지 <u>않은</u> 조각을 찾아 기호를 쓰시오.

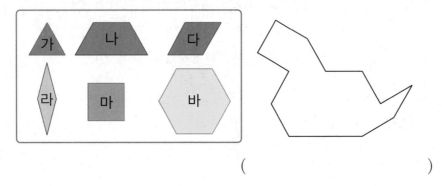

(   )

유형 ① 대각선의 성질을 활용한 문제

03 오른쪽은 한 변이 20 cm인 정사각형 안에 원을 그리고, 그 원 위의 네 점을 이어 다시 정사각형 ㄱㄴㄷㄹ을 그린 것입니다. 선분 ㄱㅇ 의 길이는 몇 cm입니까?

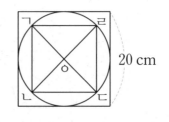

(   )

유형 ① 대각선의 성질을 활용한 문제

04 오른쪽 직사각형 ㄱㄴㄷㄹ에서 각 ㄱㄴㄹ의 크기를 구하시오.

( )

유형 ⑥ 정다각형의 각도를 활용한 문제

05 오른쪽은 정오각형과 정팔각형을 겹치지 않게 이어 붙여서 만든 것입니다. ㉠의 각도를 구하시오.

( )

6

다각형

06 왼쪽 모양 조각을 사용하여 오른쪽 모양을 겹치지 않게 빈틈없이 채우려고 합니다. 모양 조각을 가장 많이 사용하여 채울 때와 가장 적게 사용하여 채울 때의 모양 조각의 개수의 차는 몇 개입니까?
(단, 같은 모양 조각을 여러 개 사용할 수 있습니다.)

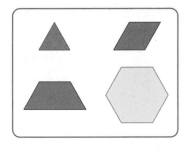

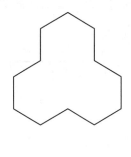

( )

유형 ② 정다각형을 활용한 문제

07 길이가 84 cm인 철사를 겹치지 않게 사용하여 한 변이 5 cm인 정팔각형과 한 변이 4 cm인 정다각형을 한 개씩 만들었더니 철사가 4 cm 남았습니다. 한 변이 4 cm인 정다각형의 이름을 쓰시오.

( )

유형 ⑤ 필요한 모양 조각의 수를 구하는 문제

08 왼쪽 사다리꼴 모양 조각으로 오른쪽 평행사변형 모양을 겹치지 않게 빈틈없이 채우려고 합니다. 모양 조각이 모두 몇 개 필요합니까?

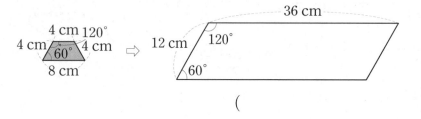

( )

유형 ① 대각선의 성질을 활용한 문제

09 사각형 ㅂㄷㄹㅁ은 직사각형이고, 사각형 ㄱㄴㄷㅂ은 정사각형입니다. 사각형 ㅂㄷㄹㅁ의 한 대각선이 18 cm일 때, 사각형 ㄱㄴㄷㅂ의 네 변의 길이의 합은 몇 cm입니까?

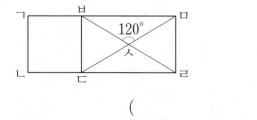

( )

창의·융합
[수학＋게임] 고대 경시 유형

10 크기가 같은 정삼각형을 변끼리 꼭 맞닿게 이어 붙여서 만든 모양을 폴리아몬드라고 합니다. 이때 정삼각형을 2개 붙여서 만든 모양은 다이아몬드, 3개 붙여서 만든 모양은 트리아몬드, 4개 붙여서 만든 모양은 테트리아몬드라고 부릅니다. 정삼각형 4개를 이어 붙여서 만든 서로 다른 테트리아몬드는 모두 몇 가지입니까?

(단, 돌리거나 뒤집어서 같은 모양이면 한 가지로 생각합니다.)

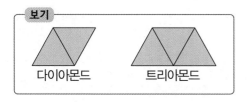

(   )

고대 경시 유형

11 한 변이 3 cm인 첫째 정사각형부터 시작하여 각 대각선을 한 변으로 하는 정사각형을 계속 그리려고 합니다. 9째 정사각형의 한 변은 몇 cm입니까?

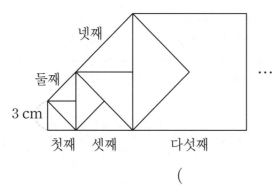

(   )

유형 ④ 정다각형에서 각도를 구하는 문제

12 오른쪽 정오각형에서 ㉠과 ㉡의 각도의 차를 구하시오.

(   )

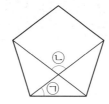

01 오른쪽은 정오각형의 각 변을 길게 늘인 것입니다. ㉠, ㉡, ㉢, ㉣, ㉤의 각도의 합을 구하시오.

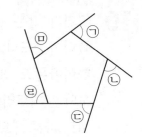

(   )

창의·융합

02 [수학 + 미술]

테셀레이션은 같은 모양의 조각들을 서로 겹치거나 틈이 생기지 않게 늘어놓아 평면이나 공간을 덮는 것을 말합니다. 테셀레이션은 우리 생활 주변에서 많이 활용되고 있는데 포장지, 보도블록 등에서 찾아볼 수 있습니다. 성재는 하나의 정다각형으로 테셀레이션을 만들려고 합니다. 다음 중 가능한 도형을 모두 찾아 기호를 쓰시오.

▲ 보도블록

| ㉠ 정사각형 | ㉡ 정오각형 | ㉢ 정육각형 | ㉣ 정팔각형 |

(   )

03 두 대각선의 길이의 합이 26 cm, 차가 2 cm인 마름모 모양의 색종이를 두 대각선을 따라 잘랐습니다. 이때 만들어진 4개의 조각을 이어 붙여서 네 변의 길이의 합이 가장 긴 직사각형을 만들었다면 이 직사각형의 네 변의 길이의 합은 몇 cm입니까?

(   )

고대 경시 유형

04 다음은 한 변이 2 cm인 정삼각형 모양의 색종이 6장과 24장을 사용하여 한 변이 2 cm인 정육각형과 4 cm인 정육각형을 만든 것입니다. 한 변이 2 cm인 정삼각형 모양의 색종이 300장을 사용하여 만들 수 있는 정육각형 중에서 가장 큰 정육각형의 한 변은 몇 cm입니까?

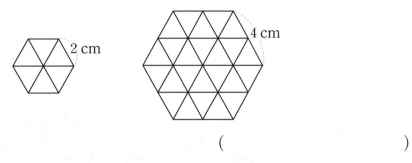

(   )

성대 경시 유형

05 한 변이 5 cm인 정육각형을 규칙에 따라 겹치지 않게 차례로 이어 붙인 것입니다. 정육각형을 30개 이어 붙인 도형의 둘레는 몇 cm입니까?

(   )

해법 경시 유형

06 오른쪽 그림과 같이 어떤 정다각형의 한 꼭짓점에서 대각선을 2개 그었더니 두 대각선이 이루는 각의 크기가 108°였습니다. 이 정다각형의 한 각의 크기를 구하시오.

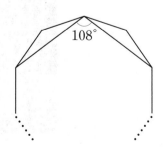

(   )

생활 속에서 볼 수 있는 테셀레이션

평면을 어떤 틈이나 포개짐 없이 도형을 이용하여 완벽하게 덮는 것을 테셀레이션이라고 하고, 우리말로는 쪽매맞춤이라고 해요. 이런 테셀레이션은 길거리나 집안에서도 쉽게 볼 수 있어요.

테셀레이션은 건물에서도 찾을 수 있는데요.
스페인의 알함브라 궁전과 구엘 공원은 테셀레이션을 이용한 대표적인 건물로 손꼽혀요.

알함브라 궁전

구엘 공원

배움으로 행복한 내일을 꿈꾸는
천재교육 커뮤니티 안내 . . .

교재 안내부터 구매까지 한 번에!
천재교육 홈페이지

자사가 발행하는 참고서, 교과서에 대한 소개는 물론
도서 구매도 할 수 있습니다. 회원에게 지급되는 별을 모아
다양한 상품 응모에도 도전해 보세요!

다양한 교육 꿀팁에 깜짝 이벤트는 덤!
천재교육 인스타그램

천재교육의 새롭고 중요한 소식을 가장 먼저 접하고 싶다면?
천재교육 인스타그램 팔로우가 필수!
깜짝 이벤트도 수시로 진행되니 놓치지 마세요!

수업이 편리해지는
천재교육 ACA 사이트

오직 선생님만을 위한, 천재교육 모든 교재에 대한 정보가 담긴
아카 사이트에서는 다양한 수업자료 및 부가 자료는 물론
시험 출제에 필요한 문제도 다운로드하실 수 있습니다.

https://aca.chunjae.co.kr

천재교육을 사랑하는 샘들의 모임
천사샘

학원 강사, 공부방 선생님이시라면 누구나 가입할 수 있는 천사샘!
교재 개발 및 평가를 통해 교재 검토진으로 참여할 수 있는 기회는 물론
다양한 교사용 교재 증정 이벤트가 선생님을 기다립니다.

아이와 함께 성장하는 학부모들의 모임공간
튠맘 학습연구소

튠맘 학습연구소는 초·중등 학부모를 대상으로 다양한 이벤트와 함께
교재 리뷰 및 학습 정보를 제공하는 네이버 카페입니다.
초등학생, 중학생 자녀를 둔 학부모님이라면 튠맘 학습연구소로 오세요!

상위권 실력 완성

최고수준

꼼꼼 풀이집

초등수학

4-2

천재교육

상위권 실력 완성

최고수준

1 분수의 덧셈과 뺄셈

STEP 1 **Start** 개념   **6~11쪽**

1. 진분수의 덧셈과 뺄셈   **7쪽**

1 $\dfrac{8}{9}$ **2** $\dfrac{6}{11}$, $\dfrac{3}{11}$

3 ㉢   **4** 1, 2, 3, 4

5 $1\dfrac{2}{8}$ L   **6** $\dfrac{1}{10}$

2. 대분수의 덧셈과 뺄셈   **9쪽**

1 $4\dfrac{4}{8}$

2 $6\dfrac{6}{10}$

3 $4\dfrac{3}{7}+3\dfrac{1}{7}=7\dfrac{4}{7}$ 또는 $3\dfrac{1}{7}+4\dfrac{3}{7}=7\dfrac{4}{7}$

4 ㉡

5 $1\dfrac{1}{5}$ kg

6 $3\dfrac{6}{15}$, $6\dfrac{9}{15}$

3. 활용, 세 분수의 계산   **11쪽**

1 $2\dfrac{1}{9}$

2 5 km

3 <

4 $2\dfrac{3}{11}+1\dfrac{9}{11}-1\dfrac{7}{11}$ 또는 $1\dfrac{9}{11}+2\dfrac{3}{11}-1\dfrac{7}{11}$
; $2\dfrac{5}{11}$

5 $28\dfrac{5}{10}$ g

6 $2\dfrac{4}{7}$

STEP 2 **Jump** 유형   **12~19쪽**

1-1 ❶ 14   ❷ 14, 10, 9
     ; 9

1-2 6   **1-3** 5

2-1 ❶ 6, 6   ❷ $6\dfrac{6}{9}$, 6, 36, 1, 7, $37\dfrac{7}{9}$
     ; $37\dfrac{7}{9}$ km

2-2 $10\dfrac{5}{13}$ km   **2-3** $2\dfrac{4}{15}$ km

3-1 ❶ $\dfrac{11}{16}$, $\dfrac{7}{16}$ ❷ $\dfrac{11}{16}$, $\dfrac{7}{16}$, $4\dfrac{5}{16}$, $4\dfrac{12}{16}$
     ; $4\dfrac{12}{16}$

3-2 $\dfrac{1}{6}$ **3-3** $\dfrac{8}{11}$

4-1 ❶ 7, $7\dfrac{5}{6}$ ❷ 1, $1\dfrac{3}{6}$
     ❸ $7\dfrac{5}{6}$, $1\dfrac{3}{6}$, 8, $9\dfrac{2}{6}$
     ; $9\dfrac{2}{6}$

4-2 $7\dfrac{3}{8}$ **4-3** $6\dfrac{2}{9}$

5-1 ❶ 30   ❷ $2\dfrac{4}{9}$
     ❸ 30, $2\dfrac{4}{9}$, $27\dfrac{5}{9}$
     ; $27\dfrac{5}{9}$ cm

5-2 $24\dfrac{1}{5}$ cm   **5-3** $1\dfrac{2}{8}$ cm

6-1 ❶ 5, 3   ❷ 3, 8, 8, 4, 4, 1
     ❸ 4, 1
     ; $\dfrac{4}{7}$, $\dfrac{1}{7}$

6-2 $\dfrac{7}{11}$, $\dfrac{3}{11}$ **6-3** $2\dfrac{8}{9}$, $1\dfrac{2}{9}$

7-1 ❶ 12, 2   ❷ 2, 5, 58
     ; 오후 5시 58분

7-2 오전 11시 3분   **7-3** 14분

8-1 ❶ $\dfrac{9}{10}$ ❷ $\dfrac{3}{10}$ ❸ $\dfrac{3}{10}$, $\dfrac{3}{10}$, 3
     ; 3일

8-2 24명

STEP 3 Master 심화 20~25쪽

01 $11\frac{8}{18}$ **02** 6개

03 $27\frac{2}{4}$ cm

04 ㉰에서 ㉴까지의 거리, $\frac{2}{5}$ km

05 민규, $\frac{1}{5}$ km **06** $4\frac{1}{6}$

07 3시간 40분 **08** 11

09 4일 **10** $5\frac{5}{9}$ cm

11 $4\frac{2}{6}$ **12** $11\frac{2}{7}$ cm

13 $\frac{8}{16}$ **14** $1\frac{1}{5}$ kg

15 $15\frac{6}{8}$ cm **16** $7\frac{2}{9}$ L, $6\frac{6}{9}$ L

17 오전 11시 57분 **18** $151\frac{3}{6}$ L

STEP 4 Top 최고수준 26~27쪽

01 $28\frac{5}{9}$ **02** $3\frac{4}{15}$ m

03 41 **04** 7일

05 $4\frac{8}{13}$, $9\frac{3}{13}$, $\frac{5}{13}$ **06** $2\frac{1}{10}$

2 삼각형

STEP 1 Start 개념 30~33쪽

1. 이등변삼각형, 정삼각형 31쪽

1 (1) 9 (2) 10, 10 **2** 42 cm
3 10 cm **4** 연우
5 60° **6** 40°

2. 삼각형 분류하기 33쪽

1 (1) 나, 다, 사 (2) 가, 아 (3) 라, 마, 바
2 예

3

	예각삼각형	직각삼각형	둔각삼각형
이등변삼각형	나	바	라
세 변의 길이가 모두 다른 삼각형	마	가	다

4 예

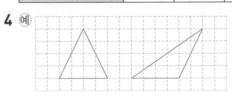

5 ㉡, ㉣ **6** ㉠, ㉡, ㉢

STEP 2 Jump 유형 34~40쪽

1-1 ❶ 12, 12, 12, 16 ❷ 16, 8
; 8 cm
1-2 14 cm **1-3** 36 cm
2-1 ❶ 12 ❷ 12, 7, 5, 7
❸ 7, 7, 31
; 31 cm
2-2 17 cm **2-3** 88 cm
3-1 ❶ 36, 108 ❷ 36, 36, 72
; 72°
3-2 30° **3-3** 25°
4-1 ❶ ②, ②, ③, ③, ③, ④
❷ 5
; 5개
4-2 12개 **4-3** 12개
4-4 10개
5-1 ❶ 60 ❷ 110, 110, 55
❸ 55, 65
; 65°
5-2 50° **5-3** 80°
6-1 ❶ 60, 60, 120 ❷ 120, 60
; 60°
6-2 150°
7-1 ❶ 6, 8, 8 ❷ 20, 14, 7, 7, 7
; (6 cm, 8 cm), (7 cm, 7 cm)
7-2 (8 cm, 12 cm), (10 cm, 10 cm)
7-3 (10 cm, 16 cm), (13 cm, 13 cm)

STEP 3 Master 심화　　41~45쪽

01 15 cm　　**02** 35°
03 98 cm　　**04** 30°
05 95°　　**06** 108 cm
07 9 cm　　**08** 16 cm
09 168 cm　　**10** 270 cm
11 36개　　**12** 30°
13 10개　　**14** 30°
15 150°

STEP 4 Top 최고수준　　46~47쪽

01 10가지　　**02** 60°
03 8개, 12개　　**04** 44°
05 162 cm

3 소수의 덧셈과 뺄셈

STEP 1 Start 개념　　50~57쪽

1. 소수 두 자리 수, 소수 세 자리 수　　51쪽

1 (1) 0.003 (2) 0.03　　**2** 6.34, 6.48
3 ㉢　　**4** 1.221, 1.244
5 9개　　**6** ㉠

2. 소수의 크기 비교, 소수 사이의 관계　　53쪽

1 3.09, 0.39, 0.309
2 (1) 0.219 (2) 10 (3) $\frac{1}{10}$
3 0.013, 1.3　　**4** 80개
5 선호　　**6** 14.67, 7.641

3. 소수의 덧셈　　55쪽

1 (1) > (2) >　　**2** 1.42 km
3 0.9 kg　　**4** 1, 3, 2
5 11.62　　**6** 예
$$\begin{array}{r} 9.53 \\ +8.41 \\ \hline 17.94 \end{array}$$

4. 소수의 뺄셈　　57쪽

1 0.54
2
$$\begin{array}{r} {\scriptstyle 0\ \ 10} \\ \cancel{1}.38 \\ -0.4 \\ \hline 0.98 \end{array}$$
; 예 소수점 자리를 잘못 맞추고 계산하였습니다.
3 >　　**4** 0.38 L
5 다현, 0.05 m　　**6** 9.86−1.25, 8.61

STEP 2 Jump 유형　　58~69쪽

1-1 ❶ 0, 1, 2, 3, 4, 5　　❷ 4, 5, 6, 7, 8, 9
　　　❸ 4, 5
　　　; 4, 5
1-2 7, 8, 9　　**1-3** 3, 4
2-1 ❶ 1.45　　❷ 1.45, 1.17
　　　; 1.17 m
2-2 6.86 m　　**2-3** 0.31 km
2-4 12.9 m
3-1 ❶ 0.55　　❷ 6, 7, 8, 9
　　　; 6, 7, 8, 9
3-2 0, 1, 2　　**3-3** 4
3-4 3, 4
4-1 ❶ 0.48, 0.48, 1.76　　❷ 1.76, 1.24
　　　; 1.24 m
4-2 1.88 m　　**4-3** 8 m
5-1 ❶ 0.25, 0.25, 0.25
　　　❷ 0.25, 0.25, 0.25, 1.7
　　　; 1.7
5-2 3.68　　**5-3** 2.08
5-4 3.99
6-1 ❶ 85.3　　❷ 3.58
　　　❸ 3.58, 88.88
　　　; 88.88
6-2 73.53　　**6-3** 25.056
7-1 ❶ 8　　❷ 5, 5
　　　❸ 3, 7
　　　; 7, 8, 5
7-2 6, 8, 8　　**7-3** 11
7-4 7.864

8-1 ❶ 4, 2   ❷ 0, 3
❸ 4.302
; 4.302
8-2 9.173   **8-3** 24.279
9-1 ❶ 1.82, 6, 6, 3   ❷ 3, 1.18
; 3, 1.18
9-2 4, 1.24   **9-3** 4.1, 2.15
10-1 ❶ (왼쪽부터) 6, 1.5 / 6, 1.5, 107.5
❷ 107.5, 10.75, 10.75
; 10.75 m
10-2 10.29 m   **10-3** 893
11-1 ❶ 2.016, 2.016, 6.048
❷ 3.18, 6.36
❸ 6.36, 6.048, 0.312
; 0.312 km
11-2 12.276 km   **11-3** 58.844 km
12-1 ❶ 2.89, 2.89, 2.15   ❷ 3.86, 2.15, 1.71
; 1.71달러
12-2 5.838점

STEP 3 Master 심화   **70~75쪽**

01 1000배   **02** ㉢, ㉠, ㉡
03 0.11 kg, 0.29 kg   **04** 0.17
05 2.9   **06** 4.5 cm
07 36   **08** 1.689
09 93.1, 46.9   **10** 0.22 kg
11 45개   **12** 14.277 ℃
13 2 cm   **14** 9.63초
15 선호   **16** 23
17 6.4 cm, 5 cm   **18** 7.28 km

STEP 4 Top 최고수준   **76~77쪽**

01 4.8 km   **02** 0.62 m
03 1.2 kg, 0.8 kg, 0.5 kg   **04** 45개
05 5   **06** 1.14

---

4 사각형

STEP 1 Start 개념   **80~87쪽**

1. 수직   81쪽

1 3쌍   **2** 선호
3 선분 ㄱㄴ, 선분 ㄹㅁ   **4** 1개
5   **6** 25°

2. 평행   83쪽

1 3개
2
3 115, 115
4 다
5 9.5 cm
6 75°

3. 사다리꼴, 평행사변형, 마름모   85쪽

1 4개   **2** ②
3 연우   **4** 125, 55
5 8 cm   **6** 44 cm

4. 여러 가지 사각형   87쪽

1 (1) ○ (2) × (3) ○
2 정사각형   **3** ㉠, ㉣
4 사다리꼴, 평행사변형, 직사각형에 ○표
5 ④
6 예 직사각형은 네 변의 길이가 모두 같은 것은 아니기 때문에 정사각형이 아닙니다.

STEP 2 Jump 유형 88~97쪽

1-1 ❶ 25　❷ 140, 40
❸ 25, 40, 65
; 65°

1-2 7°　　　**1-3** 70°

2-1 ❶ 8　❷ 12
❸ 8, 12, 20
; 20 cm

2-2 36 cm　　　**2-3** 8 cm

3-1 ❶ 55　❷ 55, 135
; 135°

3-2 75°　　　**3-3** 35°

4-1 ❶ 120　❷ 70
❸ 120, 70, 50
; 50°

4-2 75°　　　**4-3** 125°

5-1 ❶ 90, 90　❷ 25
❸ 25, 65
; 65°

5-2 32°　　　**5-3** 40°

6-1 ❶ 7, 15　❷ 15, 5
❸ 7, 5, 19
; 19 cm

6-2 37 cm　　　**6-3** 42 cm

7-1 ❶ 150, 150, 75　❷ 75, 105
❸ 105
; 105°

7-2 50°　　　**7-3** 15°

8-1 ❶ ⑥, ⑧, ⑦, ⑧　❷ 6
; 6개

8-2 12개　　　**8-3** 5개

9-1 ❶ 50　❷ 55, 50
❸ 50, 50, 50, 80
; 80°

9-2 86°　　　**9-3** 15°

10-1 방법❶ 나, 60, 90, 160, 60, 90, 160, 50
방법❷ 다, 30, 20, 30, 20, 50
; 50°

10-2 105°

STEP 3 Master 심화 98~103쪽

01 2개　　　**02** 9쌍
03 ①, ③, ④　　　**04** 4개
05 15 cm　　　**06** 89°
07 60°　　　**08** 72 cm
09 9개　　　**10** 80°
11 87°　　　**12** 90°
13 111°　　　**14** 105°
15 60°　　　**16** 115°
17 40°　　　**18** 140°

STEP 4 Top 최고수준 104~105쪽

01 220°　　　**02** 5 cm
03 20개　　　**04** 40°
05 70°

5 꺾은선그래프

STEP 1 Start 개념 108~111쪽

1. 꺾은선그래프 109쪽

1 날짜, 키

2 2, 4, 5, 7, 11

3 7일과 9일 사이

4
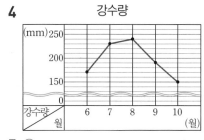
강수량

5 ㉡

6 90 mm

2. 꺾은선그래프로 나타내기 **111쪽**

1 학생 수, 연도

2
학급당 학생 수
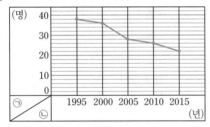

3 2000년과 2005년 사이

4 식물 ㈐

5 식물 ㈐

6 식물 ㈎

; ㉎ 선이 올라가지 않다가 다시 내려가기 때문입니다.

STEP 2 Jump 유형 **112~118쪽**

1-1 ❶ 2   ❷ 26, 22, 98

❸ 98, 98000

; 98000원

1-2 508000원   **1-3** 1800개

2-1 ❶ 6, 6, 5   ❷ 수, 9, 45

; 45분

2-2 510권   **2-3** 500, 1000

3-1 ❶ 12, 14, 12, 14, 15

❷ 15, 7, 8

; 8회

3-2 60명   **3-3** 270권

4-1 ❶ 목

❷ 34, 30, 34, 30, 4

; 목요일, 4회

4-2 7월, 0.5 cm   **4-3** 가은, 1.3 kg

5-1 ❶ 80, 160, 240, 320, 400 ; 80

❷ 80, 400, 80, 480

; 480 m

5-2 36 L   **5-3** 66 cm

6-1 ❶ 0.1, 0.1, 27.2, 13.6

❷ 13.6, 13.7

❸ 0.1

;
우리나라의 연평균 기온
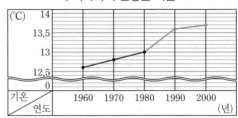

6-2
층간소음 상담 건수
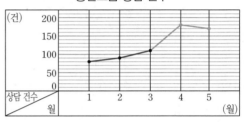

7-1 ❶ 38, 42

❷ 42, 38, 4

❸ 4, 2

; 2칸

7-2 10칸

7-3 10대

STEP 3 Master 심화 **119~123쪽**

01 ㉎ 15 ℃ (13 ℃와 17 ℃ 사이로 답하면 정답입니다.)

; ㉎ 오후 2시의 온도인 17 ℃와 오후 4시의 온도인 13 ℃의 중간이 15 ℃이기 때문입니다.

02 4일, 600000원   **03** 4 kg

04 서윤, 16점   **05** 30

06 11000원   **07** 22

08 ㈎ 회사   **09** 5명

10
음식물 쓰레기 배출량
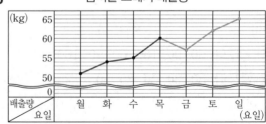

11 68900원

12

기온

(°C)
20
19
18
0

기온 │ 10 12 2 4 6
시각 │ 오전 오후 (시)

13 30만 달러

14 1시간

STEP 4 **Top** 최고수준 　　**124~125**쪽

01 5000000원 　　　**02** 물, 8분

03 10분 　　　　　　**04** 55분

---

6 다각형

STEP 1 **Start** 개념 　　**128~131**쪽

1. 다각형과 정다각형 　　　**129**쪽

1 칠각형

2 예 다각형은 선분으로만 둘러싸인 도형인데 곡선도 있기 때문에 다각형이 아닙니다.

3 다 ; 예 네 각의 크기는 같지만 네 변의 길이가 모두 같지 않기 때문에 정다각형이 아닙니다.

4 135° 　　　　　　**5** 정구각형

6 72°

2. 대각선, 모양 만들기와 모양 채우기 　　**131**쪽

1 다

2 예

3 예

4 35개 　　　　　**5** 4개

6 15 cm

STEP 2 **Jump** 유형 　　**132~137**쪽

1-1 ❶ ㄷㅁ, 7.2 　　❷ 15
　　　❸ 18, 7.2, 15, 40.2
　　　; 40.2 cm

1-2 36 cm 　　　　**1-3** 24 cm

2-1 ❶ 120 　　　　❷ 5, 40
　　　❸ 120, 40, 3
　　　; 3개

2-2 4개 　　　　　**2-3** 정팔각형

2-4 6 cm

3-1 ❶ 3, 9 　　　　❷ 5, 20
　　　❸ 9, 20, 29
　　　; 29개

3-2 22개 　　　　　**3-3** 칠각형

4-1 ❶ 3, 1080 　　❷ 1080, 135
　　　❸ 135, 45
　　　; 45°

4-2 20° 　　　　　**4-3** 120°

5-1 ❶ 6, 3 　　　　❷ 5, 3, 3, 3, 15
　　　❸ 15, 30
　　　; 30개

5-2 40개

6-1 ❶ 180, 360 　　❷ 360, 720
　　　❸ 360, 720, 1080
　　　; 1080°

6-2 36°

STEP 3 **Master** 심화 　　**138~141**쪽

01 30° 　　　　　**02** 가

03 10 cm 　　　　**04** 62°

05 117° 　　　　　**06** 15개

07 정십각형 　　　**08** 18개

09 36 cm 　　　　**10** 3가지

11 48 cm 　　　　**12** 72°

STEP 4 **Top** 최고수준 　　**142~143**쪽

01 360° 　　　　　**02** ㉠, ㉢

03 40 cm 　　　　**04** 14 cm

05 420 cm 　　　　**06** 144°

1 분수의 덧셈과 뺄셈

1 $\dfrac{8}{9}$ 　　　　　**2** $\dfrac{6}{11}$, $\dfrac{3}{11}$

3 ㉢ 　　　　　**4** 1, 2, 3, 4

5 $1\dfrac{2}{8}$ L 　　　　**6** $\dfrac{1}{10}$

1 $\dfrac{6}{9}+\dfrac{2}{9}=\dfrac{6+2}{9}=\dfrac{8}{9}$

2 $\square+\dfrac{4}{11}=\dfrac{10}{11}$, $\square=\dfrac{10}{11}-\dfrac{4}{11}=\dfrac{6}{11}$

$\dfrac{10}{11}-\dfrac{7}{11}=\dfrac{3}{11}$

> 참고
>
>

3 ㉠ $\dfrac{2}{7}+\dfrac{3}{7}=\dfrac{2+3}{7}=\dfrac{5}{7}$

㉡ $1-\dfrac{1}{7}=\dfrac{7}{7}-\dfrac{1}{7}=\dfrac{7-1}{7}=\dfrac{6}{7}$

㉢ $\dfrac{6}{7}-\dfrac{2}{7}=\dfrac{6-2}{7}=\dfrac{4}{7}$

⇨ ㉢ $\dfrac{4}{7}<$ ㉠ $\dfrac{5}{7}<$ ㉡ $\dfrac{6}{7}$

4 $\dfrac{8}{13}+\dfrac{\square}{13}=\dfrac{8+\square}{13}$

⇨ 분모가 13인 가장 큰 진분수는 $\dfrac{12}{13}$이므로 □ 안에 들어갈 수 있는 자연수는 1, 2, 3, 4입니다.

5 (2일 동안 마신 우유의 양)

$=\dfrac{5}{8}+\dfrac{5}{8}=\dfrac{5+5}{8}$

$=\dfrac{10}{8}=1\dfrac{2}{8}$ (L)

6 어떤 수를 □라 하면

$\square+\dfrac{3}{10}=\dfrac{7}{10}$, $\square=\dfrac{7}{10}-\dfrac{3}{10}=\dfrac{4}{10}$

⇨ 바르게 계산하면 $\dfrac{4}{10}-\dfrac{3}{10}=\dfrac{1}{10}$

1 $4\dfrac{4}{8}$ 　　　　　**2** $6\dfrac{6}{10}$

3 $4\dfrac{3}{7}+3\dfrac{1}{7}=7\dfrac{4}{7}$ 또는 $3\dfrac{1}{7}+4\dfrac{3}{7}=7\dfrac{4}{7}$

4 ㉡ 　　　　　**5** $1\dfrac{1}{5}$ kg

6 $3\dfrac{6}{15}$, $6\dfrac{9}{15}$

1 $1\dfrac{5}{8}+2\dfrac{7}{8}=(1+2)+\left(\dfrac{5}{8}+\dfrac{7}{8}\right)=3+\dfrac{12}{8}$

$=3+1\dfrac{4}{8}=4\dfrac{4}{8}$

2 $9\dfrac{3}{10}>7\dfrac{7}{10}>2\dfrac{9}{10}>2\dfrac{7}{10}$

⇨ $9\dfrac{3}{10}-2\dfrac{7}{10}=8\dfrac{13}{10}-2\dfrac{7}{10}=6\dfrac{6}{10}$

3 합이 가장 크려면 가장 큰 대분수와 두 번째로 큰 대분수를 더해야 합니다.

⇨ $4\dfrac{3}{7}>3\dfrac{1}{7}>2\dfrac{6}{7}>1\dfrac{2}{7}$이므로

$4\dfrac{3}{7}+3\dfrac{1}{7}=(4+3)+\left(\dfrac{3}{7}+\dfrac{1}{7}\right)=7+\dfrac{4}{7}=7\dfrac{4}{7}$

4 ㉠ $10-1\dfrac{3}{6}=9\dfrac{6}{6}-1\dfrac{3}{6}=8\dfrac{3}{6}$

㉡ $9-1\dfrac{1}{6}=8\dfrac{6}{6}-1\dfrac{1}{6}=7\dfrac{5}{6}$

8과의 차는 ㉠: $8\dfrac{3}{6}-8=\dfrac{3}{6}$

㉡: $8-7\dfrac{5}{6}=7\dfrac{6}{6}-7\dfrac{5}{6}=\dfrac{1}{6}$

⇨ 계산 결과가 8에 더 가까운 식은 8과의 차가 더 작은 ㉡입니다.

5 (남은 밀가루의 양)

$=3-1\dfrac{4}{5}=2\dfrac{5}{5}-1\dfrac{4}{5}=1\dfrac{1}{5}$ (kg)

6 분자의 합이 15가 되는 두 분수끼리 더하면

$3\dfrac{6}{15}+6\dfrac{9}{15}=9\dfrac{15}{15}=10$,

$5\dfrac{7}{15}+5\dfrac{8}{15}=10\dfrac{15}{15}=11$

⇨ 합이 10이 되는 두 분수는 $3\dfrac{6}{15}$, $6\dfrac{9}{15}$입니다.

STEP 1 Start 개념 　　11쪽

1 $2\dfrac{1}{9}$　　　　　**2** $5\,km$

3 $<$

4 $2\dfrac{3}{11}+1\dfrac{9}{11}-1\dfrac{7}{11}$ 또는 $1\dfrac{9}{11}+2\dfrac{3}{11}-1\dfrac{7}{11}$

　$;\ 2\dfrac{5}{11}$

5 $28\dfrac{5}{10}\,g$　　　　**6** $2\dfrac{4}{7}$

---

1 $1\dfrac{4}{9}+\dfrac{5}{9}+\dfrac{1}{9}=1\dfrac{9}{9}+\dfrac{1}{9}=2+\dfrac{1}{9}=2\dfrac{1}{9}$

2 $\dfrac{5}{6}+1\dfrac{4}{6}+2\dfrac{3}{6}=2\dfrac{3}{6}+2\dfrac{3}{6}=4\dfrac{6}{6}=5\,(km)$

3 $2\dfrac{7}{8}-\dfrac{3}{8}+1\dfrac{1}{8}=2\dfrac{4}{8}+1\dfrac{1}{8}=3\dfrac{5}{8}$

　$\Rightarrow 3\dfrac{5}{8}<3\dfrac{7}{8}$

4 계산 결과가 가장 크려면
　(가장 큰 수)+(두 번째로 큰 수)−(가장 작은 수)
　이어야 합니다.

　$\Rightarrow 2\dfrac{3}{11}>1\dfrac{9}{11}>1\dfrac{7}{11}$이므로

　$2\dfrac{3}{11}+1\dfrac{9}{11}-1\dfrac{7}{11}=3\dfrac{12}{11}-1\dfrac{7}{11}=2\dfrac{5}{11}$

5 (만든 보라색 물감의 양)

　$=15\dfrac{7}{10}+15\dfrac{7}{10}=30\dfrac{14}{10}=31\dfrac{4}{10}\,(g)$

　$\Rightarrow$ (남은 보라색 물감의 양)

　$=31\dfrac{4}{10}-2\dfrac{9}{10}=30\dfrac{14}{10}-2\dfrac{9}{10}=28\dfrac{5}{10}\,(g)$

> **참고**
> 하나의 식으로 나타내면
> (남은 보라색 물감의 양)
> $=$(만든 보라색 물감의 양)−(사용한 보라색 물감의 양)
> $=15\dfrac{7}{10}+15\dfrac{7}{10}-2\dfrac{9}{10}$
> $=30\dfrac{14}{10}-2\dfrac{9}{10}=28\dfrac{5}{10}\,(g)$

6 가장 큰 대분수: $5\dfrac{2}{7}$, 가장 작은 대분수: $2\dfrac{5}{7}$

　$\Rightarrow 5\dfrac{2}{7}-2\dfrac{5}{7}=4\dfrac{9}{7}-2\dfrac{5}{7}=2\dfrac{4}{7}$

STEP 2 Jump 유형 　　12~19쪽

1-1 ❶ 14　　　❷ 14, 10, 9
　　; 9

1-2 6　　　　**1-3** 5

2-1 ❶ 6, 6　　　❷ $6\dfrac{6}{9}$, 6, 36, 1, 7, $37\dfrac{7}{9}$

　　$;\ 37\dfrac{7}{9}\,km$

2-2 $10\dfrac{5}{13}\,km$　　　**2-3** $2\dfrac{4}{15}\,km$

3-1 ❶ $\dfrac{11}{16}$, $\dfrac{7}{16}$　　❷ $\dfrac{11}{16}$, $\dfrac{7}{16}$, $4\dfrac{5}{16}$, $4\dfrac{12}{16}$

　　$;\ 4\dfrac{12}{16}$

3-2 $\dfrac{1}{6}$　　　　**3-3** $\dfrac{8}{11}$

4-1 ❶ 7, $7\dfrac{5}{6}$　　❷ 1, $1\dfrac{3}{6}$

　　❸ $7\dfrac{5}{6}$, $1\dfrac{3}{6}$, 8, $9\dfrac{2}{6}$

　　$;\ 9\dfrac{2}{6}$

4-2 $7\dfrac{3}{8}$　　　**4-3** $6\dfrac{2}{9}$

5-1 ❶ 30　　　❷ $2\dfrac{4}{9}$

　　❸ 30, $2\dfrac{4}{9}$, $27\dfrac{5}{9}$

　　$;\ 27\dfrac{5}{9}\,cm$

5-2 $24\dfrac{1}{5}\,cm$　　　**5-3** $1\dfrac{2}{8}\,cm$

6-1 ❶ 5, 3　　　❷ 3, 8, 8, 4, 4, 1

　　❸ 4, 1

　　$;\ \dfrac{4}{7}$, $\dfrac{1}{7}$

6-2 $\dfrac{7}{11}$, $\dfrac{3}{11}$　　　**6-3** $2\dfrac{8}{9}$, $1\dfrac{2}{9}$

7-1 ❶ 12, 2　　　❷ 2, 5, 58
　　; 오후 5시 58분

7-2 오전 11시 3분　　　**7-3** 14분

8-1 ❶ $\dfrac{9}{10}$　　　❷ $\dfrac{3}{10}$

　　❸ $\dfrac{3}{10}$, $\dfrac{3}{10}$, 3

　　; 3일

8-2 24명

1 단원

1-2 $5\dfrac{2}{9}-1\dfrac{\square}{9}<3\dfrac{6}{9} \rightarrow 4\dfrac{11}{9}-1\dfrac{\square}{9}<3\dfrac{6}{9}$

$\rightarrow 3\dfrac{11-\square}{9}<3\dfrac{6}{9}$

⇨ $11-\square<6$이므로 $\square$ 안에 들어갈 수 있는 자연수 중에서 가장 작은 수는 6입니다.

> **다른 풀이**
>
> $5\dfrac{2}{9}-1\dfrac{\blacksquare}{9}=3\dfrac{6}{9}$일 때
>
> $1\dfrac{\blacksquare}{9}=5\dfrac{2}{9}-3\dfrac{6}{9}=4\dfrac{11}{9}-3\dfrac{6}{9}=1\dfrac{5}{9}, \blacksquare=5$
>
> ⇨ $\square$ 안에 들어갈 수 있는 자연수는 5보다 큰 수이고 그중에서 가장 작은 수는 6입니다.

1-3 $2\dfrac{2}{7}+1\dfrac{3}{7}=3\dfrac{5}{7}$이므로

$6\dfrac{4}{7}-2\dfrac{\square}{7}>3\dfrac{5}{7} \rightarrow 5\dfrac{11}{7}-2\dfrac{\square}{7}>3\dfrac{5}{7}$

$\rightarrow 3\dfrac{11-\square}{7}>3\dfrac{5}{7}$

⇨ $11-\square>5$이므로 $\square$ 안에 들어갈 수 있는 자연수 중에서 가장 큰 수는 5입니다.

> 🔑 **문제해결 Key**
>
> ① $2\dfrac{2}{7}+1\dfrac{3}{7}$을 계산합니다.
> ② 식을 간단히 하고 양쪽 대분수의 자연수 부분을 같게 합니다.
> ③ $\square$ 안에 들어갈 수 있는 자연수 중에서 가장 큰 수를 구합니다.

> **다른 풀이**
>
> $2\dfrac{2}{7}+1\dfrac{3}{7}=3\dfrac{5}{7}$이므로 $6\dfrac{4}{7}-2\dfrac{\square}{7}>3\dfrac{5}{7}$
>
> $6\dfrac{4}{7}-2\dfrac{\blacksquare}{7}=3\dfrac{5}{7}$일 때
>
> $2\dfrac{\blacksquare}{7}=6\dfrac{4}{7}-3\dfrac{5}{7}=5\dfrac{11}{7}-3\dfrac{5}{7}=2\dfrac{6}{7}, \blacksquare=6$
>
> ⇨ $\square$ 안에 들어갈 수 있는 수는 6보다 작은 수이고 그중에서 가장 큰 수는 5입니다.

2-2 (㉯에서 ㉲까지의 거리)

$=$ (㉯~㉱) $-$ (㉲~㉱) $=4\dfrac{8}{13}-2\dfrac{6}{13}=2\dfrac{2}{13}$ (km)

⇨ (㉮에서 ㉳까지의 거리)

$=$ (㉮~㉯) $+$ (㉯~㉲) $+$ (㉲~㉳)

$=2\dfrac{7}{13}+2\dfrac{2}{13}+5\dfrac{9}{13}=9\dfrac{18}{13}=10\dfrac{5}{13}$ (km)

2-3 (㉣~㉤) $=$ (㉠~㉤) $-$ (㉠~㉣)

$=9\dfrac{10}{15}-6\dfrac{1}{15}=3\dfrac{9}{15}$ (km)

⇨ (㉡~㉢) $=$ (㉡~㉤) $-$ (㉢~㉣) $-$ (㉣~㉤)

$=7\dfrac{2}{15}-1\dfrac{4}{15}-3\dfrac{9}{15}$

$=5\dfrac{13}{15}-3\dfrac{9}{15}=2\dfrac{4}{15}$ (km)

> **다른 풀이**
>
> (㉡~㉣) $=$ (㉠~㉣) $+$ (㉡~㉤) $-$ (㉠~㉤)
>
> $=6\dfrac{1}{15}+7\dfrac{2}{15}-9\dfrac{10}{15}=13\dfrac{3}{15}-9\dfrac{10}{15}$
>
> $=12\dfrac{18}{15}-9\dfrac{10}{15}=3\dfrac{8}{15}$ (km)
>
> ⇨ (㉡~㉢) $=$ (㉡~㉣) $-$ (㉢~㉣)
>
> $=3\dfrac{8}{15}-1\dfrac{4}{15}=2\dfrac{4}{15}$ (km)

3-2 $\dfrac{3}{6}⊙1\dfrac{1}{6}=\dfrac{3}{6}+\dfrac{5}{6}-1\dfrac{1}{6}=1\dfrac{2}{6}-1\dfrac{1}{6}=\dfrac{1}{6}$

3-3 $\dfrac{4}{11}◆\square=1\dfrac{2}{11}$

⇨ $\square-\dfrac{4}{11}+\dfrac{9}{11}=1\dfrac{2}{11}$,

$\square=1\dfrac{2}{11}-\dfrac{9}{11}+\dfrac{4}{11}=\dfrac{4}{11}+\dfrac{4}{11}=\dfrac{8}{11}$

4-2 8을 제외한 수 카드의 수의 크기를 비교하면

$9>7>6>4>2$

• 가장 큰 대분수: 8을 제외한 수 중 자연수 부분에 가장 큰 수인 9를, 분자에 두 번째로 큰 수인 7을 놓습니다. → $9\dfrac{7}{8}$

• 가장 작은 대분수: 8을 제외한 수 중 자연수 부분에 가장 작은 수인 2를, 분자에 두 번째로 작은 수인 4를 놓습니다. → $2\dfrac{4}{8}$

⇨ (가장 큰 대분수와 가장 작은 대분수의 차)

$=9\dfrac{7}{8}-2\dfrac{4}{8}=7\dfrac{3}{8}$

4-3 분모를 같게 해야 하므로 같은 수를 2개 찾아보면 9로 두 대분수의 분모는 9가 됩니다.

합이 가장 작으려면 자연수 부분에 가장 작은 수와 두 번째로 작은 수를 놓아야 합니다.

⇨ 만들 수 있는 두 대분수는

$2\dfrac{4}{9}, 3\dfrac{7}{9}$ (또는 $2\dfrac{7}{9}, 3\dfrac{4}{9}$)이므로

(두 수의 합) $=2\dfrac{4}{9}+3\dfrac{7}{9}=5\dfrac{11}{9}=6\dfrac{2}{9}$

문제해결 Key

① 두 대분수의 분모가 되는 수를 찾습니다.
② 합이 가장 작은 두 대분수를 각각 만듭니다.
③ ②에서 만든 두 대분수의 합을 구합니다.

5-2 (색 테이프 3장의 길이의 합)

$=8\frac{3}{5}+8\frac{3}{5}+8\frac{3}{5}=24\frac{9}{5}=25\frac{4}{5}$ (cm)

겹쳐진 부분은 2군데이므로

(겹쳐진 부분의 길이의 합)

$=\frac{4}{5}+\frac{4}{5}=\frac{8}{5}=1\frac{3}{5}$ (cm)

➡ (이어 붙인 색 테이프의 전체 길이)

$=25\frac{4}{5}-1\frac{3}{5}=24\frac{1}{5}$ (cm)

5-3 (색 테이프 3장의 길이의 합)

$=10\frac{3}{8}+10\frac{3}{8}+10\frac{3}{8}=30\frac{9}{8}=31\frac{1}{8}$ (cm)

(겹쳐진 부분의 길이의 합)

$=31\frac{1}{8}-28\frac{5}{8}=30\frac{9}{8}-28\frac{5}{8}=2\frac{4}{8}$ (cm)

➡ 겹쳐진 부분은 2군데이고 $2\frac{4}{8}=1\frac{2}{8}+1\frac{2}{8}$이므

로 색 테이프를 $1\frac{2}{8}$ cm씩 겹쳐 이어 붙였습니다.

문제해결 Key

① 색 테이프 3장의 길이의 합을 구합니다.
② 겹쳐진 부분의 길이의 합을 구합니다.
③ 겹쳐진 한 부분의 길이를 구합니다.

6-2 두 진분수 중 큰 진분수를 $\frac{\blacksquare}{11}$, 작은 진분수를 $\frac{\blacktriangle}{11}$

라 할 때

$\frac{\blacksquare}{11}+\frac{\blacktriangle}{11}=\frac{10}{11} \rightarrow \blacksquare+\blacktriangle=10$

$\frac{\blacksquare}{11}-\frac{\blacktriangle}{11}=\frac{4}{11} \rightarrow \blacksquare-\blacktriangle=4$

$(\blacksquare+\blacktriangle)+(\blacksquare-\blacktriangle)=10+4=14$,

└➤ 모르는 수가 2개인 경우 두 식을 더해
　　모르는 수 하나를 지웁니다.

$\blacksquare+\blacksquare=14$, $\blacksquare=7$

$\blacksquare+\blacktriangle=10$에서 $\blacktriangle=10-7=3$

➡ 두 진분수는 $\frac{7}{11}$과 $\frac{3}{11}$입니다.

6-3 두 분수 중 큰 분수를 $\frac{\blacksquare}{9}$, 작은 분수를 $\frac{\blacktriangle}{9}$라 할 때

$\frac{\blacksquare}{9}+\frac{\blacktriangle}{9}=4\frac{1}{9}=\frac{37}{9} \rightarrow \blacksquare+\blacktriangle=37$

$\frac{\blacksquare}{9}-\frac{\blacktriangle}{9}=1\frac{6}{9}=\frac{15}{9} \rightarrow \blacksquare-\blacktriangle=15$

$(\blacksquare+\blacktriangle)+(\blacksquare-\blacktriangle)=37+15=52$,

$\blacksquare+\blacksquare=52$, $\blacksquare=26$

$\blacksquare+\blacktriangle=37$에서 $\blacktriangle=37-26=11$

➡ 두 대분수는 $\frac{26}{9}=2\frac{8}{9}$, $\frac{11}{9}=1\frac{2}{9}$입니다.

문제해결 Key

① 두 대분수의 합과 차의 식을 세워 분자끼리의 식을 만듭니다.
② ①의 두 식의 합을 이용하여 두 분자를 구합니다.
③ ②에서 구한 수로 두 대분수를 구합니다.

7-2 월요일 오전 10시부터 같은 주 토요일 오전 10시까지는 5일이므로

(5일 동안 빨라지는 시간)

$=12\frac{3}{5}+12\frac{3}{5}+12\frac{3}{5}+12\frac{3}{5}+12\frac{3}{5}$

$=60\frac{15}{5}=63$(분)

➡ (같은 주 토요일 오전 10시에 이 시계가 가리키는 시각)

$=$오전 10시$+63$분$=$오전 10시$+1$시간 3분

$=$오전 11시 3분

참고

시계가 빨리 가는 경우
(시계가 가리키는 시각)$=$(정확한 시각)$+$(빨라지는 시간)

7-3 지안: 10일 오후 5시부터 13일 오후 5시까지는 3일이므로 늦어지는 시간은

$\frac{1}{3}+\frac{1}{3}+\frac{1}{3}=\frac{3}{3}=1$(분)입니다.

민규: 하루에 빨라지는 시간은 $2\frac{1}{6}+2\frac{1}{6}=4\frac{2}{6}$(분)

이고 10일 오후 5시부터 13일 오후 5시까지는 3일이므로 빨라지는 시간은

$4\frac{2}{6}+4\frac{2}{6}+4\frac{2}{6}=12\frac{6}{6}=13$(분)입니다.

➡ 지안이의 시계는 1분 늦어지고,
민규의 시계는 13분 빨라지므로

(두 시계가 가리키는 시각의 차)

$=1$분$+13$분$=14$분

8-2 O형은 B형과 같이 전체의 $\frac{2}{8}$이므로

현우네 반 전체 학생 수를 1이라 하면

A형인 학생 수는 전체의 $1-\frac{2}{8}-\frac{1}{8}-\frac{2}{8}=\frac{3}{8}$입

니다.

전체 학생 수의 $\frac{3}{8}$이 9명이므로 전체 학생 수의 $\frac{1}{8}$

은 3명입니다.

⇨ (현우네 반 전체 학생 수)$=3\times8=24$(명)

🔑 문제해결 Key
① A형인 학생 수가 전체의 얼마인지 구합니다.
② 전체 학생 수의 $\frac{1}{8}$만큼을 구해 전체 학생 수를 구합
니다.

STEP 3 Master 심화 **20~25쪽**

01 $11\frac{8}{18}$　　　　**02** 6개

03 $27\frac{2}{4}$ cm

04 ㉰에서 ㉱까지의 거리, $\frac{2}{5}$ km

05 민규, $\frac{1}{5}$ km　　**06** $4\frac{1}{6}$

07 3시간 40분　　　**08** 11

09 4일　　　　　　**10** $5\frac{5}{9}$ cm

11 $4\frac{2}{6}$　　　　　**12** $11\frac{2}{7}$ cm

13 $\frac{8}{16}$　　　　　　**14** $1\frac{1}{5}$ kg

15 $15\frac{6}{8}$ cm　　　**16** $7\frac{2}{9}$ L, $6\frac{6}{9}$ L

17 오전 11시 57분　　**18** $151\frac{3}{6}$ L

---

01 분모가 18인 대분수 중에서 $2\frac{13}{18}$보다 크고 3보다

작은 분수: $2\frac{14}{18}$, $2\frac{15}{18}$, $2\frac{16}{18}$, $2\frac{17}{18}$

⇨ $2\frac{14}{18}+2\frac{15}{18}+2\frac{16}{18}+2\frac{17}{18}$

$=(2+2+2+2)+(\frac{14}{18}+\frac{15}{18}+\frac{16}{18}+\frac{17}{18})$

$=8+\frac{62}{18}=8+3\frac{8}{18}=11\frac{8}{18}$

🔑 문제해결 Key
① 조건에 맞는 분수를 모두 찾습니다.
② ①에서 찾은 분수들의 합을 구합니다.

┌ 다른 풀이 ┐

$2\frac{14}{18}+2\frac{15}{18}+2\frac{16}{18}+2\frac{17}{18}=4\frac{31}{18}+4\frac{31}{18}$

$\qquad\qquad\qquad\quad\underbrace{\qquad}_{4\frac{31}{18}}$

$\qquad\qquad\qquad\qquad\qquad=8\frac{62}{18}=11\frac{8}{18}$

$\qquad\qquad\underbrace{\qquad}_{4\frac{31}{18}}$

02 $2\frac{3}{12}+3\frac{9}{12}=5\frac{12}{12}=6$,

$7-\frac{5}{12}=6\frac{12}{12}-\frac{5}{12}=6\frac{7}{12}$

⇨ $6<\frac{\square}{12}<6\frac{7}{12}$에서 $\frac{72}{12}<\frac{\square}{12}<\frac{79}{12}$이므로

$\square$ 안에 들어갈 수 있는 자연수는 73, 74, 75,

76, 77, 78로 모두 6개입니다.

🔑 문제해결 Key
① 식을 간단히 합니다.
② $\square$ 안에 들어갈 수 있는 자연수의 개수를 구합니다.

03 굵은 선의 길이는 길이가 $1\frac{1}{4}$ cm인 변 22개의 합과

같으므로

$\underbrace{1\frac{1}{4}+1\frac{1}{4}+\cdots\cdots+1\frac{1}{4}}_{22번}$

$=\frac{5+5+\cdots\cdots+5}{4}=\frac{5\times22}{4}=\frac{110}{4}=27\frac{2}{4}$ (cm)

🔑 문제해결 Key
① 굵은 선의 길이가 육각형의 한 변의 몇 배인지 알아봅니다.
② 굵은 선의 길이를 구합니다.

04 (㉮~㉯)와 (㉰~㉱)의 거리의 차는 (㉮~㉰)와 (㉯~㉱)의 거리의 차와 같습니다.

⇨ $9\frac{1}{5}>8\frac{4}{5}$이므로 (㉰~㉱)의 거리가

$9\frac{1}{5}-8\frac{4}{5}=8\frac{6}{5}-8\frac{4}{5}=\frac{2}{5}$ (km) 더 멉니다.

┌ 참고 ┐

(㉮~㉯)$=$(㉮~㉰)$+$(㉰~㉯)
　　　　　　　└ 같습니다. ┘
(㉯~㉱)$=$(㉯~㉰)$+$(㉰~㉱)

⇨ (㉮~㉯)와 (㉰~㉱)의 차는 (㉮~㉰)와 (㉯~㉱)의 차와 같습니다.

문제해결 Key

① (㉮~㉯)와 (㉯~㉰)의 거리의 차는 (㉮~㉰)와
(㉭~㉰)의 거리의 차와 같음을 알아봅니다.
② (㉮~㉯)와 (㉯~㉰)의 거리의 차를 구합니다.

05 (민규의 남은 등산 거리)

$$=5\frac{1}{5}+5\frac{1}{5}-2\frac{3}{5}=10\frac{2}{5}-2\frac{3}{5}=7\frac{4}{5}\text{ (km)}$$

(승우의 남은 등산 거리)

$$=5\frac{1}{5}+5\frac{1}{5}-2\frac{4}{5}=10\frac{2}{5}-2\frac{4}{5}=7\frac{3}{5}\text{ (km)}$$

$$\Rightarrow 7\frac{4}{5}>7\frac{3}{5}$$ 이므로 민규가 $7\frac{4}{5}-7\frac{3}{5}=\frac{1}{5}$ (km)

더 많이 남았습니다.

문제해결 Key

① 민규의 남은 등산 거리를 구합니다.
② 승우의 남은 등산 거리를 구합니다.
③ ①과 ②의 차를 구합니다.

다른 풀이

민규와 승우의 총 등산 거리는 같으므로 두 사람이 간
거리를 비교하여 구하면 됩니다.

$$\Rightarrow 2\frac{3}{5}<2\frac{4}{5}$$ 이므로 민규가 $2\frac{4}{5}-2\frac{3}{5}=\frac{1}{5}$ (km)
더 많이 남았습니다.

06 $\frac{4}{6} ♥ \frac{1}{6}=\frac{4}{6}-\frac{1}{6}+1\frac{1}{6}=\frac{3}{6}+1\frac{1}{6}=1\frac{4}{6}$

$$(\frac{4}{6} ♥ \frac{1}{6})★\frac{5}{6}=1\frac{4}{6}★\frac{5}{6}=1\frac{4}{6}+1\frac{4}{6}+\frac{5}{6}$$

$$=3\frac{2}{6}+\frac{5}{6}=3\frac{7}{6}=4\frac{1}{6}$$

문제해결 Key

① $\frac{4}{6} ♥ \frac{1}{6}$의 값을 구합니다.
② $\frac{4}{6} ♥ \frac{1}{6}★\frac{5}{6}$의 값을 구합니다.

07 (밤의 길이)

$$=24-10\frac{10}{60}=23\frac{60}{60}-10\frac{10}{60}=13\frac{50}{60}(\text{시간})$$

(밤의 길이)−(낮의 길이)

$$=13\frac{50}{60}-10\frac{10}{60}=3\frac{40}{60}(\text{시간})$$

1시간=60분이므로 $3\frac{40}{60}$시간=3시간 40분입니다.

⇨ 밤의 길이는 낮의 길이보다 3시간 40분이 더 깁니다.

참고

$\frac{●}{60}$시간은 1시간(=60분)을 똑같이 60으로 나눈 것
중의 ●이므로 ●분입니다.

문제해결 Key

① 밤의 길이를 구합니다.
② 밤의 길이와 낮의 길이의 차를 구합니다.
③ ②에서 구한 시간을 몇 시간 몇 분으로 나타냅니다.

08 ★은 모두 같은 자연수를 나타낼 때, ★을 구하
시오.

$$7\frac{2}{★} 는 4\frac{8}{★} 보다 2\frac{5}{★} 큰 수$$

$$\rightarrow 7\frac{2}{★}=4\frac{8}{★}+2\frac{5}{★}$$

$$(4\frac{8}{★} 보다 2\frac{5}{★} 큰 수)=4\frac{8}{★}+2\frac{5}{★}=6\frac{13}{★}$$

$7\frac{2}{★}$ 는 $6\frac{13}{★}$ 과 같으므로 $7\frac{2}{★}$ 의 자연수 부분을

6으로 만들면 $7\frac{2}{★}=6\frac{★+2}{★}=6\frac{13}{★}$ 입니다.

⇨ ★+2=13, ★=13−2=11

문제해결 Key

① 조건을 식으로 나타냅니다.
② ★을 구합니다.

09 읽는 동화책 전체를 1이라 하면

$\frac{3}{10}+\frac{2}{10}+\frac{3}{10}+\frac{2}{10}=1$ 이므로 동화책을 다 읽는

데 4일이 걸립니다.

다른 풀이

(다인이가 이틀 동안 동화책을 읽는 양)

$$=\frac{3}{10}+\frac{2}{10}=\frac{5}{10}$$

$$\Rightarrow \frac{5}{10}+\frac{5}{10}=1$$ 이므로

$$\rightarrow (2×2)일$$

동화책을 다 읽는 데 4일이 걸립니다.

10 (삼각형의 세 변의 길이의 합)

$$=8\frac{4}{9}+5\frac{3}{9}+8\frac{4}{9}=21\frac{11}{9}=22\frac{2}{9}\,(\text{cm})$$

삼각형의 세 변의 길이의 합과 정사각형의 네 변의 길이의 합은 같으므로 정사각형의 한 변을 □ cm라 하면 □+□+□+□$=22\frac{2}{9}=\dfrac{200}{9}$

⇨ $\dfrac{200}{9}=\dfrac{50}{9}+\dfrac{50}{9}+\dfrac{50}{9}+\dfrac{50}{9}$이므로

□$=\dfrac{50}{9}=5\frac{5}{9}$입니다.

11

> 6장의 수 카드를 한 번씩 모두 사용하여 분모가 같은 두 대분수를 만들려고 합니다. 차가 가장 큰 두 대분수를 만들었을 때, 만든 두 대분수의 차를 구하시오. → (가장 큰 대분수)−(가장 작은 대분수)
>
> 6   4   2   6   5   1
>
> 같은 수가 2개 있으므로 분모는 6이 됩니다.

• 분모가 6인 가장 큰 대분수: 6을 제외한 수 중 자연수 부분에 가장 큰 수인 5를 놓고 분자에 두 번째로 큰 수인 4를 놓아야 하므로 $5\frac{4}{6}$입니다.

• 분모가 6인 가장 작은 대분수: 6을 제외한 수 중 자연수 부분에 가장 작은 수인 1을 놓고 분자에 두 번째로 작은 수인 2를 놓아야 하므로 $1\frac{2}{6}$입니다.

⇨ (두 대분수의 차)$=5\frac{4}{6}-1\frac{2}{6}=4\frac{2}{6}$

> 🔑 **문제해결 Key**
> ① 두 대분수의 분모가 되는 수를 찾습니다.
> ② 차가 가장 큰 두 대분수를 각각 만듭니다.
> ③ ②에서 만든 두 대분수의 차를 구합니다.

12 겹쳐진 부분은 2군데이므로
(겹쳐진 부분의 길이의 합)

$$=1\frac{4}{7}+1\frac{4}{7}=2\frac{8}{7}=3\frac{1}{7}\,(\text{cm})$$

(색 테이프 3장의 길이의 합)
=(이어 붙인 색 테이프의 전체 길이)
   +(겹쳐진 부분의 길이의 합)

$$=30\frac{5}{7}+3\frac{1}{7}=33\frac{6}{7}\,(\text{cm})$$

⇨ $33\frac{6}{7}=11\frac{2}{7}+11\frac{2}{7}+11\frac{2}{7}$이므로

색 테이프 한 장의 길이는 $11\frac{2}{7}$ cm입니다.

> 🔎 **참고**
> 색 테이프가 ■장이면 겹쳐진 부분은 (■−1)군데입니다.

> 🔑 **문제해결 Key**
> ① 겹쳐진 부분의 길이의 합을 구합니다.
> ② 색 테이프 3장의 길이의 합을 구합니다.
> ③ 색 테이프 한 장의 길이를 구합니다.

13 예

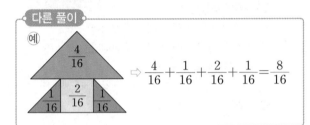

⇨ $\dfrac{4}{16}+\dfrac{2}{16}+\dfrac{2}{16}=\dfrac{8}{16}$

> **다른 풀이**
> 예
> ⇨ $\dfrac{4}{16}+\dfrac{1}{16}+\dfrac{2}{16}+\dfrac{1}{16}=\dfrac{8}{16}$

14 (배 3개의 무게)
=(배 6개가 들어 있는 상자의 무게)
   −(배 3개를 꺼낸 후의 상자의 무게)

$$=6-3\frac{3}{5}=5\frac{5}{5}-3\frac{3}{5}=2\frac{2}{5}\,(\text{kg})$$

⇨ 배 6개에서 3개를 꺼냈으므로 상자에는 배 3개가 들어 있습니다.
(빈 상자의 무게)
=(배 3개가 들어 있는 상자의 무게)
   −(배 3개의 무게)

$$=3\frac{3}{5}-2\frac{2}{5}=1\frac{1}{5}\,(\text{kg})$$

> 🔑 **문제해결 Key**
> ① 배 3개의 무게를 구합니다.
> ② 빈 상자의 무게를 구합니다.

15 (30분 동안 탄 양초의 길이)
=(양초의 전체 길이)−(30분 후 남은 양초의 길이)

$$=25-20\frac{3}{8}=24\frac{8}{8}-20\frac{3}{8}=4\frac{5}{8}\,(\text{cm})$$

⇨ (1시간 후 남은 양초의 길이)

$$=20\frac{3}{8}-4\frac{5}{8}=19\frac{11}{8}-4\frac{5}{8}=15\frac{6}{8}\,(\text{cm})$$

1 단원

🔑 문제해결 Key
① 30분 동안 탄 양초의 길이를 구합니다.
② 1시간 후 남은 양초의 길이를 구합니다.

🔑 문제해결 Key
① 1일 낮 12시부터 4일 낮 12시까지 빨라지는 시간을 구합니다.
② 4일 낮 12시에 시계가 가리키는 시각을 구합니다.

16 빨간색 페인트를 $\square$ L, 노란색 페인트를 $\triangle$ L라 하면 $\square + \triangle = 13\frac{8}{9}$, $\square - \triangle = \frac{5}{9}$입니다.

$\square + \cancel{\triangle} + \square - \cancel{\triangle} = 13\frac{8}{9} + \frac{5}{9}$, $\square + \square = 14\frac{4}{9}$,

$14\frac{4}{9} = 7\frac{2}{9} + 7\frac{2}{9}$이므로 $\square = 7\frac{2}{9}$입니다.

$\square + \triangle = 13\frac{8}{9}$에서 $7\frac{2}{9} + \triangle = 13\frac{8}{9}$,

$\triangle = 13\frac{8}{9} - 7\frac{2}{9} = 6\frac{6}{9}$입니다.

🔑 문제해결 Key
① 빨간색 페인트를 $\square$ L, 노란색 페인트를 $\triangle$ L라 하여 식을 세웁니다.
② 빨간색 페인트와 노란색 페인트의 양을 각각 구합니다.

📋 다른 풀이
빨간색 페인트를 $\square$ L,
노란색 페인트를 $(\square - \frac{5}{9})$ L라 하면
$\square + \square - \frac{5}{9} = 13\frac{8}{9}$, $\square + \square = 14\frac{4}{9}$,
$14\frac{4}{9} = 7\frac{2}{9} + 7\frac{2}{9}$이므로 $\square = 7\frac{2}{9}$
(노란색 페인트의 양) $= 7\frac{2}{9} - \frac{5}{9} = 6\frac{11}{9} - \frac{5}{9} = 6\frac{6}{9}$ (L)

17 1일 낮 12시부터 4일 낮 12시까지는 3일이므로
(빨라지는 시간) $= 2\frac{1}{3} + 2\frac{1}{3} + 2\frac{1}{3} = 6\frac{3}{3} = 7$(분)

⇨ 1일 낮 12시에 정확한 시각보다 10분 느린 오전 11시 50분에 맞춰 놓았으므로
(4일 낮 12시에 이 시계가 가리키는 시각)
= 오전 11시 50분 + 7분 = 오전 11시 57분

📋 참고
• 시계가 늦게 가는 경우
(시계가 가리키는 시각)
= (정확한 시각) − (늦어지는 시간)

• 시계가 빨리 가는 경우
(시계가 가리키는 시각)
= (정확한 시각) + (빨라지는 시간)

18 $\frac{1}{3} + \frac{1}{3} + \frac{1}{3} = 1$이므로
(㉮ 수도꼭지로 1시간 동안 받을 수 있는 물의 양)
$= 20\frac{1}{6} + 20\frac{1}{6} + 20\frac{1}{6} = 60\frac{3}{6}$ (L)
$\frac{1}{2} + \frac{1}{2} = 1$이므로
(㉯ 수도꼭지로 1시간 동안 받을 수 있는 물의 양)
$= 45\frac{1}{2} + 45\frac{1}{2} = 90\frac{2}{2} = 91$ (L)
⇨ (두 수도꼭지를 동시에 틀어서 1시간 동안 받을 수 있는 물의 양) $= 60\frac{3}{6} + 91 = 151\frac{3}{6}$ (L)

🔑 문제해결 Key
① ㉮ 수도꼭지로 1시간 동안 받을 수 있는 물의 양을 구합니다.
② ㉯ 수도꼭지로 1시간 동안 받을 수 있는 물의 양을 구합니다.
③ ①과 ②에서 구한 물의 양의 합을 구합니다.

STEP 4 Top 최고수준 **26~27쪽**

01 $28\frac{5}{9}$ **02** $3\frac{4}{15}$ m
03 41 **04** 7일
05 $4\frac{8}{13}$, $9\frac{3}{13}$, $\frac{5}{13}$ **06** $2\frac{1}{10}$

01 $30 + \frac{2}{11} = 30\frac{2}{11}$

⇨ $30\frac{2}{11} - \frac{1}{11} = 30\frac{1}{11}$

⇨ $30\frac{1}{11}$은 자연수가 아니므로 $30\frac{1}{11} - \frac{1}{11} = 30$

⇨ 30은 자연수이므로
$30 - 1\frac{4}{9} = 29\frac{9}{9} - 1\frac{4}{9} = 28\frac{5}{9}$

⇨ 끝수는 $28\frac{5}{9}$입니다.

02

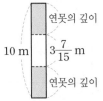

연못의 깊이
10 m $3\dfrac{7}{15}$ m
연못의 깊이

(막대의 물에 젖은 부분의 길이의 합)
=(연못의 깊이의 2배)
$=10-3\dfrac{7}{15}=9\dfrac{15}{15}-3\dfrac{7}{15}=6\dfrac{8}{15}$ (m)

⇨ $6\dfrac{8}{15}=3\dfrac{4}{15}+3\dfrac{4}{15}$ 이므로 연못의 깊이는

$3\dfrac{4}{15}$ m입니다.

03 더하는 분수의 개수와 합의 관계를 알아봅니다.

$\underbrace{\dfrac{1}{5}+\dfrac{2}{5}+\dfrac{3}{5}+\dfrac{4}{5}}_{4개}=2$,

$\underbrace{\dfrac{1}{7}+\dfrac{2}{7}+\dfrac{3}{7}+\dfrac{4}{7}+\dfrac{5}{7}+\dfrac{6}{7}}_{6개}=3$

위와 같이 1보다 작은 연속된 진분수의 합은 진분수 개수의 반과 같습니다. 진분수의 합이 20이므로 분수의 개수는 20+20=40(개)입니다.

⇨ □−1=40이므로 □=40+1=41입니다.

04 (효주, 민재, 수현이가 함께 하루에 하는 일의 양)
$=\dfrac{2}{28}+\dfrac{3}{28}+\dfrac{1}{28}=\dfrac{6}{28}$

(효주, 민재, 수현이가 함께 2일 동안 하는 일의 양)
$=\dfrac{6}{28}+\dfrac{6}{28}=\dfrac{12}{28}$

(효주와 민재가 함께 하루에 하는 일의 양)
$=\dfrac{2}{28}+\dfrac{3}{28}=\dfrac{5}{28}$

(효주와 민재가 함께 2일 동안 하는 일의 양)
$=\dfrac{5}{28}+\dfrac{5}{28}=\dfrac{10}{28}$

전체 일의 양을 1이라 할 때 효주가 혼자 해야 하는

일의 양은 $1-\dfrac{12}{28}-\dfrac{10}{28}=\dfrac{6}{28}$입니다.

$\dfrac{2}{28}+\dfrac{2}{28}+\dfrac{2}{28}=\dfrac{6}{28}$이므로 나머지 일은 효주 혼자서 3일 동안 하면 끝낼 수 있습니다.

⇨ 일을 시작한 지 2+2+3=7(일) 만에 끝낼 수 있습니다.

05
분모가 13인 세 분수 ㉮, ㉯, ㉰가 있습니다.

세 분수의 합은 $14\dfrac{3}{13}$이고, ㉯는 ㉮의 2배이며,
└─㉮+㉯+㉰=$14\dfrac{3}{13}$ └─㉯=㉮×2

㉰는 ㉮보다 $4\dfrac{3}{13}$ 작습니다. 세 분수 ㉮, ㉯,
└─㉰=㉮−$4\dfrac{3}{13}$

㉰를 각각 구하시오.

㉮+㉯+㉰=$14\dfrac{3}{13}$, ㉯=㉮×2,

㉰=㉮−$4\dfrac{3}{13}$이므로

㉮+㉯+㉰=㉮+㉮×2+㉮−$4\dfrac{3}{13}$

$=$㉮$×4-4\dfrac{3}{13}=14\dfrac{3}{13}$,

㉮$×4=14\dfrac{3}{13}+4\dfrac{3}{13}=18\dfrac{6}{13}=\dfrac{240}{13}$,

$\dfrac{240}{13}=\dfrac{60}{13}+\dfrac{60}{13}+\dfrac{60}{13}+\dfrac{60}{13}$이므로

㉮$=\dfrac{60}{13}=4\dfrac{8}{13}$

㉯=㉮×2=㉮+㉮
$=4\dfrac{8}{13}+4\dfrac{8}{13}=8\dfrac{16}{13}=9\dfrac{3}{13}$

㉰=㉮$-4\dfrac{3}{13}=4\dfrac{8}{13}-4\dfrac{3}{13}=\dfrac{5}{13}$

문제해결 Key

① ㉮, ㉯, ㉰의 계산식을 세웁니다.
② ㉮를 구합니다.
③ ㉮를 이용하여 ㉯, ㉰를 각각 구합니다.

다른 풀이

㉮, ㉯, ㉰를 진분수 또는 가분수로 나타냈을 때의 분자를 각각 ㉠, ㉡, ㉢이라 하면

$14\dfrac{3}{13}=\dfrac{185}{13}$, $4\dfrac{3}{13}=\dfrac{55}{13}$이므로

㉠+㉡+㉢=185, ㉡=㉠×2, ㉢=㉠−55입니다.

㉠+㉡+㉢=㉠+㉠×2+㉠−55=185,

㉠×4=185+55=240,

㉠=60, ㉡=㉠×2=60×2=120,

㉢=㉠−55=60−55=5

➡ ㉮=$\dfrac{60}{13}=4\dfrac{8}{13}$, ㉯=$\dfrac{120}{13}=9\dfrac{3}{13}$, ㉰=$\dfrac{5}{13}$

06 $2=1\dfrac{2}{2}$, $3=2\dfrac{3}{3}$, $4=3\dfrac{4}{4}$임을 이용하여 분모가 같은 분수끼리 묶어 봅니다.

1, $(2, 1\dfrac{1}{2})$, $(3, 2\dfrac{2}{3}, 2\dfrac{1}{3})$, $(4, 3\dfrac{3}{4}, 3\dfrac{2}{4}, 3\dfrac{1}{4})$ ……

└2개┘ └─3개─┘ └──4개──┘

$1+2+3+\cdots+8+9=45$에서

46번째 수는 10, 47번째 수는 $9\dfrac{9}{10}$이고

$1+2+3+\cdots+9+10+11=66$에서

67번째 수는 12입니다.

➡ (67번째 수)−(47번째 수)

$=12-9\dfrac{9}{10}=11\dfrac{10}{10}-9\dfrac{9}{10}=2\dfrac{1}{10}$

문제해결 Key

① 자연수를 분수로 나타냅니다.
② ①을 이용하여 규칙을 찾습니다.
③ 47번째 수와 67번째 수를 각각 구합니다.
④ ③에서 구한 두 수의 차를 구합니다.

---

2 삼각형

STEP 1 Start 개념 **31쪽**

1 (1) 9 (2) 10, 10   **2** 42 cm
3 10 cm   **4** 연우
5 60°   **6** 40°

1 (1) 이등변삼각형은 두 변의 길이가 같습니다.
(2) 정삼각형은 세 변의 길이가 같습니다.

2 정삼각형은 세 변의 길이가 모두 같으므로
(정삼각형의 세 변의 길이의 합)
$=14×3=42\,(cm)$

3 (변 ㄱㄴ)+(변 ㄱㄷ)=26−6=20 (cm)
➡ (변 ㄱㄴ)=(변 ㄱㄷ)이므로
(변 ㄱㄴ)=20÷2=10 (cm)

4 • 지안: 정삼각형은 세 변의 길이가 같으므로
이등변삼각형이라고 할 수 있습니다.
• 연우: 이등변삼각형은 두 변의 길이가 같고 나머지
한 변의 길이는 다를 수 있으므로 정삼각형
이라고 할 수 없습니다.

5 정삼각형의 세 각의 크기는 모두 60°로 같으므로
㉠=180°−60°−60°=60°

6 (각 ㄱㄷㄴ)=180°−110°=70°
➡ (각 ㄱㄴㄷ)=(각 ㄱㄷㄴ)=70°이므로
(각 ㄴㄱㄷ)=180°−70°−70°=40°

다른 풀이

(각 ㄱㄷㄴ)=180°−110°=70°
(각 ㄱㄴㄷ)=(각 ㄱㄷㄴ)=70°
➡ 삼각형의 한 외각의 크기는 이웃하지 않는 두 꼭짓
점의 각의 크기의 합과 같습니다.
(각 ㄴㄱㄷ)+(각 ㄱㄴㄷ)
=(각 ㄴㄱㄷ)+70°=110°이므로
(각 ㄴㄱㄷ)=110°−70°=40°

[본책 30쪽 미리보기 참고]

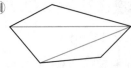

STEP 1 Start 개념   33쪽

1 (1) 나, 다, 사 (2) 가, 아 (3) 라, 마, 바

2 예

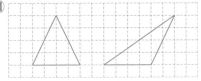

3

	예각삼각형	직각삼각형	둔각삼각형
이등변삼각형	나	바	라
세 변의 길이가 모두 다른 삼각형	마	가	다

4 예

5 ㉡, ㉣

6 ㉠, ㉡, ㉢

1 (1) 세 각이 모두 예각인 삼각형을 찾습니다.
   (2) 한 각이 직각인 삼각형을 찾습니다.
   (3) 한 각이 둔각인 삼각형을 찾습니다.

2 선분을 그어 만든 삼각형은 한 각이 둔각인 삼각형
이어야 합니다.

5 ㉠ (나머지 한 각)=180°−35°−25°=120°
    → 둔각삼각형
  ㉡ (나머지 한 각)=180°−80°−40°=60°
    → 예각삼각형
  ㉢ (나머지 한 각)=180°−30°−45°=105°
    → 둔각삼각형
  ㉣ (나머지 한 각)=180°−60°−50°=70°
    → 예각삼각형
  ⇨ 세 각이 모두 예각인 삼각형을 찾으면 ㉡, ㉣입
    니다.

6 • 두 변의 길이가 같으므로 이등변삼각형입니다.
    ⇨ ㉠
  • (각 ㄱㄴㄷ)+(각 ㄴㄷㄱ)=180°−60°=120°,
    (각 ㄱㄴㄷ)=(각 ㄴㄷㄱ)=120°÷2=60°
    세 각이 모두 60°이므로 정삼각형입니다. ⇨ ㉡
  • 세 각이 60°로 모두 예각이므로 예각삼각형입니다.
    ⇨ ㉢

STEP 2 Jump 유형   34~40쪽

1-1 ❶ 12, 12, 12, 16   ❷ 16, 8
   ; 8 cm

1-2 14 cm   **1-3** 36 cm

2-1 ❶ 12   ❷ 12, 7, 5, 7
   ❸ 7, 7, 31
   ; 31 cm

2-2 17 cm   **2-3** 88 cm

3-1 ❶ 36, 108   ❷ 36, 36, 72
   ; 72°

3-2 30°   **3-3** 25°

4-1 ❶ ②, ②, ③, ③, ③, ④
   ❷ 5
   ; 5개

4-2 12개   **4-3** 12개

4-4 10개

5-1 ❶ 60   ❷ 110, 110, 55
   ❸ 55, 65
   ; 65°

5-2 50°   **5-3** 80°

6-1 ❶ 60, 60, 120   ❷ 120, 60
   ; 60°

6-2 150°

7-1 ❶ 6, 8, 8   ❷ 20, 14, 7, 7, 7
   ; (6 cm, 8 cm), (7 cm, 7 cm)

7-2 (8 cm, 12 cm), (10 cm, 10 cm)

7-3 (10 cm, 16 cm), (13 cm, 13 cm)

1-2 (변 ㄱㄴ)+(변 ㄷㄹ)+(변 ㄹㄱ)
   =51−9=42 (cm)
  삼각형 ㄱㄴㄹ은 정삼각형이므로
  (변 ㄱㄴ)=(변 ㄴㄹ)=(변 ㄹㄱ)이고
  삼각형 ㄴㄷㄹ은 이등변삼각형이므로
  (변 ㄴㄹ)=(변 ㄷㄹ)
  ⇨ (변 ㄱㄴ)=(변 ㄷㄹ)=(변 ㄹㄱ)이므로
    (변 ㄱㄴ)=42÷3=14 (cm)

1-3 (변 ㄴㄷ)=(변 ㄷㄱ)=11 cm이므로
  (변 ㄱㄴ)=29−11−11=7 (cm)
  ⇨ (변 ㄱㄹ)=(변 ㄹㄴ)=(변 ㄱㄴ)=7 cm이므로
    (잘라내고 남은 도형의 네 변의 길이의 합)
    =11+7+7+11=36 (cm)

2-2

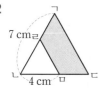

정삼각형은 세 변의 길이가 모두 같으므로

(변 ㄱㄴ)=(변 ㄴㄷ)=(변 ㄷㄱ)=7 cm

(변 ㄹㄴ)=(변 ㄴㅁ)=(변 ㅁㄹ)=4 cm

(변 ㄱㄹ)=(변 ㅁㄷ)=7−4=3 (cm)

⇨ (색칠한 부분의 네 변의 길이의 합)

　=3+4+3+7=17 (cm)

2-3 정삼각형은 세 변의 길이가 모두 같으므로

(변 ㄱㄴ)=(변 ㄴㄷ)=(변 ㄷㄱ)=33 cm

(변 ㄱㄹ)=(변 ㄹㄴ)×2이므로

(변 ㄱㄴ)=(변 ㄹㄴ)×3=33 (cm)

(변 ㄹㄴ)=33÷3=11 (cm)

(변 ㄱㄹ)=(변 ㅁㄷ)=11×2=22 (cm)

(변 ㄹㅁ)=(변 ㄹㄴ)=11 cm

⇨ (사각형 ㄱㄹㅁㄷ의 네 변의 길이의 합)

　=22+11+22+33=88 (cm)

> 🔑 **문제해결 Key**
> ① 변 ㄱㄹ, 변 ㅁㄷ, 변 ㄹㅁ의 길이를 각각 구합니다.
> ② 사각형 ㄱㄹㅁㄷ의 네 변의 길이의 합을 구합니다.

3-2 삼각형 ㄱㄴㄷ은 정삼각형이므로

(각 ㄴㄷㄱ)=60°이고,

(각 ㄱㄷㄹ)=180°−60°=120°

삼각형 ㄱㄷㄹ은 이등변삼각형이므로

(각 ㄱㄹㄷ)+(각 ㄷㄱㄹ)=180°−120°=60°

(각 ㄱㄹㄷ)=(각 ㄷㄱㄹ)=60°÷2=30°

3-3 삼각형 ㄱㄴㄷ과 삼각형 ㄱㄷㄹ은 두 변의 길이가 같으므로 이등변삼각형입니다.

삼각형 ㄱㄷㄹ에서

(각 ㄱㄷㄹ)+(각 ㄹㄱㄷ)=180°−80°=100°

⇨ (각 ㄱㄷㄹ)=(각 ㄹㄱㄷ)이므로

(각 ㄱㄷㄹ)=100°÷2=50°

삼각형 ㄱㄴㄷ에서

(각 ㄴㄷㄱ)=180°−50°=130°이므로

(각 ㄱㄴㄷ)+(각 ㄷㄱㄴ)=180°−130°=50°

⇨ (각 ㄱㄴㄷ)=(각 ㄷㄱㄴ)이므로

(각 ㄱㄴㄷ)=50°÷2=25°

> 🔑 **문제해결 Key**
> ① 각 ㄱㄷㄹ의 크기를 구합니다.
> ② 각 ㄴㄷㄱ의 크기를 구합니다.
> ③ 각 ㄱㄴㄷ의 크기를 구합니다.

4-2

삼각형 1개짜리: ②, ④, ⑥, ⑧, ⑩, ⑫, ⑭, ⑯

　　　　　　 → 8개

삼각형 4개짜리: ②+③+⑤+⑥, ④+③+⑤+⑧,

　　　　　　 ⑩+⑪+⑬+⑭, ⑫+⑪+⑬+⑯

　　　　　　 → 4개

⇨ (크고 작은 둔각삼각형의 개수)=8+4=12(개)

4-3 한 변이 4 cm인 정삼각형은 한 변이 2 cm인 정삼각형 4개로 이루어진 정삼각형입니다.

△ : 9개, ▽ : 3개

⇨ 9+3=12(개)

4-4

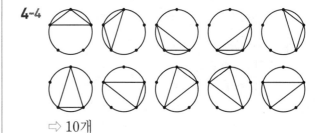

⇨ 10개

> 🔑 **문제해결 Key**
> ① 3개의 점을 이어 그릴 수 있는 이등변삼각형을 모두 찾아봅니다.
> ② ①에서 찾은 이등변삼각형의 개수를 구합니다.

5-2 삼각형 ㄹㅁㅂ과 삼각형 ㄹㄷㅂ은 모양과 크기가 같으므로 (각 ㄹㅁㅂ)=(각 ㄹㄷㅂ)=60°

(각 ㅁㅂㄹ)=180°−60°−55°=65°

⇨ (각 ㄷㅂㄹ)=(각 ㅁㅂㄹ)=65°이므로

(각 ㄴㅂㅁ)=180°−65°−65°=50°

2 단원

5-3 삼각형 ㅈㅇㄷ과 삼각형 ㅈㅇㅅ은 모양과 크기가 같으므로

(각 ㄷㅈㅇ)=(각 ㅅㅈㅇ)=70°

(각 ㅅㅇㄷ)=180°-60°=120°

(각 ㅈㅇㄷ)=(각 ㅈㅇㅅ)=120°÷2=60°

삼각형 ㅈㅇㄷ에서

(각 ㅇㄷㅈ)=180°-70°-60°=50°

⇨ 삼각형 ㄱㄴㄷ은 이등변삼각형이므로

(각 ㄱㄴㄷ)=(각 ㄴㄷㄱ)=50°입니다.

(각 ㄹㅁㅂ)=(각 ㄹㄱㅂ)

=180°-50°-50°=80°

> 🔑 **문제해결 Key**
> ① 각 ㄷㅈㅇ과 각 ㅈㅇㄷ의 크기를 구합니다.
> ② 각 ㅇㄷㅈ의 크기를 구합니다.
> ③ 각 ㄹㅁㅂ의 크기를 구합니다.

6-2

(직사각형의 한 각의 크기)=90°,

(정삼각형의 한 각의 크기)=60°이므로

ⓒ=90°-60°=30°

⇨ 사각형의 네 각의 크기의 합은 360°이므로

㉠=360°-30°-90°-90°=150°

> 🔑 **문제해결 Key**
> ① ⓒ의 각도를 구합니다.
> ② ㉠의 각도를 구합니다.

7-2 • 나머지 두 변 중에서 한 변이 8 cm일 때 다른 한 변의 길이를 ■ cm라 하면

■=28-8-8=12

⇨ 나머지 두 변: 8 cm, 12 cm

• 나머지 두 변의 길이가 같을 때 길이가 같은 두 변을 각각 ▲ cm라 하면

8+▲+▲=28,

▲+▲=20, ▲=10

⇨ 나머지 두 변: 10 cm, 10 cm

7-3 (철사의 길이)=12×3=36 (cm)

• 나머지 두 변 중에서 한 변이 10 cm일 때 다른 한 변의 길이를 ■ cm라 하면

■=36-10-10=16

⇨ 나머지 두 변: 10 cm, 16 cm

• 나머지 두 변의 길이가 같을 때 길이가 같은 두 변을 각각 ▲ cm라 하면

10+▲+▲=36,

▲+▲=26, ▲=13

⇨ 나머지 두 변: 13 cm, 13 cm

> 🔑 **문제해결 Key**
> ① 철사의 길이를 구합니다.
> ② 나머지 두 변 중에서 한 변이 10 cm일 때를 구합니다.
> ③ 나머지 두 변의 길이가 같을 때를 구합니다.

STEP 3 Master 심화 **41~45쪽**

01 15 cm	**02** 35°
03 98 cm	**04** 30°
05 95°	**06** 108 cm
07 9 cm	**08** 16 cm
09 168 cm	**10** 270 cm
11 36개	**12** 30°
13 10개	**14** 30°
15 150°	

01 (이등변삼각형의 세 변의 길이의 합)

=17+17+11=45 (cm)

⇨ (정삼각형의 한 변)=45÷3=15 (cm)

> 🔑 **문제해결 Key**
> ① 이등변삼각형의 세 변의 길이의 합을 구합니다.
> ② 정삼각형의 한 변의 길이를 구합니다.

02 삼각형 ㄹㄴㄷ은 이등변삼각형이므로

(각 ㄹㄴㄷ)+(각 ㄴㄷㄹ)=180°-130°=50°,

(각 ㄹㄴㄷ)=(각 ㄴㄷㄹ)=50°÷2=25°

⇨ (각 ㄱㄴㄷ)=60°이므로

(각 ㄱㄴㄹ)=(각 ㄱㄴㄷ)-(각 ㄹㄴㄷ)

=60°-25°=35°

2
단원

> **🔑 문제해결 Key**
> ① 각 ㄹㄴㄷ의 크기를 구합니다.
> ② 각 ㄱㄴㄹ의 크기를 구합니다.

03 (변 ㄴㄷ)+(변 ㄷㄱ)=77−35=42 (cm)

삼각형 ㄱㄴㄷ은 이등변삼각형이므로

(변 ㄴㄷ)=(변 ㄷㄱ)=42÷2=21 (cm)

삼각형 ㄱㄷㄹ은 정삼각형이므로

(변 ㄷㄹ)=(변 ㄹㄱ)=(변 ㄱㄷ)=21 cm

⇨ (변 ㄴㄹ)=21+21=42 (cm)이므로

(삼각형 ㄱㄴㄹ의 세 변의 길이의 합)

=35+42+21=98 (cm)

> **🔑 문제해결 Key**
> ① 변 ㄴㄷ과 변 ㄷㄱ의 길이를 구합니다.
> ② 변 ㄷㄹ과 변 ㄹㄱ의 길이를 알아보고 변 ㄴㄹ의 길이를 구합니다.
> ③ 삼각형 ㄱㄴㄹ의 세 변의 길이의 합을 구합니다.

04 사각형 ㄱㄴㄷㅁ에서

(각 ㄴㄷㅁ)=360°−90°−90°−75°=105°,

(각 ㅁㄷㄹ)=180°−105°=75°

⇨ 삼각형 ㅁㄷㄹ은 이등변삼각형이므로

(각 ㄹㅁㄷ)=(각 ㅁㄹㄷ)=75°이고,

(각 ㄷㅁㄹ)=180°−75°−75°=30°

> **🔑 문제해결 Key**
> ① 각 ㄴㄷㅁ의 크기를 구합니다.
> ② 각 ㅁㄷㄹ의 크기를 구합니다.
> ③ 각 ㄷㅁㄹ의 크기를 구합니다.

05 • 삼각형 ㄱㄴㄷ은 이등변삼각형이므로

(각 ㄴㄷㄱ)+(각 ㄷㄱㄴ)=180°−50°=130°,

(각 ㄴㄷㄱ)=(각 ㄷㄱㄴ)=130°÷2=65°

• 삼각형 ㅁㄷㄹ은 이등변삼각형이므로

(각 ㅁㄷㄹ)+(각 ㄹㅁㄷ)=180°−140°=40°,

(각 ㅁㄷㄹ)=(각 ㄹㅁㄷ)=40°÷2=20°

⇨ (각 ㄱㄷㅁ)=180°−65°−20°=95°

> **🔑 문제해결 Key**
> ① 각 ㄴㄷㄱ의 크기를 구합니다.
> ② 각 ㅁㄷㄹ의 크기를 구합니다.
> ③ 각 ㄱㄷㅁ의 크기를 구합니다.

06 (정삼각형의 한 변)=27÷3=9 (cm)

⇨ 굵은 선의 길이는 정삼각형의 한 변의 12배이므로

(굵은 선의 길이)=9×12=108 (cm)

> **🔑 문제해결 Key**
> ① 정삼각형의 한 변의 길이를 구합니다.
> ② 굵은 선의 길이를 구합니다.

07 만든 도형의 둘레는 정삼각형의 한 변의 7배이고

36 cm는 정삼각형의 한 변의 7−3=4(배)입니다.

⇨ (정삼각형의 한 변)=36÷4=9 (cm)

> **🔑 문제해결 Key**
> ① 정삼각형의 한 변과 도형의 둘레 사이의 관계를 찾습니다.
> ② 정삼각형의 한 변의 길이를 구합니다.

08 짧은 변 ㄴㄷ의 길이를 ☐ cm라 하면

(변 ㄱㄴ)=(변 ㄱㄷ)=(☐×2) cm입니다.

☐+☐×2+☐×2=40, ☐×5=40, ☐=8
└─→☐+☐

⇨ (변 ㄱㄴ)=8×2=16 (cm)

09 (두 번째로 큰 정삼각형의 한 변)

=32÷2=16 (cm)

(세 번째로 큰 정삼각형의 한 변)

=16÷2=8 (cm)

(두 번째로 큰 정삼각형의 세 변의 길이의 합)

=16×3=48 (cm)

(세 번째로 큰 정삼각형의 세 변의 길이의 합)

=8×3=24 (cm)

⇨ (색칠한 부분의 모든 변의 길이의 합)

=(두 번째로 큰 정삼각형의 세 변의 길이의 합)×3
+(세 번째로 큰 정삼각형의 세 변의 길이의 합)

=48×3+24=144+24=168 (cm)

> **◁ 다른 풀이 ▷**
> (두 번째로 큰 정삼각형의 한 변)=32÷2=16 (cm)
> (세 번째로 큰 정삼각형의 한 변)=16÷2=8 (cm)
> ⇨ (색칠한 부분의 모든 변의 길이의 합)
> =(가장 큰 정삼각형의 세 변의 길이의 합)
> +(두 번째로 큰 정삼각형의 세 변의 길이의 합)
> +(세 번째로 큰 정삼각형의 세 변의 길이의 합)
> =(32+32+32)+(16+16+16)+(8+8+8)
> =96+48+24=168 (cm)

10 정삼각형의 한 변은 6 cm, 12 cm, 18 cm ……로
6 cm씩 늘어나므로
(15째에서 만든 정삼각형의 한 변)
$=6 \times 15 = 90$ (cm)
⇨ (15째에서 만든 정삼각형의 세 변의 길이의 합)
$\quad = 90 \times 3 = 270$ (cm)

> 🔑 **문제해결 Key**
> ① 규칙을 찾아 15째에서 만든 정삼각형의 한 변의 길이를 구합니다.
> ② 15째에서 만든 정삼각형의 세 변의 길이의 합을 구합니다.

11 가장 작은 이등변삼각형 1개짜리(◺): 16개
가장 작은 이등변삼각형 2개짜리(◿): 10개
가장 작은 이등변삼각형 4개짜리(◺): 8개
가장 작은 이등변삼각형 8개짜리(◺): 2개
⇨ (크고 작은 이등변삼각형의 개수)
$\quad = 16 + 10 + 8 + 2 = 36$(개)

> 🔑 **문제해결 Key**
> ① 가장 작은 이등변삼각형 1개짜리, 2개짜리, 4개짜리, 8개짜리로 이루어진 이등변삼각형을 찾습니다.
> ② ①에서 찾은 크고 작은 이등변삼각형의 개수를 구합니다.

12
> 도형에서 선분 ㄴㄷ, 선분 ㄴㄹ, 선분 ㄱㄹ, 선분 ㄱㅁ의 길이가 같을 때 각 ㅁㄱㄹ의 크기를 구하시오.
>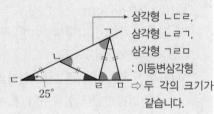
> → 삼각형 ㄴㄷㄹ, 삼각형 ㄴㄹㄱ, 삼각형 ㄱㄹㅁ : 이등변삼각형
> ⇨ 두 각의 크기가 같습니다.

• 삼각형 ㄴㄷㄹ에서
(각 ㄷㄹㄴ)=(각 ㄴㄷㄹ)=$25°$이므로
(각 ㄹㄴㄷ)=$180° - 25° - 25° = 130°$
• 삼각형 ㄱㄴㄹ에서
(각 ㄱㄴㄹ)=(각 ㄹㄱㄴ)=$180° - 130° = 50°$이므로 (각 ㄴㄹㄱ)=$180° - 50° - 50° = 80°$
⇨ 삼각형 ㄱㄹㅁ에서
(각 ㄱㄹㅁ)=(각 ㄹㅁㄱ)
$\qquad = 180° - 25° - 80° = 75°$이므로
(각 ㅁㄱㄹ)=$180° - 75° - 75° = 30°$

> 🔑 **문제해결 Key**
> ① 각 ㄹㄴㄷ의 크기를 구합니다.
> ② 각 ㄴㄹㄱ의 크기를 구합니다.
> ③ 각 ㅁㄱㄹ의 크기를 구합니다.

13 (변 ㄱㄴ)+(변 ㄱㄷ)=$31 - 15 = 16$ (cm)
(변 ㄱㄴ)=(변 ㄱㄷ)이므로
(변 ㄱㄴ)=$16 \div 2 = 8$ (cm)
이어 붙인 이등변삼각형이 2개일 때

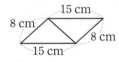

(둘레)=$8 \times 2 + 15 \times 2$
이어 붙인 이등변삼각형이 3개일 때

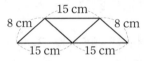

(둘레)=$8 \times 2 + 15 \times 3$
이어 붙인 이등변삼각형의 수를 ▢개라 하면
$8 \times 2 + 15 \times ▢ = 166$, $15 \times ▢ = 150$, $▢ = 10$
⇨ 이등변삼각형을 10개 이어 붙여 만든 것입니다.

> 🔑 **문제해결 Key**
> ① 변 ㄱㄴ의 길이를 구합니다.
> ② 규칙을 찾아 이어 붙인 이등변삼각형의 수를 구합니다.

14 삼각형 ㅂㄴㅁ에서
(각 ㅂㄴㅁ)=(각 ㄱㄴㅁ)=$180° - 90° - 75° = 15°$
이므로 (각 ㄱㄴㄷ)=$90° - 15° - 15° = 60°$입니다.
(선분 ㄱㄴ)=(선분 ㄴㄷ)이므로
삼각형 ㄱㄴㄷ은 이등변삼각형입니다.
(각 ㄴㄷㄱ)+(각 ㄷㄱㄴ)=$180° - 60° = 120°$,
(각 ㄴㄷㄱ)=(각 ㄷㄱㄴ)이므로
(각 ㄴㄷㄱ)=$120° \div 2 = 60°$
⇨ ㉠=$90° - 60° = 30°$

> 🔑 **문제해결 Key**
> ① 각 ㄱㄴㄷ의 크기를 구합니다.
> ② 삼각형 ㄱㄴㄷ이 이등변삼각형임을 알고 각 ㄴㄷㄱ의 크기를 구합니다.
> ③ ㉠의 각도를 구합니다.

15

(정사각형의 한 각의 크기)=90°이고,

(정삼각형의 한 각의 크기)=60°이므로

(각 ㅁㄹㄱ)=90°−60°=30°

정사각형과 정삼각형의 한 변의 길이는 같으므로

삼각형 ㄱㅁㄹ은 (선분 ㄹㄱ)=(선분 ㄹㅁ)인

이등변삼각형입니다.

(각 ㄹㄱㅁ)+(각 ㄱㅁㄹ)=180°−30°=150°,

(각 ㄹㄱㅁ)=(각 ㄱㅁㄹ)이므로

(각 ㄱㅁㄹ)=150°÷2=75°

같은 방법으로 삼각형 ㅁㄴㄷ도 이등변삼각형이고

(각 ㄷㅁㄴ)=75°

⇨ (각 ㄱㅁㄴ)=360°−75°−60°−75°=150°

🔑 **문제해결 Key**

① 각 ㅁㄹㄱ의 크기를 구합니다.

② 삼각형 ㄱㅁㄹ이 이등변삼각형임을 알고 각 ㄱㅁㄹ의 크기를 구합니다.

③ ②와 같은 방법으로 각 ㄷㅁㄴ의 크기를 구합니다.

④ 각 ㄱㅁㄴ의 크기를 구합니다.

STEP 4 Top 최고수준   46~47쪽

01 10가지   **02** 60°

03 8개, 12개   **04** 44°

05 162 cm

---

01 • 한 각을 100°를 고른 경우: 100°와 합하여 180°를 넘지 않아야 하므로 20°, 35°, 40°, 70°를 나머지 하나로 고를 수 있습니다.

(20°, 100°), (35°, 100°), (40°, 100°),

(70°, 100°) → 4가지

• 한 각을 135°를 고른 경우: 135°와 합하여 180°를 넘지 않아야 하므로 20°, 35°, 40°를 나머지 하나로 고를 수 있습니다.

(20°, 135°), (35°, 135°), (40°, 135°) → 3가지

• 2개의 예각의 합이 90°보다 작은 경우: 나머지 한 각은 90°보다 크므로 둔각삼각형이 됩니다.

(20°, 35°), (20°, 40°), (35°, 40°) → 3가지

⇨ 4+3+3=10(가지)

🔑 **문제해결 Key**

① 한 각을 100°를 고른 경우를 알아봅니다.

② 한 각을 135°를 고른 경우를 알아봅니다.

③ 2개의 예각의 합이 90°보다 작은 경우를 알아봅니다.

④ 두 각을 골라 둔각삼각형을 만들 수 있는 경우의 수를 구합니다.

---

02 • 삼각형 ㄱㄹㅁ은

(변 ㄱㄹ)=(변 ㄹㅁ)인 이등변삼각형이고

(각 ㄱㄹㅁ)=90°+60°=150°이므로

(각 ㄹㄱㅁ)+(각 ㄱㅁㄹ)=180°−150°=30°

→ (각 ㄹㄱㅁ)=(각 ㄱㅁㄹ)이므로

(각 ㄹㄱㅁ)=30°÷2=15°

• 삼각형 ㄱㄴㄹ은

(변 ㄱㄹ)=(변 ㄱㄴ)인 이등변삼각형이고

(각 ㄴㄹㄱ)+(각 ㄱㄴㄹ)=180°−90°=90°

→ (각 ㄴㄹㄱ)=(각 ㄱㄴㄹ)이므로

(각 ㄴㄹㄱ)=90°÷2=45°

⇨ 삼각형 ㄱㅂㄹ에서

(각 ㄱㅂㄹ)=180°−15°−45°=120°이므로

(각 ㄱㅂㄴ)=180°−120°=60°

🔑 **문제해결 Key**

① 각 ㄹㄱㅁ의 크기를 구합니다.

② 각 ㄴㄹㄱ의 크기를 구합니다.

③ 각 ㄱㅂㄴ의 크기를 구합니다.

---

03 • 정삼각형:

세 점 사이의 거리가 같은 점을 찾아 이어 봅니다.

⇨ 6+1+1=8(개)

• 정삼각형이 아닌 이등변삼각형:

한 점에서 거리가 같은 두 점을 찾아 이어 봅니다.

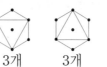

⇨ 3+3+3+3=12(개)

🔑 **문제해결 Key**

① 정삼각형의 수를 구합니다.

② 정삼각형이 아닌 이등변삼각형의 수를 구합니다.

04 (각 ㄱㄴㄷ)=(각 ㄴㄷㄱ)=46°이므로

(각 ㄷㄱㄴ)=180°−46°−46°=88°

삼각형 ㅅㅂㄷ에서

(각 ㄷㅅㅂ)=180°−90°−46°=44°

삼각형 ㄱㄹㅅ에서

(각 ㄹㅅㄱ)=180°−88°−ⓒ=92°−ⓒ

➪ 한 직선이 이루는 각의 크기는 180°이므로

(각 ㄹㅅㄱ)+(각 ㅂㅅㄹ)+(각 ㄷㅅㅂ)=180°,

92°−ⓒ+㉠+44°=180°,

㉠−ⓒ=180°−136°=44°

> 🔑 **문제해결 Key**
>
> ① 각 ㄷㄱㄴ의 크기를 구합니다.
> ② 각 ㄷㅅㅂ의 크기를 구합니다.
> ③ 각 ㄹㅅㄱ의 크기를 ⓒ을 사용하여 나타냅니다.
> ④ 한 직선이 이루는 각의 크기는 180°임을 알고 ㉠과 ⓒ의 각도의 차를 구합니다.

05 (첫째 정삼각형의 한 변)=96÷3=32 (cm)

(둘째 그림에서 색칠하지 않은 정삼각형의 한 변)

=32÷2=16 (cm)

(셋째 그림에서 색칠하지 않은 정삼각형 중 가장 작은 정삼각형의 한 변)=16÷2=8 (cm)

(넷째 그림에서 색칠하지 않은 정삼각형 중 가장 작은 정삼각형의 한 변)=8÷2=4 (cm)

(다섯째 그림에서 색칠하지 않은 정삼각형 중 가장 작은 정삼각형의 한 변)=4÷2=2 (cm)

색칠하지 않은 가장 작은 정삼각형의 수를 알아보면

$$0 \quad 1 \quad 3 \quad 9 \quad 27$$
$$\times 3 \quad \times 3 \quad \times 3$$

➪ 다섯째 그림에서 색칠하지 않은 가장 작은 정삼각형의 수가 27개이고 가장 작은 정삼각형의 세 변의 길이의 합이 2×3=6 (cm)이므로 모두 더하면 6×27=162 (cm)입니다.

> 🔑 **문제해결 Key**
>
> ① 다섯째 그림에서 가장 작은 정삼각형의 한 변의 길이를 구합니다.
> ② 다섯째 그림에서 가장 작은 정삼각형의 수를 구합니다.
> ③ 다섯째 그림에서 가장 작은 정삼각형들의 세 변의 길이의 합을 모두 더한 값을 구합니다.

3 소수의 덧셈과 뺄셈

STEP 1 Start 개념 **51쪽**

1 (1) 0.003 (2) 0.03 **2** 6.34, 6.48

3 ⓒ **4** 1.221, 1.244

5 9개 **6** ㉠

1 (1) 0.123
└ 소수 셋째 자리 숫자, 0.003

(2) 16.43
└ 소수 둘째 자리 숫자, 0.03

2 6.3과 6.4, 6.4와 6.5 사이가 각각 똑같이 10칸으로 나누어져 있으므로 작은 눈금 한 칸의 크기는 0.01입니다.

㉠ 6.3에서 오른쪽으로 4칸 더 간 곳이므로 6.34입니다.

ⓒ 6.4에서 오른쪽으로 8칸 더 간 곳이므로 6.48입니다.

3 숫자 6이 나타내는 값을 알아봅니다.

㉠ 3.605 → 0.6 ⓒ 6.842 → 6

ⓒ 1.246 → 0.006 ㉣ 2.569 → 0.06

➪ 숫자 6이 0.006을 나타내는 수는 ⓒ입니다.

4 • 1.241보다 0.02 작은 수

➪ 소수 둘째 자리 숫자가 2 작은 1.221입니다.

• 1.241보다 0.003 큰 수

➪ 소수 셋째 자리 숫자가 3 큰 1.244입니다.

5 0.51, 0.52, 0.53, 0.54, 0.55, 0.56, 0.57, 0.58, 0.59 ➪ 9개

6 ㉠ 4.07<u>2</u> ⓒ 4.25<u>9</u>

➪ 2<9이므로 소수 셋째 자리 숫자가 더 작은 수는 ㉠입니다.

STEP 1 Start 개념 **53쪽**

1 3.09, 0.39, 0.309

2 (1) 0.219 (2) 10 (3) $\frac{1}{10}$

3 0.013, 1.3 **4** 80개

5 선호 **6** 14.67, 7.641

1 자연수 부분부터 차례로 비교합니다.

3.09＞0.39＞0.309

└3＞0┘ └9＞0┘

2 (1) 21.9의 $\frac{1}{100}$ 은 소수점을 기준으로 수가 오른쪽으로 두 자리 이동한 것이므로 0.219입니다.

(2) 31.56은 3.156의 소수점을 기준으로 수가 왼쪽으로 한 자리 이동한 것이므로 31.56은 3.156의 10배입니다.

(3) 0.824는 8.24의 소수점을 기준으로 수가 오른쪽으로 한 자리 이동한 것이므로 0.824는 8.24의 $\frac{1}{10}$ 입니다.

3

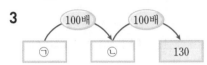

• ㉡의 100배가 130이므로 ㉡은 130의 $\frac{1}{100}$ 인 1.3입니다.

• ㉠의 100배가 1.3이므로 ㉠은 1.3의 $\frac{1}{100}$ 인 0.013입니다.

4 0.8의 $\frac{1}{10}$ 인 수는 0.08입니다.

⇨ 0.08은 0.001이 80개인 수입니다.

5 250 mL＝0.25 L

⇨ 0.25＜0.34＜0.4이므로 우유를 가장 적게 마신 사람은 선호입니다.

6 1＜4＜6＜7이므로 가장 작은 소수 두 자리 수는 14.67이고, 가장 큰 소수 세 자리 수는 7.641입니다.

STEP 1 Start 개념　　　　**55쪽**

1 (1) ＞　(2) ＞　　**2** 1.42 km

3 0.9 kg　　　　**4** 1, 3, 2

5 11.62　　　　**6** 예
```
    1
    9.5 3
 +  8.4 1
 1 7.9 4
```

1 (1)
```
    1
    0.6        0.9
 +  0.8     +  0.4
    1.4  ,     1.3
```
⇨ 1.4＞1.3

(2)
```
    1
    0.5 5       0.7 4
 +  0.6 2    +  0.4
    1.1 7  ,    1.1 4
```
⇨ 1.17＞1.14

---

2 (집~도서관)＋(도서관~학교)＝0.45＋0.97

＝1.42 (km)

3 0.4＋0.5＝0.9 (kg)

4
```
    1            1            1
    2.9          5.6 8        4.5
 +  3.7 9     +  0.7       +  1.9 8
    6.6 9  ,     6.3 8  ,     6.4 8
```
⇨ 6.69＞6.48＞6.38

5 5.7과 5.8, 5.8과 5.9 사이가 각각 똑같이 10칸으로 나누어져 있으므로 작은 눈금 한 칸의 크기는 0.01 입니다.

㉠ 5.7에서 오른쪽으로 5칸 더 간 곳이므로 5.75입니다.

㉡ 5.8에서 오른쪽으로 7칸 더 간 곳이므로 5.87입니다.

⇨ ㉠＋㉡＝5.75＋5.87＝11.62

6 더해지는 수와 더하는 수의 높은 자리부터 큰 숫자를 차례로 놓아 덧셈식을 만듭니다.

예
```
    8.5 3        9.4 3
 +  9.4 1     +  8.5 1
 1 7.9 4  ,  1 7.9 4
```

STEP 1 Start 개념　　　　**57쪽**

1 0.54

2
```
    0  10
    1.3 8
 -  0.4
    0.9 8
```
; 예 소수점 자리를 잘못 맞추고 계산하였습니다.

3 ＞　　　　**4** 0.38 L

5 다현, 0.05 m　　**6** 9.86－1.25, 8.61

1 0.81＞0.65＞0.53＞0.27

가장 큰 소수: 0.81, 가장 작은 소수: 0.27

⇨ 0.81－0.27＝0.54

3 0.9－0.5＝0.4, 0.62－0.23＝0.39

⇨ 0.4＞0.39

4 1.12－0.74＝0.38 (L)

5 148 cm＝1.48 m

⇨ 1.48＜1.53이므로 다현이가 창섭이보다 1.53－1.48＝0.05 (m) 더 큽니다.

3 단원

$$1\,\text{m}=100\,\text{cm}$$이므로 $$1\,\text{cm}=\dfrac{1}{100}\,\text{m}=0.01\,\text{m}$$

6 빼어지는 수에는 높은 자리부터 큰 숫자를 차례로 써넣고, 빼는 수에는 높은 자리부터 작은 숫자를 차례로 써넣어 뺄셈식을 만듭니다.

$$\Rightarrow 9>8>6>5>2>1$$이므로
$$9.86-1.25=8.61$$

STEP 2 Jump 유형   **58~69쪽**

1-1 ❶ 0, 1, 2, 3, 4, 5   ❷ 4, 5, 6, 7, 8, 9
    ❸ 4, 5
    ; 4, 5

1-2 7, 8, 9   **1-3** 3, 4

2-1 ❶ 1.45   ❷ 1.45, 1.17
    ; 1.17 m

2-2 6.86 m   **2-3** 0.31 km

2-4 12.9 m

3-1 ❶ 0.55   ❷ 6, 7, 8, 9
    ; 6, 7, 8, 9

3-2 0, 1, 2   **3-3** 4

3-4 3, 4

4-1 ❶ 0.48, 0.48, 1.76   ❷ 1.76, 1.24
    ; 1.24 m

4-2 1.88 m   **4-3** 8 m

5-1 ❶ 0.25, 0.25, 0.25
    ❷ 0.25, 0.25, 0.25, 1.7
    ; 1.7

5-2 3.68   **5-3** 2.08

5-4 3.99

6-1 ❶ 85.3   ❷ 3.58
    ❸ 3.58, 88.88
    ; 88.88

6-2 73.53   **6-3** 25.056

7-1 ❶ 8   ❷ 5, 5
    ❸ 3, 7
    ; 7, 8, 5

7-2 6, 8, 8   **7-3** 11

7-4 7.864

8-1 ❶ 4, 2   ❷ 0, 3
    ❸ 4.302
    ; 4.302

8-2 9.173   **8-3** 24.279

9-1 ❶ 1.82, 6, 6, 3   ❷ 3, 1.18
    ; 3, 1.18

9-2 4, 1.24   **9-3** 4.1, 2.15

10-1 ❶ (왼쪽부터) 6, 1.5 / 6, 1.5, 107.5
    ❷ 107.5, 10.75, 10.75
    ; 10.75 m

10-2 10.29 m   **10-3** 893

11-1 ❶ 2.016, 2.016, 6.048
    ❷ 3.18, 6.36
    ❸ 6.36, 6.048, 0.312
    ; 0.312 km

11-2 12.276 km   **11-3** 58.844 km

12-1 ❶ 2.89, 2.89, 2.15   ❷ 3.86, 2.15, 1.71
    ; 1.71달러

12-2 5.838점

1-2 ㉠ 4.0□3>4.064에서 일의 자리 숫자와 소수 첫째 자리 숫자가 각각 같고 소수 셋째 자리 숫자가 3<4이므로 □ 안에 들어갈 수 있는 숫자는 7, 8, 9입니다.

㉡ 6.865<6.86□에서 일의 자리, 소수 첫째 자리, 소수 둘째 자리 숫자가 각각 같으므로 □ 안에 들어갈 수 있는 숫자는 6, 7, 8, 9입니다.

$\Rightarrow$ □ 안에 공통으로 들어갈 수 있는 숫자는 7, 8, 9 입니다.

1-3 • 7.3□8<7.352에서 일의 자리 숫자와 소수 첫째 자리 숫자가 각각 같고 소수 셋째 자리 숫자가 8>2이므로 □ 안에 들어갈 수 있는 숫자는 0, 1, 2, 3, 4입니다.

• 7.352<7.□78에서 일의 자리 숫자가 같고 소수 둘째 자리 숫자가 5<7이므로 □ 안에 들어갈 수 있는 숫자는 3, 4, 5, 6, 7, 8, 9입니다.

$\Rightarrow$ □ 안에 공통으로 들어갈 수 있는 숫자는 3, 4입니다.

🔑 문제해결 Key

① 7.3□8<7.352에서 □ 안에 들어갈 수 있는 숫자를 구합니다.

② 7.352<7.□78에서 □ 안에 들어갈 수 있는 숫자를 구합니다.

③ □ 안에 공통으로 들어갈 수 있는 숫자를 모두 구합니다.

2-2 (㉠~㉢)+(㉡~㉣)=4.7+3.66=8.36 (m)

⇨ (㉠~㉣)=8.36−(㉡~㉢)

=8.36−1.5=6.86 (m)

2-3 (서점~문구점)

=(수아네 집~문구점)+(서점~학교)

−(수아네 집 ~학교)

=0.87+1.34−1.9

=2.21−1.9=0.31 (km)

2-4 (㉠~㉣)=(㉠~㉢)+(㉡~㉣)−(㉡~㉢)

=5.8+6.14−2.5

=11.94−2.5=9.44 (m)

⇨ (㉠~㉤)=(㉠~㉣)+(㉣~㉤)

=9.44+3.46=12.9 (m)

🔑 **문제해결 Key**

① ㉠에서 ㉣까지의 길이를 구합니다.

② ㉠에서 ㉤까지의 길이를 구합니다.

3-2 3.97+2.281=6.251

⇨ 6.251>6.□48에서 일의 자리 숫자가 같고 소수 둘째 자리 숫자가 5>4이므로 □ 안에 들어갈 수 있는 숫자는 0, 1, 2입니다.

3-3 4.22−2.78+1.015=1.44+1.015=2.455

⇨ 2.4□7<2.455에서 일의 자리 숫자와 소수 첫째 자리 숫자가 각각 같고 소수 셋째 자리 숫자가 7>5이므로 □ 안에 들어갈 수 있는 숫자는 0, 1, 2, 3, 4입니다. 이 중 가장 큰 수는 4입니다.

3-4 2.5+3.13=5.63, 7.92−2.271=5.649

⇨ 5.63<5.6□5<5.649이므로 □ 안에 들어갈 수 있는 숫자는 3, 4입니다.

4-2 (사용한 색 테이프의 길이)

=(정사각형의 네 변의 길이의 합)

=0.53+0.53+0.53+0.53=2.12 (m)

⇨ (사용하고 남은 색 테이프의 길이)

=4−2.12=1.88 (m)

4-3 (게시판의 세로)=2.32−0.86=1.46 (m)

(사용한 끈의 길이)

=(게시판의 네 변의 길이의 합)

=2.32+1.46+2.32+1.46=7.56 (m)

⇨ (처음에 있던 끈의 길이)

=(사용한 끈의 길이)+(남은 끈의 길이)

=7.56+0.44=8 (m)

🔑 **문제해결 Key**

① 게시판의 세로를 구합니다.

② 사용한 끈의 길이를 구합니다.

③ 처음에 있던 끈의 길이를 구합니다.

5-2 1.68에서 2번 뛰어 세어 2.48−1.68=0.8 커졌고 2.48에서 2번 뛰어 세어 3.28−2.48=0.8 커졌습니다. 0.8=0.4+0.4이므로 0.4씩 커지는 규칙입니다.

⇨ ㉠=3.28+0.4=3.68

5-3 0.878−0.763=0.115, 0.993−0.878=0.115, 1.108−0.993=0.115 ……이므로 0.115씩 커지는 규칙입니다.

⇨ 같은 규칙으로 1.85부터 뛰어 세면

(3번째에 올 소수)=1.85+0.115+0.115=2.08

5-4 9.24−8.19=1.05, 8.19−7.14=1.05 ……이므로 1.05씩 작아지는 규칙입니다.

⇨ (6번째에 올 소수)=7.14−1.05−1.05−1.05

=3.99

🔑 **문제해결 Key**

① 몇씩 작아지는 규칙인지 알아봅니다.

② 6번째에 올 소수를 구합니다.

6-2 • 만들 수 있는 가장 큰 수: 7>6>2이고 자연수 부분이 클수록 큰 수이므로 소수 한 자리 수입니다. → 76.2

• 만들 수 있는 가장 작은 수: 2<6<7이고 자연수 부분이 작을수록 작은 수이므로 소수 두 자리 수입니다. → 2.67

⇨ (가장 큰 수와 가장 작은 수의 차)

=76.2−2.67=73.53

6-3 • 9>7>4>3이므로 가장 큰 소수 세 자리 수는 9.743이고, 두 번째로 큰 소수 세 자리 수는 9.734입니다.

• 3<4<7<9이므로 가장 작은 소수 두 자리 수는 34.79입니다.

⇨ (두 사람이 만든 수의 차)=34.79−9.734

=25.056

🔑 **문제해결 Key**

① 두 번째로 큰 소수 세 자리 수를 만듭니다.

② 가장 작은 소수 두 자리 수를 만듭니다.

③ 두 사람이 만든 소수의 차를 구합니다.

3 단원

7-2

$$\begin{array}{r} \bigcirc.5 \\ -\ 4.\textcircled{L}2 \\ \hline 1.6\textcircled{C} \end{array}$$

- $10-2=\textcircled{C}$, $\textcircled{C}=8$
- $5-1+10-\textcircled{L}=6$, $14-\textcircled{L}=6$, $\textcircled{L}=8$
- $\bigcirc-1-4=1$, $\bigcirc=6$

7-3

$$\begin{array}{r} 6.\bigcirc3 \\ -\ 1.7\textcircled{L} \\ \hline \textcircled{C}.48 \end{array}$$

- $13-\textcircled{L}=8$, $\textcircled{L}=5$
- $\bigcirc-1+10-7=4$, $\bigcirc+2=4$, $\bigcirc=2$
- $6-1-1=\textcircled{C}$, $\textcircled{C}=4$
- $\Rightarrow \bigcirc+\textcircled{L}+\textcircled{C}=2+5+4=11$

7-4

$$\begin{array}{r} \bigcirc.\textcircled{L}\textcircled{C}\textcircled{2} \\ +\ \bigcirc\textcircled{L}.\textcircled{C}\textcircled{2} \\ \hline 86.504 \end{array}$$

- $\textcircled{2}=4$
- $\textcircled{C}+4=10$, $\textcircled{C}=6$
- $1+\textcircled{L}+6=15$, $7+\textcircled{L}=15$, $\textcircled{L}=8$
- $1+\bigcirc+8=16$, $9+\bigcirc=16$, $\bigcirc=7$
- $\Rightarrow \bigcirc.\textcircled{L}\textcircled{C}\textcircled{2}=7.864$

🔑 **문제해결 Key**
① ㉠, ㉡, ㉢, ㉣을 각각 구합니다.
② 소수 ㉠.㉡㉢㉣을 구합니다.

8-2
- 첫 번째와 두 번째 조건에서 일의 자리 숫자는 9, 소수 셋째 자리 숫자는 3입니다. $\Rightarrow$ 9.☐☐3
- 세 번째 조건에서 소수 첫째 자리 숫자는 1이고, 네 번째 조건에서 소수 둘째 자리 숫자는 $9-2=7$입니다. $\Rightarrow$ 9.173

8-3
- 첫 번째와 두 번째 조건에서 십의 자리 숫자는 2이고, 일의 자리 숫자는 4로 나누어떨어지는 수 중 가장 작은 수여야 하므로 4입니다.
  $\Rightarrow$ 24.☐☐☐
- 세 번째 조건에서 두 수의 합이 11이 되는 한 자리 수를 (㉠, ㉡)으로 나타내면 (2, 9), (3, 8), (4, 7), (5, 6)입니다.
  가장 작은 수가 되려면 소수 첫째 자리 숫자는 2, 소수 셋째 자리 숫자는 9입니다. $\Rightarrow$ 24.2☐9
- 네 번째 조건에서 소수 둘째 자리 숫자는 $4+3=7$입니다. $\Rightarrow$ 24.279

🔑 **문제해결 Key**
① 가장 작은 수가 되는 자연수 부분의 수를 구합니다.
② 두 수의 합이 11이 되는 한 자리 수를 찾아 소수 첫째 자리와 소수 셋째 자리 숫자를 각각 구합니다.
③ 소수 둘째 자리 숫자를 구하여 조건을 모두 만족하는 가장 작은 소수 세 자리 수를 구합니다.

9-2 $(㉮+㉯)+(㉮-㉯)=5.24+2.76=8$,
$㉮+㉮=8$, $㉮=4$
$㉮+㉯=5.24$에서 $㉯=5.24-4=1.24$

9-3 $㉮+㉯=6.25$, $㉮-㉯=1.95$
$(㉮+㉯)+(㉮-㉯)=6.25+1.95=8.2$,
$㉮+㉮=8.2$
$8.2=4.1+4.1$이므로 $㉮=4.1$
$㉮+㉯=6.25$에서 $㉯=6.25-4.1=2.15$

🔑 **문제해결 Key**
① ㉮와 ㉯의 덧셈식과 뺄셈식을 더해 ㉮를 구합니다.
② ㉯를 구합니다.

10-2 0.1이 8개이면 0.8
0.01이 20개이면 0.2 $\Big]$ $0.8+0.2+0.029$
0.001이 29개이면 0.029 $=1.029$

▲의 $\frac{1}{10}$인 수가 1.029이므로 ▲는 1.029의 10배인 10.29입니다.
$\Rightarrow$ 다보탑의 높이는 10.29 m입니다.

10-3 $10-1.07=8.93$
$\Rightarrow$ 어떤 수의 $\frac{1}{100}$인 수가 8.93이므로 어떤 수는 8.93의 100배인 893입니다.

11-2 30분$+$30분$=$1시간이므로
(은주가 1시간 동안 걸은 거리)
$=3.09+3.09=6.18$ (km)
15분$+$15분$+$15분$+$15분$=$1시간이므로
(수현이가 1시간 동안 걸은 거리)
$=1.524+1.524+1.524+1.524=6.096$ (km)
$\Rightarrow$ (1시간 후 두 사람 사이의 거리)
$=6.18+6.096=12.276$ (km)

11-3 20분$+$20분$+$20분$=$1시간이므로
(동욱이가 1시간 동안 달린 거리)
$=7.212+7.212+7.212=21.636$ (km)
15분$+$15분$+$15분$+$15분$=$1시간이므로
(재한이가 1시간 동안 달린 거리)
$=4.88+4.88+4.88+4.88=19.52$ (km)

동욱		재한
21.636 km	두 사람 사이의 거리	19.52 km
	100 km	

$\Rightarrow$ (1시간 후 두 사람 사이의 거리)
$=100-21.636-19.52=58.844$ (km)

문제해결 Key
① 동욱이가 1시간 동안 달린 거리를 구합니다.
② 재한이가 1시간 동안 달린 거리를 구합니다.
③ 1시간 후 두 사람 사이의 거리를 구합니다.

12-2 (2018년 우리나라의 행복지수)
= (핀란드의 행복지수) − 1.757
= 7.632 − 1.757 = 5.875(점)
⇨ (2017년 우리나라의 행복지수)
= 5.875 − 0.037 = 5.838(점)

문제해결 Key
① 2018년 우리나라의 행복지수를 구합니다.
② 2017년 우리나라의 행복지수를 구합니다.

STEP 3 Master 심화 **70~75쪽**

01 1000배	**02** ㉢, ㉠, ㉡
03 0.11 kg, 0.29 kg	**04** 0.17
05 2.9	**06** 4.5 cm
07 36	**08** 1.689
09 93.1, 46.9	**10** 0.22 kg
11 45개	**12** 14.277 °C
13 2 cm	**14** 9.63초
15 선호	**16** 23
17 6.4 cm, 5 cm	**18** 7.28 km

01 • ㉠은 일의 자리 숫자이므로 나타내는 값은 7입니다.
• ㉡은 소수 셋째 자리 숫자이므로 나타내는 값은 0.007입니다.
⇨ 7은 0.007의 1000배입니다.

문제해결 Key
① ㉠이 나타내는 값을 구합니다.
② ㉡이 나타내는 값을 구합니다.
③ ㉠이 나타내는 값은 ㉡이 나타내는 값의 몇 배인지 구합니다.

다른 풀이
3자리
1 7 . 4 5 7
㉠ ㉡
⇨ ㉠은 ㉡보다 3자리 앞에 있으므로 1000배입니다.

---

02 • ㉠과 ㉡의 □ 안에 9를, ㉢의 □ 안에 0을 넣어도 9.940 > 9.932, 9.940 > 9.019이므로 ㉢이 가장 큽니다.
• ㉠의 □ 안에 0을 넣고 ㉡의 □ 안에 9를 넣어도 9.032 > 9.019이므로 ㉠이 ㉡보다 큽니다.
⇨ ㉢ > ㉠ > ㉡

문제해결 Key
① 가장 큰 수를 구합니다.
② 큰 수부터 차례로 알아봅니다.

03 필통: 0.68 − 0.59 = 0.09 (kg)
⇨ 풀의 어림한 무게는 0.2 − 0.09 = 0.11 (kg)과 0.2 + 0.09 = 0.29 (kg)이 될 수 있습니다.

문제해결 Key
① 필통의 어림한 무게와 저울로 잰 무게의 차를 구합니다.
② 풀을 어림한 무게가 될 수 있는 것을 모두 구합니다.

04 9.2와 9.3, 9.4와 9.5 사이가 각각 똑같이 10칸으로 나누어져 있으므로 작은 눈금 한 칸의 크기는 0.01 입니다.
⇨ ㉠ = 9.25, ㉡ = 9.42이므로
(㉠과 ㉡의 차) = 9.42 − 9.25 = 0.17

문제해결 Key
① ㉠과 ㉡을 각각 구합니다.
② ㉠과 ㉡의 차를 구합니다.

다른 풀이
작은 눈금 한 칸의 크기가 0.01이고 ㉠에서 ㉡까지는 작은 눈금 17칸입니다.
⇨ ㉠과 ㉡의 차는 0.01이 17칸이므로 0.17입니다.

05 6.8에서 9.4까지 2번 뛰어 세어 9.4 − 6.8 = 2.6 커졌고 2.6 = 1.3 + 1.3이므로 1.3씩 커지는 규칙입니다.
⇨ ㉠ = 6.8 − 1.3 − 1.3 = 2.9

06 첫 번째로 튀어 오른 높이: 45 m의 $\frac{1}{10}$인 4.5 m
두 번째로 튀어 오른 높이: 4.5 m의 $\frac{1}{10}$인 0.45 m
세 번째로 튀어 오른 높이: 0.45 m의 $\frac{1}{10}$인 0.045 m
⇨ 4.5 cm

문제해결 Key
① 첫 번째로 튀어 오른 높이를 구합니다.
② 두 번째로 튀어 오른 높이를 구합니다.
③ 세 번째로 튀어 오른 높이를 구합니다.

3 단원

꼼꼼 풀이집

07 • 8.2㉠8<8.20㉡에서 ㉠=0, ㉡=9

• 8.209<㉢.088에서 ㉢=9

• 9.088<㉣.0㉤에서 ㉣=9, ㉤=9

⇨ ㉠+㉡+㉢+㉣+㉤=0+9+9+9+9=36

> 🔑 **문제해결 Key**
> ① ㉠, ㉡, ㉢, ㉣, ㉤에 알맞은 숫자를 구합니다.
> ② ㉠+㉡+㉢+㉣+㉤을 구합니다.

08 3.56+4.75=8.31이므로 10−■=8.31이라 하면
10−8.31=■, ■=1.69

⇨ 8.31<10−□에서 □는 1.69보다 작은 수여야
하므로 □ 안에 들어갈 수 있는 수 중에서 가장
큰 소수 세 자리 수는 1.689입니다.

> 🔑 **문제해결 Key**
> ① 3.56+4.75를 계산합니다.
> ② 10−■=8.31일 때 ■의 값을 구합니다.
> ③ □ 안에 들어갈 수 있는 수 중에서 가장 큰 소수 세 자리 수를 구합니다.

09 • 계산 결과가 가장 클 때:

(가장 큰 □□.□)−(가장 작은 □.□)

=98.7−5.6=93.1

• 계산 결과가 가장 작을 때:

(가장 작은 □□.□)−(가장 큰 □.□)

=56.7−9.8=46.9

> 🔑 **문제해결 Key**
> ① 계산 결과가 가장 클 때의 식을 세워 계산합니다.
> ② 계산 결과가 가장 작을 때의 식을 세워 계산합니다.

10 (음료수 1병의 무게)=0.78−0.64=0.14 (kg)

⇨ (빈 상자의 무게)=0.64−0.14−0.14−0.14

=0.22 (kg)

> 🔑 **문제해결 Key**
> ① 음료수 1병의 무게를 구합니다.
> ② 빈 상자의 무게를 구합니다.

11 0.6보다 크고 0.7보다 작은 소수 세 자리 수의 소수
첫째 자리 숫자는 6입니다.

0.601, 0.602, ……, 0.608, 0.609 → 9개

0.612, 0.613, ……, 0.618, 0.619 → 8개

⋮

0.678, 0.679 → 2개

0.689 → 1개

⇨ 9+8+7+6+5+4+3+2+1=45(개)

12 첫 번째 조건에서 자연수는 14, 15 중 3으로 나누어
떨어지는 수이므로 15입니다.

두 번째 조건에서 소수 첫째 자리 숫자는 0, 세 번째
와 네 번째 조건에서 소수 둘째 자리 숫자는 8이고,
소수 셋째 자리 숫자는 7입니다. → 15.087

⇨ 1970년 전남 지역의 평균 해수 온도는 현재보다
0.81℃ 낮았으므로

(1970년 전남 지역의 평균 해수 온도)

=15.087−0.81=14.277 (℃)

> 🔑 **문제해결 Key**
> ① 조건을 만족하는 소수 세 자리 수를 구합니다.
> ② 1970년 전남 지역의 평균 해수 온도를 구합니다.

13 (색 테이프 3장의 길이의 합)=6.35+6.35+6.35

=19.05 (cm)

(겹쳐진 부분의 길이의 합)=19.05−15.05

=4 (cm)

⇨ 겹쳐진 부분이 2군데이므로

(겹쳐진 부분의 길이)=4÷2=2 (cm)

> 🔑 **문제해결 Key**
> ① 색 테이프 3장의 길이의 합을 구합니다.
> ② 겹쳐진 부분의 길이의 합을 구합니다.
> ③ 겹쳐진 부분의 길이를 구합니다.

14 런던 올림픽 기록을 □초라 하면
베이징 올림픽 기록은 (□+0.06)초입니다.

□+□+0.06=19.32, □+□=19.26,

19.26=9.63+9.63에서 □=9.63

> 🔑 **문제해결 Key**
> ① 런던 올림픽 기록을 □초라 하여 식을 세웁니다.
> ② 런던 올림픽 기록을 구합니다.

> **다른 풀이**
> 베이징 올림픽 기록을 □초, 런던 올림픽 기록을 △초라
> 하면 □+△=19.32, □−△=0.06
> (□+△)+(□−△)=19.32+0.06=19.38,
> □+□=19.38
> ⇨ 19.38=9.69+9.69에서 □=9.69이므로
> △=19.32−9.69=9.63

15 다인: (㉯~㉰)=(㉮~㉰)+(㉯~㉱)−(㉮~㉱)
  =5.24+4.78−7.3=2.72 (km)

연우: (㉮~㉯)=5.24−2.72=2.52 (km)이므로
  (㉯~㉰)−(㉮~㉯)=2.72−2.52=0.2 (km)
  더 멉니다.

선호: (㉰~㉱)=4.78−2.72=2.06 (km)이므로
  (㉯~㉰)−(㉰~㉱)=2.72−2.06=0.66 (km)
  더 가깝습니다.

⇨ 잘못 말한 사람은 선호입니다.

🔑 **문제해결 Key**
① ㉯에서 ㉰까지의 거리를 구합니다.
② ㉮에서 ㉯까지의 거리와 (㉯~㉰)−(㉮~㉯)의 거리를 구합니다.
③ ㉰에서 ㉱까지의 거리와 (㉯~㉰)−(㉰~㉱)의 거리를 구합니다.
④ 거리를 잘못 말한 사람을 찾습니다.

16 • 덧셈식의 소수 둘째 자리 계산에서 받아올림한 수가 있으므로 ㉡+㉣=10이고 ㉡−㉣의 끝자리 숫자가 6이 되는 경우는 ㉡=8, ㉣=2와 ㉡=3, ㉣=7입니다.
그런데 뺄셈식의 소수 둘째 자리 계산에서 받아내림한 수가 있으므로 ㉡=3, ㉣=7입니다.
• 덧셈식의 소수 첫째 자리 계산에서
1+6+㉢=15, 7+㉢=15, ㉢=8이고,
일의 자리 계산에서
1+㉠+3=9, ㉠+4=9, ㉠=5입니다.
⇨ ㉠+㉡+㉢+㉣=5+3+8+7=23

🔑 **문제해결 Key**
① ㉠, ㉡, ㉢, ㉣에 알맞은 숫자를 각각 구합니다.
② ㉠+㉡+㉢+㉣을 구합니다.

17 (직사각형을 만드는 데 사용한 끈의 길이)
=30−7.2=22.8 (cm)
직사각형의 가로와 세로의 합은 22.8=11.4+11.4
이므로 11.4 cm이고
직사각형의 세로를 ☐ cm라 하면
가로는 (☐+1.4) cm입니다.
☐+1.4+☐=11.4, ☐+☐=11.4−1.4=10,
☐=5
⇨ 세로는 5 cm,
  가로는 5+1.4=6.4 (cm)입니다.

🔑 **문제해결 Key**
① 직사각형을 만드는 데 사용한 끈의 길이를 구합니다.
② 직사각형의 가로와 세로의 합을 구합니다.
③ 직사각형의 가로와 세로를 각각 구합니다.

18 수아가 한 시간에 1.2 km를 가므로
30분에 0.6 km를 갑니다.
(수아가 3시간 30분 동안 간 거리)
=1.2+1.2+1.2+0.6=4.2 (km)
승주는 한 시간에 0.88 km를 가므로
30분에 0.44 km를 갑니다.
(승주가 3시간 30분 동안 간 거리)
=0.88+0.88+0.88+0.44=3.08 (km)
⇨ (3시간 30분 후 두 사람 사이의 거리)
  =4.2+3.08=7.28 (km)

🔑 **문제해결 Key**
① 수아가 3시간 30분 동안 간 거리를 구합니다.
② 승주가 3시간 30분 동안 간 거리를 구합니다.
③ 두 사람 사이의 거리를 구합니다.

STEP 4 Top 최고수준 **76~77쪽**

01 4.8 km	**02** 0.62 m
03 1.2 kg, 0.8 kg, 0.5 kg	**04** 45개
05 5	**06** 1.14

01 각 구간별 사이의 거리를 그림으로 나타내면 다음과 같습니다.

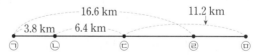

(㉢과 ㉣ 사이의 거리)=16.6−3.8−6.4
  =6.4 (km)
(㉣과 ㉤ 사이의 거리)=11.2−6.4=4.8 (km)

🔑 **문제해결 Key**
① 각 구간별 사이의 거리를 그림으로 그려 봅니다.
② ㉢과 ㉣ 사이의 거리를 구합니다.
③ ㉣과 ㉤ 사이의 거리를 구합니다.

3 단원

02 363 cm＝3.63 m

(정훈이와 현아 사이의 거리)
＝3.63－2.72＝0.91 (m)
(정훈이와 현진이 사이의 거리)
＝1.2－0.91＝0.29 (m)
⇨ 0.91－0.29＝0.62 (m)

> 🔑 **문제해결 Key**
> ① 상황을 그림으로 그려 봅니다.
> ② 정훈이와 현아 사이의 거리를 구합니다.
> ③ 정훈이와 현진이 사이의 거리를 구합니다.
> ④ ②와 ③에서 구한 거리의 차를 구합니다.

03
물체가 어느 한쪽으로 기울지 않고 평평한 상태를 수평이라고 합니다. 그림과 같이 윗접시저울을 이용하여 상자의 무게를 재었더니 수평을 이루었습니다. 큰 분동의 무게는 1 kg, 작은 분동의 무게는 0.1 kg일 때, 세 상자 ㉮, ㉯, ㉰의 무게는 각각 몇 kg인지 구하시오.
→ 양쪽 무게가 같습니다.

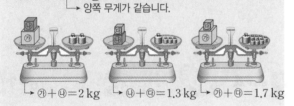

→ ㉮＋㉯＝2 kg　→ ㉯＋㉰＝1.3 kg　→ ㉮＋㉰＝1.7 kg

㉮＋㉯＝2 kg, ㉯＋㉰＝1.3 kg,
㉮＋㉰＝1.7 kg
(㉮＋㉯)＋(㉯＋㉰)＋(㉮＋㉰)
＝2＋1.3＋1.7＝5 (kg),
(㉮＋㉯＋㉰)＋(㉮＋㉯＋㉰)＝5 kg
⇨ 5＝2.5＋2.5이므로 ㉮＋㉯＋㉰＝2.5 kg입니다.
㉮＝(㉮＋㉯＋㉰)－(㉯＋㉰)
　＝2.5－1.3＝1.2 (kg)
㉯＝(㉮＋㉯＋㉰)－(㉮＋㉰)
　＝2.5－1.7＝0.8 (kg)
㉰＝(㉮＋㉯＋㉰)－(㉮＋㉯)
　＝2.5－2＝0.5 (kg)

> 🔑 **문제해결 Key**
> ① ㉮＋㉯＋㉰의 무게를 구합니다.
> ② ㉮, ㉯, ㉰의 무게를 각각 구합니다.

04 ㉠＝㉡＋4.623에서 6＜㉡＋4.623＜6.5이므로
㉡은 6－4.623＝1.377보다 크고
6.5－4.623＝1.877보다 작습니다.
→ 1.377＜㉡＜1.877
㉡은 소수 두 자리 수이고 1.40, 1.50, 1.60, 1.70, 1.80을 빼야 하므로 ㉡이 될 수 있는 수는 1.38, 1.39, 1.41, ……, 1.86, 1.87입니다.
⇨ ㉡이 될 수 있는 수는 50－5＝45(개)이고 ㉠이 될 수 있는 수도 ㉡이 될 수 있는 수의 개수와 같은 45개입니다.

> 🔑 **문제해결 Key**
> ① ㉡이 될 수 있는 수의 범위를 구합니다.
> ② ㉡이 될 수 있는 수의 개수를 구합니다.
> ③ ㉠이 될 수 있는 수의 개수를 구합니다.

> 🔑 **다른 풀이**
> ㉠을 ㄱ.ㄴㄷㄹ이라 하면 ㄱ＝6, ㄹ＝3이고 ㄷ＝2이면 ㉡이 소수 한 자리 수가 되므로 ㄷ은 2가 될 수 없습니다.
> ⇨ ㄴ이 될 수 있는 숫자는 0, 1, 2, 3, 4이고 ㄷ이 될 수 있는 숫자는 0, 1, 3, 4, 5, 6, 7, 8, 9입니다.
> ㄴ＝0일 때 ㄷ＝0, 1, 3, 4, 5, 6, 7, 8, 9로 ㉠이 될 수 있는 수는 9개이고, ㄴ이 1, 2, 3, 4일 때도 9개씩이므로 ㉠이 될 수 있는 수는 5×9＝45(개)입니다.

05 두 소수의 차 84.942에서 소수 셋째 자리 숫자가 2이므로 가장 작은 소수 세 자리 수의 소수 셋째 자리 숫자는 8이고 8은 수 카드 중에서 가장 큰 숫자입니다. 따라서 가장 큰 소수 두 자리 수에서 십의 자리 숫자는 8이 됩니다.
또 ㉠에 상관없이 1이 가장 작은 수이므로 가장 큰 소수 두 자리 수의 소수 둘째 자리 숫자는 1, 가장 작은 소수 세 자리 수의 일의 자리 숫자는 1입니다.

```
   8 □ . □ 1
 －  1 . □ □ 8
 ─────────────
   8 4 . 9 4 2
```

소수 둘째 자리에서 1－1＋10－□＝4, □＝6이므로 수 카드 중 두 번째로 큰 수는 6입니다.

```
   8 6 . ㉠ 1
 －  1 . ㉠ 6 8
 ─────────────
   8 4 . 9 4 2
```

㉠에는 1부터 9까지의 숫자가 들어갈 수 있지만 6보다는 작고 1보다는 커야 하므로 ㉠에 들어갈 수 있는 수는 2, 3, 4, 5이고 이 중에서 가장 큰 수는 5입니다.

문제해결 Key

① 수 카드 중에서 가장 큰 수가 8임을 알고 식을 세웁니다.

② 수 카드 중에서 두 번째로 큰 수를 알아봅니다.

③ ㉠에 들어갈 수 있는 수 중에서 가장 큰 수를 구합니다.

06 $(0.03+0.04-0.01-0.02)$

$+(0.07+0.08-0.05-0.06)$

$+(0.11+0.12-0.09-0.1)$

$+(0.15+0.16-0.13-0.14)$

$+\cdots\cdots+(㉠+㉡-㉢-㉣)=1.16$

에서 한 괄호 안에서 덧셈과 뺄셈이 2번씩 반복되는 규칙입니다.

4번째 수까지의 계산 결과는

$0.03+0.04-0.01-0.02=0.04$,

8번째 수까지의 계산 결과는

$(0.03+0.04-0.01-0.02)$

$+(0.07+0.08-0.05-0.06)=0.08$,

12번째 수까지의 계산 결과는

$(0.03+0.04-0.01-0.02)$

$+(0.07+0.08-0.05-0.06)$

$+(0.11+0.12-0.09-0.1)=0.12$이므로

계산 결과가 1.16인 것은 116번째 수까지 계산한 결과입니다.

또 $(0.03+0.04-0.01-0.02)$에서 가장 작은 수를 □라 하고 규칙을 찾아보면

$(□+0.02)+(□+0.03)-□-(□+0.01)$이고 가장 큰 수를 계산한 $□+0.03=1.16$이므로

$□=1.13$, ㉣에 알맞은 수는 $1.13+0.01=1.14$입니다.

문제해결 Key

① 규칙을 찾습니다.

② 계산 결과가 1.16인 것은 몇 번째 수까지 계산한 것인지 찾습니다.

③ ㉣을 구합니다.

4 사각형

STEP 1 Start 개념

81쪽

1 3쌍   **2** 선호

3 선분 ㄱㄴ, 선분 ㄹㅁ   **4** 1개

5    **6** 25°

1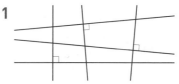

⇨ 만나서 이루는 각이 직각인 두 직선은 모두 3쌍입니다.

2 선호: 선분 ㄴㄷ에 대한 수선은 선분 ㄱㄴ, 선분 ㅁㅅ, 선분 ㄹㄷ으로 3개입니다.

3 선분 ㄴㄷ에 수직인 선분을 모두 찾습니다.

4

⇨ 한 점을 지나고 주어진 직선에 수직인 직선은 1개 그을 수 있습니다.

5 점 ㄱ을 지나고 변 ㄴㄷ과 만나서 이루는 각이 직각인 직선을 긋습니다.

6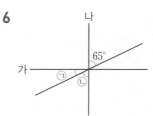

직선 나는 직선 가에 대한 수선이므로 직선 가와 직선 나가 만나서 이루는 각의 크기는 90°입니다.

한 직선이 이루는 각의 크기는 180°이므로

$㉠=180°-90°-65°=25°$

다른 풀이

직선 가와 직선 나가 만나서 이루는 각의 크기는 90°이고 ㉡=65°(맞꼭지각)이므로 ㉠=90°-65°=25°

1 3개

2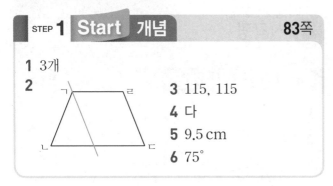

3 115, 115

4 다

5 9.5 cm

6 75°

1 변 ㄱㄴ과 평행한 변: 변 ㅇㅅ, 변 ㅂㅁ, 변 ㄹㄷ
　　　　　　　　　　　⇨ 3개

3 평행선과 한 직선이 만날 때 생기는 같은 위치에 있는 두 각의 크기는 같습니다.

4 수선이 있는 도형: 나, 다, 라
　평행선이 있는 도형: 가, 다
　⇨ 수선도 있고 평행선도 있는 도형: 다

5 (평행선 사이의 거리)
　 =(변 ㅇㅅ)+(변 ㅂㅁ)+(변 ㄹㄷ)
　 =2.5+3+4=9.5 (cm)

6 평행선과 한 직선이 만날 때 생기는 엇갈린 위치에 있는 두 각의 크기는 같으므로
ⓒ=60°
⇨ ㉠=180°-45°-60°=75°

1 4개　　　　　　　　**2** ②

3 연우　　　　　　　　**4** 125, 55

5 8 cm　　　　　　　**6** 44 cm

1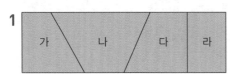

가, 나, 다, 라 모두 평행한 변이 한 쌍이라도 있는 사각형이므로 사다리꼴입니다.

2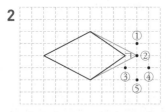

점 ㄱ을 ②로 옮겨 네 변의 길이가 모두 같도록 만듭니다.

3 연우: 마름모는 네 변의 길이가 같지만 항상 네 각의 크기가 모두 같지는 않습니다.

4 한 직선이 이루는 각의 크기는 180°이므로
　(각 ㄴㄷㄹ)=180°-125°=55°
　⇨ 평행사변형에서 이웃한 두 각의 크기의 합은 180°이므로 (각 ㄷㄹㄱ)=180°-55°=125°

> **다른 풀이**
> 평행선과 한 직선이 만날 때 생기는 엇갈린 위치에 있는 각의 크기는 같으므로 (각 ㄷㄹㄱ)=125°
> ⇨ (각 ㄴㄷㄹ)=180°-125°=55°

5 마름모는 네 변의 길이가 모두 같습니다.
　(마름모의 한 변)=32÷4=8 (cm)

6 (평행사변형의 네 변의 길이의 합)
　 =10+18+10+18=56 (cm)
　⇨ 1 m=100 cm이므로
　　(남은 철사)=100-56=44 (cm)

1 (1) ○ (2) × (3) ○

2 정사각형　　　　　　**3** ㉠, ㉣

4 사다리꼴, 평행사변형, 직사각형에 ○표

5 ④

6 예 직사각형은 네 변의 길이가 모두 같은 것은 아니기 때문에 정사각형이 아닙니다.

1 (2) 평행사변형은 네 변의 길이가 모두 같은 것은 아니기 때문에 마름모가 아닙니다.

2 ・마주 보는 두 쌍의 변이 서로 평행한 사각형:
　평행사변형, 마름모, 직사각형, (정사각형)
　・네 각의 크기가 모두 같은 사각형:
　직사각형, (정사각형)
　・네 변의 길이가 모두 같은 사각형:
　마름모, (정사각형)

3 주어진 사각형은 직사각형입니다. 직사각형은 사다리꼴, 평행사변형이라고 할 수 있습니다.

4 같은 길이의 막대가 2개씩 있으니까 마주 보는 변의 길이가 같은 평행사변형, 직사각형을 만들 수 있습니다. 사다리꼴도 만들 수 있습니다.

5 ④ 정사각형은 마주 보는 두 쌍의 변이 서로 평행하므로 사다리꼴이라고 할 수 있습니다.

1-1 ❶ 25 ❷ 140, 40
　　❸ 25, 40, 65
　　; 65°

1-2 7°　　　**1-3** 70°

2-1 ❶ 8 ❷ 12
　　❸ 8, 12, 20
　　; 20 cm

2-2 36 cm　　**2-3** 8 cm

3-1 ❶ 55 ❷ 55, 135
　　; 135°

3-2 75°　　　**3-3** 35°

4-1 ❶ 120 ❷ 70
　　❸ 120, 70, 50
　　; 50°

4-2 75°　　　**4-3** 125°

5-1 ❶ 90, 90 ❷ 25
　　❸ 25, 65
　　; 65°

5-2 32°　　　**5-3** 40°

6-1 ❶ 7, 15 ❷ 15, 5
　　❸ 7, 5, 19
　　; 19 cm

6-2 37 cm　　**6-3** 42 cm

7-1 ❶ 150, 150, 75 ❷ 75, 105
　　❸ 105
　　; 105°

7-2 50°　　　**7-3** 15°

8-1 ❶ ⑥, ⑧, ⑦, ⑧ ❷ 6
　　; 6개

8-2 12개　　　**8-3** 5개

9-1 ❶ 50 ❷ 55, 50
　　❸ 50, 50, 50, 80
　　; 80°

9-2 86°　　　**9-3** 15°

10-1 [방법 ❶] 나, 60, 90, 160, 60, 90, 160, 50
　　[방법 ❷] 다, 30, 20, 30, 20, 50
　　; 50°

10-2 105°

1-2 직선 가와 직선 나가 만나서 이루는 각의 크기는
90°이므로
　　㉠=90°−55°=35°, ㉡=90°−62°=28°
　　⇨ ㉠−㉡=35°−28°=7°

1-3
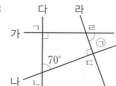

직선 가와 직선 다, 직선 나와 직선 라가 각각 서로
수직이므로 (각 ㄹㄱㄴ)=90°, (각 ㄴㄷㄹ)=90°
⇨ 사각형 ㄱㄴㄷㄹ에서
　　(각 ㄷㄹㄱ)=360°−90°−70°−90°=110°이
므로 ㉠=180°−110°=70°

🔑 문제해결 Key
① 각 ㄷㄹㄱ의 크기를 구합니다.
② ㉠의 각도를 구합니다.

2-2 직선 가와 직선 나 사이의 수선의 길이: 12 cm
직선 나와 직선 다 사이의 수선의 길이: 24 cm
　　⇨ (직선 가와 직선 다 사이의 거리)
　　　=(직선 가와 직선 나 사이의 거리)
　　　　+(직선 나와 직선 다 사이의 거리)
　　　=12+24=36 (cm)

2-3 (직선 나와 직선 다 사이의 거리)
　　=(직선 가와 직선 다 사이의 거리)
　　　+(직선 나와 직선 라 사이의 거리)
　　　−(직선 가와 직선 라 사이의 거리)
　　=20+16−28=8 (cm)

🔑 문제해결 Key
① 직선 가와 직선 다, 직선 나와 직선 라 사이의 거리를
　알아봅니다.
② 직선 나와 직선 다 사이의 거리를 구합니다.

3-2
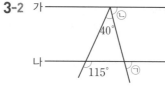

평행선과 한 직선이 만날 때 생기는 같은 위치에 있
는 각의 크기는 같습니다.
　　㉡+40°=115°, ㉡=115°−40°=75°
　　⇨ ㉠=㉡=75°

다른 풀이

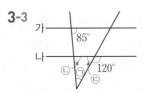

ⓒ=180°−115°=65°

ⓔ=180°−40°−65°=75°

⇨ 맞꼭지각의 크기는 같으므로 ⓐ=ⓔ=75°

3-3

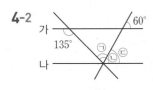

평행선과 한 직선이 만날 때 생기는 같은 위치에 있는 각의 크기는 같으므로 ⓛ=85°

한 직선이 이루는 각의 크기는 180°이므로

ⓒ=180°−120°=60°

⇨ 삼각형의 세 각의 크기의 합은 180°이므로

ⓐ=180°−85°−60°=35°

🔑 문제해결 Key

① ⓛ의 각도를 알아봅니다.

② ⓒ의 각도를 구합니다.

③ ⓐ의 각도를 구합니다.

4-2

평행선과 한 직선이 만날 때 생기는 엇갈린 위치에 있는 각의 크기는 같으므로

ⓛ=135°

평행선과 한 직선이 만날 때 생기는 같은 위치에 있는 각의 크기는 같으므로 ⓒ=60°

⇨ ⓐ=ⓛ−ⓒ=135°−60°=75°

참고

평행선의 성질

① 평행선과 한 직선이 만날 때 생기는 같은 위치에 있는 두 각의 크기는 같습니다.

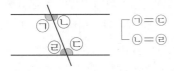

    ㄱ=ㄹ
    ㄴ=ㄷ

② 평행선과 한 직선이 만날 때 생기는 엇갈린 위치에 있는 두 각의 크기는 같습니다.

    ㄱ=ㄷ
    ㄴ=ㄹ

4-3

ⓛ=180°−100°=80°

평행선과 한 직선이 만날 때 생기는 엇갈린 위치에 있는 각의 크기는 같으므로 ⓒ=ⓛ=80°

ⓔ=180°−135°=45°,

ⓜ=180°−80°−45°=55°

⇨ ⓐ=180°−55°=125°

🔑 문제해결 Key

① ⓛ의 각도를 구하여 ⓒ의 각도를 알아봅니다.

② ⓔ의 각도를 구하여 ⓜ의 각도를 구합니다.

③ ⓐ의 각도를 구합니다.

5-2 서로 수직인 직선이 만나서 이루는 각의 크기는 90°이므로 (각 ㄷㅁㄴ)=90°

한 직선이 이루는 각의 크기는 180°이므로

(각 ㄹㅁㄷ)=180°−32°−90°=58°

⇨ 삼각형 ㅁㄷㄹ에서

(각 ㅁㄷㄹ)=180°−58°−90°=32°

다른 풀이

서로 수직인 직선이 만나서 이루는 각의 크기는 90°이므로 (각 ㄷㅁㄴ)=90°

평행선과 한 직선이 만날 때 생기는 엇갈린 위치에 있는 각의 크기는 같으므로 (각 ㅁㄴㄷ)=32°

⇨ 삼각형 ㅁㄴㄷ에서

(각 ㄴㄷㅁ)=180°−90°−32°=58°이므로

(각 ㅁㄷㄹ)=90°−58°=32°

5-3 서로 수직인 직선이 만나서 이루는 각의 크기는 90°이므로 (각 ㄱㅁㄹ)=90°

평행선과 한 직선이 만날 때 생기는 엇갈린 위치에 있는 각의 크기는 같으므로 (각 ㅁㄹㄱ)=40°

⇨ 삼각형 ㄱㅁㄹ에서

(각 ㄹㄱㅁ)=180°−40°−90°=50°이므로

(각 ㄴㄱㅁ)=90°−50°=40°

🔑 문제해결 Key

① 각 ㄱㅁㄹ과 각 ㅁㄹㄱ의 크기를 알아봅니다.

② 각 ㄹㄱㅁ의 크기를 구합니다.

③ 각 ㄴㄱㅁ의 크기를 구합니다.

6-2 사각형 ㄱㅁㄷㄹ은 평행사변형이고 평행사변형은 마주 보는 두 변의 길이가 같으므로
(선분 ㄱㅁ)=(선분 ㄹㄷ)=16 cm
(선분 ㅁㄷ)=(선분 ㄱㄹ)=14 cm
(선분 ㄴㅁ)=(선분 ㄴㄷ)-(선분 ㅁㄷ)
　　　　　=22-14=8 (cm)
⇨ (삼각형 ㄱㄴㅁ의 세 변의 길이의 합)
　　=13+8+16=37 (cm)

6-3 평행사변형 ㄱㄴㄷㄹ에서 이웃한 두 각의 크기의 합은 180°이므로 (각 ㅁㄱㄴ)=180°-120°=60°
삼각형 ㄱㄴㅁ에서
(각 ㄱㅁㄴ)=180°-60°-60°=60°
→ 삼각형 ㄱㄴㅁ은 정삼각형입니다.
(변 ㄱㅁ)=(변 ㄱㄴ)=8 cm이므로
(변 ㄱㄹ)=(변 ㄱㅁ)+(변 ㅁㄹ)
　　　　　=8+5=13 (cm)
⇨ (평행사변형 ㄱㄴㄷㄹ의 네 변의 길이의 합)
　　=13+8+13+8=42 (cm)

> 🔑 **문제해결 Key**
> ① 각 ㅁㄱㄴ의 크기를 구합니다.
> ② 각 ㄱㅁㄴ의 크기를 구해 삼각형 ㄱㄴㅁ이 정삼각형임을 알아봅니다.
> ③ 변 ㄱㄹ의 길이를 구합니다.
> ④ 평행사변형 ㄱㄴㄷㄹ의 네 변의 길이의 합을 구합니다.

7-2 마름모에서 이웃한 두 각의 크기의 합은 180°이므로 (각 ㅂㄷㄹ)=180°-100°=80°
⇨ (각 ㄴㄷㅂ)=210°-80°=130°이고 평행사변형에서 이웃한 두 각의 크기의 합은 180°이므로
(각 ㄱㄴㄷ)=180°-130°=50°

7-3 마름모에서 이웃한 두 각의 크기의 합은 180°이므로 (각 ㄷㅂㄱ)=180°-120°=60°
(각 ㄱㅂㅁ)=60°+90°=150°이고
삼각형 ㅂㄱㅁ은 이등변삼각형이므로
(각 ㅂㄱㅁ)+(각 ㅂㅁㄱ)=180°-150°=30°
⇨ (각 ㅂㄱㅁ)=(각 ㅂㅁㄱ)이므로
(각 ㅂㄱㅁ)=30°÷2=15°

> 🔑 **문제해결 Key**
> ① 각 ㄷㅂㄱ의 크기를 구합니다.
> ② 각 ㄱㅂㅁ의 크기를 구합니다.
> ③ 각 ㅂㄱㅁ의 크기를 구합니다.

8-2

- 도형 2개로 이루어진 평행사변형:
①+②, ②+③, ④+⑤, ⑤+⑥, ⑥+⑦, ⑦+⑧, ①+⑤, ③+⑦ → 8개
- 도형 4개로 이루어진 평행사변형:
②+①+⑤+④, ②+③+⑦+⑧, ④+⑤+⑥+⑦, ⑤+⑥+⑦+⑧ → 4개
⇨ (크고 작은 평행사변형의 개수)=8+4=12(개)

8-3

- 사다리꼴:
①+②, ②+③, ④+⑤, ⑤+⑥, ②+⑤, ①+②+③, ④+⑤+⑥, ①+②+③+④+⑤+⑥ → 8개
- 마름모:
②+⑤, ①+②+③, ④+⑤+⑥ → 3개
⇨ (사다리꼴과 마름모의 개수의 차)=8-3=5(개)

> 🔑 **문제해결 Key**
> ① 크고 작은 사다리꼴의 개수를 구합니다.
> ② 크고 작은 마름모의 개수를 구합니다.
> ③ ①과 ②에서 구한 개수의 차를 구합니다.

9-2 평행사변형에서 이웃한 두 각의 크기의 합은 180°이므로 63°+(각 ㅂㄱㄷ)+70°=180°,
(각 ㅂㄱㄷ)=180°-70°-63°=47°
(각 ㄱㄹㄷ)=(각 ㄷㄹㄱ)=70°이므로
삼각형 ㄱㄴㄷ에서
(각 ㄴㄷㄱ)=180°-63°-70°=47°
⇨ (각 ㅂㄷㄱ)=(각 ㄴㄷㄱ)=47°이므로
삼각형 ㄱㅂㄷ에서
(각 ㄱㅂㄷ)=180°-47°-47°=86°

> **다른 풀이**
> 평행사변형에서 이웃한 두 각의 크기의 합은 180°이므로 63°+(각 ㅂㄱㄷ)+70°=180°,
> (각 ㅂㄱㄷ)=180°-70°-63°=47°
> 평행선과 한 직선이 만날 때 생기는 엇갈린 위치에 있는 각의 크기는 같으므로 (각 ㄴㄷㄱ)=(각 ㅂㄱㄷ)=47°
> ⇨ (각 ㅂㄷㄱ)=(각 ㄴㄷㄱ)=47°이므로 삼각형 ㄱㅂㄷ에서 (각 ㄱㅂㄷ)=180°-47°-47°=86°

4 단원

9-3 마름모에서 이웃한 두 각의 크기의 합은 180°이므로 (각 ㄴㄷㅂ)=180°−105°=75°

(각 ㄴㅁㅂ)=(각 ㄴㄷㅂ)=75°이므로

삼각형 ㅁㄴㅂ에서

(각 ㅁㄴㅂ)=180°−75°−60°=45°

⇨ (각 ㄷㄴㅂ)=(각 ㅁㄴㅂ)=45°이므로

(각 ㄱㄴㅁ)=105°−45°−45°=15°

> 🔑 **문제해결 Key**
>
> ① 각 ㄴㄷㅂ의 크기를 구합니다.
>
> ② 각 ㅁㄴㅂ의 크기를 구합니다.
>
> ③ 각 ㄱㄴㅁ의 크기를 구합니다.

> **다른 풀이**
>
> 마름모에서 이웃한 두 각의 크기의 합은 180°이므로
>
> (각 ㄴㄷㅂ)=180°−105°=75°
>
> (각 ㄷㅂㄴ)=(각 ㅁㅂㄴ)=60°이고 평행선과 한 직선이 만날 때 생기는 엇갈린 위치에 있는 각의 크기는 같으므로 (각 ㄱㄴㅂ)=(각 ㄷㅂㄴ)=60°
>
> (각 ㄴㅁㅂ)=(각 ㄴㄷㅂ)=75°이므로
>
> (각 ㅁㄴㅂ)=180°−75°−60°=45°
>
> ⇨ (각 ㄱㄴㅁ)=60°−45°=15°

10-2

점 ㄱ에서 직선 나에 수선을 긋습니다.

(각 ㄴㄱㄹ)=90°−60°=30°, (각 ㄱㄹㄷ)=90°,

(각 ㄹㄷㄴ)=180°−45°=135°

⇨ (각 ㄱㄴㄷ)=360°−30°−90°−135°=105°

> 🔑 **문제해결 Key**
>
> ① 점 ㄱ에서 직선 나에 수선을 그어 봅니다.
>
> ② 각 ㄴㄱㄹ의 크기를 구합니다.
>
> ③ 각 ㄱㄹㄷ의 크기를 알아봅니다.
>
> ④ 각 ㄹㄷㄴ의 크기를 구합니다.
>
> ⑤ 각 ㄱㄴㄷ의 크기를 구합니다.

> **다른 풀이**
>
> 직선 가와 평행한 직선 다를 긋습니다.
>
> 평행선과 한 직선이 만날 때 생기는 엇갈린 위치에 있는 각의 크기는 같으므로 ㉠=60°, ㉡=45°
>
> ⇨ (각 ㄱㄴㄷ)=㉠+㉡=60°+45°=105°

STEP 3 **Master 심화** **98~103쪽**

01 2개	**02** 9쌍
03 ①, ③, ④	**04** 4개
05 15 cm	**06** 89°
07 60°	**08** 72 cm
09 9개	**10** 80°
11 87°	**12** 90°
13 111°	**14** 105°
15 60°	**16** 115°
17 40°	**18** 140°

01 수선이 있는 글자: I, T, E

평행선이 있는 글자: I, E

⇨ 수선도 있고 평행선도 있는 글자: I, E (2개)

> 🔑 **문제해결 Key**
>
> ① 수선이 있는 글자를 찾아봅니다.
>
> ② 평행선이 있는 글자를 찾아봅니다.
>
> ③ 수선도 있고 평행선도 있는 글자를 찾아봅니다.

02

①과 ⑧, ①과 ④, ⑧과 ④, ②와 ⑦, ②와 ⑤, ⑦과 ⑤, ⑥과 ⑨, ⑥과 ③, ⑨와 ③ ⇨ 9쌍

> 🔑 **문제해결 Key**
>
> ① 도형에서 평행선을 모두 찾아봅니다.
>
> ② 평행선은 모두 몇 쌍인지 알아봅니다.

03

자른 종이를 펼치면 왼쪽 그림과 같이 마름모가 됩니다.

⇨ 마름모는 평행사변형, 사다리꼴이라고 할 수 있습니다.

> 🔑 **문제해결 Key**
>
> ① 자른 종이를 펼쳤을 때 어떤 도형이 되는지 알아봅니다.
>
> ② ①의 도형의 이름이 될 수 있는 것을 모두 찾습니다.

04

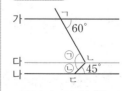

직선 가와 평행한 직선은 모두 4개 그을 수 있습니다.

문제해결 Key
① 직선 가와 평행한 직선을 그어 봅니다.
② 직선 가와 평행한 직선은 모두 몇 개 그을 수 있는지 알아봅니다.

05 (나의 한 변)=3+2=5 (cm)

(다의 한 변)=5+2=7 (cm)

➡ (변 ㄱㄴ과 변 ㄹㄷ 사이의 거리)

   =3+5+7=15 (cm)

문제해결 Key
① 정사각형 나의 한 변의 길이를 구합니다.
② 정사각형 다의 한 변의 길이를 구합니다.
③ 변 ㄱㄴ과 변 ㄹㄷ 사이의 거리를 구합니다.

06

평행선과 한 직선이 만날 때 생기는 엇갈린 위치에 있는 각의 크기는 같으므로 ㉡=36°

➡ 한 직선이 이루는 각의 크기는 180°이므로

   ㉠=180°−55°−36°=89°

문제해결 Key
① 평행선의 성질을 이용하여 ㉡의 각도를 알아봅니다.
② ㉠의 각도를 구합니다.

다른 풀이

평행선과 한 직선이 만날 때 생기는 엇갈린 위치에 있는 각의 크기는 같으므로 ㉢=55°

➡ 삼각형의 세 각의 크기의 합은 180°이므로

   ㉠=180°−55°−36°=89°

07

삼각형의 세 각의 크기의 합은 180°이므로

㉡=180°−30°−30°=120°

평행선과 한 직선이 만날 때 생기는 같은 위치에 있는 각의 크기는 같으므로 ㉢=㉡=120°

➡ ㉠=180°−㉢=180°−120°=60°

문제해결 Key
① ㉡의 각도를 구합니다.
② 평행선의 성질을 이용하여 ㉢의 각도를 알아봅니다.
③ ㉠의 각도를 구합니다.

다른 풀이

평행선과 한 직선이 만날 때 생기는 같은 위치에 있는 각의 크기는 같으므로 ㉣=30°

➡ ㉢=180°−30°−30°=120°이므로

   ㉠=180°−㉢=180°−120°=60°

08

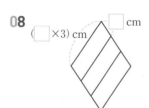

평행사변형의 짧은 변의 길이를 □ cm라 하면

긴 변의 길이는 (□×3) cm입니다.

□+□×3+□+□×3=48, □×8=48, □=6

↳□+□+□

➡ (마름모의 한 변)=6×3=18 (cm)이므로

   (마름모의 네 변의 길이의 합)=18×4=72 (cm)

문제해결 Key
① 평행사변형의 짧은 변의 길이를 구합니다.
② 마름모의 한 변의 길이를 구합니다.
③ 마름모의 네 변의 길이의 합을 구합니다.

09

• 작은 도형 1개인 사다리꼴: ㉣, ㉫ → 2개
• 작은 도형 2개로 이루어진 사다리꼴:
  ㉢+㉣, ㉣+㉤, ㉤+㉫ → 3개
• 작은 도형 3개로 이루어진 사다리꼴:
  ㉢+㉣+㉤, ㉣+㉤+㉫ → 2개
• 작은 도형 4개로 이루어진 사다리꼴:
  ㉢+㉣+㉤+㉫ → 1개
• 작은 도형 7개로 이루어진 사다리꼴:
  ㉠+㉡+㉢+㉣+㉤+㉫+㉪ → 1개

➡ (크고 작은 사다리꼴의 개수)
   =2+3+2+1+1=9(개)

문제해결 Key
① 작은 도형 1개, 2개, 3개, 4개, 7개로 이루어진 사다리꼴의 개수를 각각 구합니다.
② ①에서 구한 사다리꼴의 개수의 합을 구합니다.

10 선분 ㄱㄷ과 선분 ㄴㄹ이 서로 수직으로 만나므로
(각 ㄹㅁㄷ)=90°
삼각형 ㄹㅁㄷ에서
(각 ㅁㄷㄹ)=180°−40°−90°=50°
한 직선이 이루는 각의 크기는 180°이므로
(각 ㄴㄷㄱ)=180°−50°−85°=45°
➡ 삼각형 ㄱㄴㄷ에서
(각 ㄱㄴㄷ)=180°−35°−45°=100°이므로
㉠=180°−100°=80°

> **문제해결 Key**
> ① 각 ㅁㄷㄹ의 크기를 구합니다.
> ② 각 ㄴㄷㄱ의 크기를 구합니다.
> ③ 각 ㄱㄴㄷ의 크기를 구합니다.
> ④ ㉠의 각도를 구합니다.

11 삼각형 ㄱㄴㄷ은 (변 ㄱㄴ)=(변 ㄴㄷ)이므로
이등변삼각형입니다.
(각 ㄴㄷㄱ)+(각 ㄷㄱㄴ)=180°−54°=126°,
(각 ㄴㄷㄱ)=(각 ㄷㄱㄴ)이므로
(각 ㄴㄷㄱ)=126°÷2=63°
➡ (각 ㄷㄱㅁ)=180°−60°−90°=30°이므로
㉠=180°−30°−63°=87°

> **문제해결 Key**
> ① 삼각형 ㄱㄴㄷ은 이등변삼각형임을 이용하여
>   각 ㄴㄷㄱ의 크기를 구합니다.
> ② 각 ㄷㄱㅁ의 크기를 구합니다.
> ③ ㉠의 각도를 구합니다.

12

㉡×8=360°이므로 ㉡=360°÷8=45°
마름모에서 이웃한 두 각의 크기의 합은 180°이므로
㉢=180°−45°=135°
➡ ㉠=360°−135°−135°=90°

> **문제해결 Key**
> ① ㉡의 각도를 구합니다.
> ② 마름모의 성질을 이용하여 ㉢의 각도를 구합니다.
> ③ ㉠의 각도를 구합니다.

13

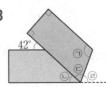

평행선과 한 직선이 만날 때 생기는 같은 위치에 있는 각의 크기는 같으므로 ㉡=42°
㉢+㉣=180°−42°=138°
→ 접은 각과 접힌 각의 크기는 같으므로
   ㉢=㉣=138°÷2=69°
➡ ㉠=360°−90°−90°−69°=111°

> **문제해결 Key**
> ① 평행선의 성질을 이용하여 ㉡의 각도를 알아봅니다.
> ② ㉢의 각도를 구합니다.
> ③ ㉠의 각도를 구합니다.

14 사각형 ㄱㄴㄷㅅ과 사각형 ㄱㄷㄹㅅ은 마름모이고,
사각형 ㅅㄹㅁㅂ은 정사각형이므로 네 변의 길이가
모두 같습니다.
→ 삼각형 ㄱㄷㅅ과 삼각형 ㅅㄷㄹ은 정삼각형이고,
   삼각형 ㄷㄹㅁ은 이등변삼각형입니다.
삼각형 ㄷㄹㅁ에서
(각 ㄷㄹㅁ)=60°+90°=150°,
(각 ㅁㄷㄹ)+(각 ㄹㅁㄷ)=180°−150°=30°
→ (각 ㅁㄷㄹ)=(각 ㄹㅁㄷ)이므로
   (각 ㅁㄷㄹ)=30°÷2=15°
➡ (각 ㄱㄷㅁ)=60°+60°−15°=105°

> **문제해결 Key**
> ① 각 ㄷㄹㅁ의 크기를 구합니다.
> ② 삼각형 ㄷㄹㅁ이 이등변삼각형임을 이용하여
>   각 ㅁㄷㄹ의 크기를 구합니다.
> ③ 각 ㄱㄷㅁ의 크기를 구합니다.

15

평행선과 한 직선이 만날 때 생기는 같은 위치에 있는 각의 크기는 같으므로 ㉠+㉡=180°
㉡=㉠×2이므로
㉠+㉠×2=180°,
㉠×3=180°, ㉠=60°
➡ ㉡=60°×2=120°이므로
   ㉡−㉠=120°−60°=60°

> **문제해결 Key**
> ① 평행선의 성질을 이용하여 ㉠의 각도를 구합니다.
> ② ㉡의 각도를 구합니다.
> ③ ㉠과 ㉡의 각도의 차를 구합니다.

16

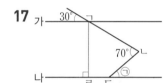

ⓒ$=180°-140°=40°$

평행선과 한 직선이 만날 때 생기는 엇갈린 위치에 있는 각의 크기는 같으므로 ⓜ$=$ⓒ$=40°$

ⓔ$=180°-$ⓐ$-40°=140°-$ⓐ,

ⓑ$=180°-$ⓛ$-25°=155°-$ⓛ

$\Rightarrow$ ⓔ$+$ⓑ$=\underline{140°-ⓐ}+\underline{155°-ⓛ}=180°$,
　　　　　　$\rightarrow$ⓔ　　$\rightarrow$ⓑ

ⓐ$+$ⓛ$=140°+155°-180°=115°$

🔑 **문제해결 Key**

① ⓒ의 각도를 구하여 ⓜ의 각도를 알아봅니다.
② ⓔ과 ⓑ의 각도를 식으로 각각 나타냅니다.
③ ⓐ과 ⓛ의 각도의 합을 구합니다.

17

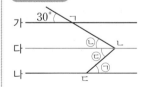

점 ㄱ에서 직선 나에 수선을 긋습니다.

(각 ㄴㄱㄹ)$=180°-30°-90°=60°$이고

(각 ㄱㄹㄷ)$=90°$

(각 ㄹㄷㄴ)$=360°-60°-90°-70°=140°$

$\Rightarrow$ ⓐ$=180°-140°=40°$

🔑 **문제해결 Key**

① 점 ㄱ에서 직선 나에 수선을 그어 봅니다.
② 각 ㄴㄱㄹ의 크기를 구합니다.
③ 각 ㄱㄹㄷ의 크기를 알아봅니다.
④ 각 ㄹㄷㄴ의 크기를 구합니다.
⑤ ⓐ의 각도를 구합니다.

다른 풀이

직선 가와 평행한 직선 다를 긋습니다.

평행선과 한 직선이 만날 때 생기는 같은 위치에 있는 각과 엇갈린 위치에 있는 각의 크기는 각각 같으므로

ⓛ$=30°$, ⓒ$=$ⓐ

$\Rightarrow$ $30°+$ⓐ$=70°$, ⓐ$=40°$

18 사각형 ㄱㄴㄷㄹ은 마름모입니다. 그림과 같이 마름모 모양의 종이를 접어서 <u>각 ㄴㄱㅂ과 각 ㅂㄱㅇ의 크기를 같게</u> 만들었습니다. 각 ㅁㅅㅇ의 크기를 구하시오. └→(각 ㄴㄱㅂ)$=$(각 ㅂㄱㅇ)

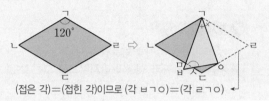

(접은 각)$=$(접힌 각)이므로 (각 ㅂㄱㅇ)$=$(각 ㄹㄱㅇ)←

마름모에서 이웃한 두 각의 크기의 합은 180°이므로

(각 ㄱㄴㄷ)$=$(각 ㄱㄹㄷ)$=180°-120°=60°$

(각 ㄴㄱㅂ)$=$(각 ㅂㄱㅇ)이고

접은 각과 접힌 각의 크기는 같으므로

(각 ㄴㄱㅂ)$=$(각 ㅂㄱㅇ)$=$(각 ㄹㄱㅇ)
　　　　　$=120°\div3=40°$,

(각 ㄴㄱㅇ)$=40°\times2=80°$

(각 ㄱㅇㅂ)$=$(각 ㄱㅇㄹ)$=180°-40°-60°=80°$

$\Rightarrow$ 사각형 ㄱㄴㅅㅇ에서

(각 ㅁㅅㅇ)$=360°-60°-80°-80°=140°$

STEP 4 **Top 최고수준** **104~105쪽**

01 220° **02** 5 cm

03 20개 **04** 40°

05 70°

01

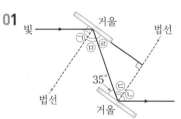

평행하게 놓인 각 거울에 수직인 선분인 법선을 그립니다.

ⓒ$=90°-35°=55°$

→ (입사각)$=$(반사각)이므로 ⓛ$=55°+55°=110°$

ⓔ$=180°-90°-55°=35°$이므로

ⓜ$=90°-35°=55°$

→ (입사각)$=$(반사각)이므로 ⓐ$=55°+55°=110°$

$\Rightarrow$ ⓐ$+$ⓛ$=110°+110°=220°$

다른 풀이

평행선과 한 직선이 만날 때 생기는 엇갈린 위치에 있는 각의 크기는 같으므로 ⓜ$=$ⓒ$=90°-35°=55°$

(입사각)$=$(반사각)이므로 ⓐ$=$ⓛ$=55°+55°=110°$

$\Rightarrow$ ⓐ$+$ⓛ$=110°+110°=220°$

4
단원

02

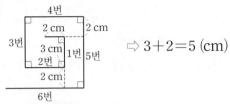

$\Rightarrow 3+2=5\,(\mathrm{cm})$

03

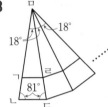

사다리꼴 ㄱㄴㄷㄹ에서 선분 ㄴㄱ의 연장선과 선분 ㄷㄹ의 연장선이 만나는 점을 ㅁ이라 하면 삼각형 ㅁㄴㄷ은 이등변삼각형입니다.

→ (각 ㄴㅁㄷ)$=180°-81°-81°=18°$

⇨ 원의 중심각은 $360°$이므로 이어 붙일 수 있는 사다리꼴은 모두 $360°÷18°=20$(개)입니다.

04

그림에서 직선 가와 직선 나는 서로 평행합니다. 각 ㄱㄴㄹ의 크기는 각 ㄹㄴㄷ의 크기의 3배일 때, 각 ㄴㄹㄷ의 크기를 구하시오.

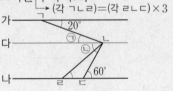

→ (각 ㄱㄴㄹ)=(각 ㄹㄴㄷ)×3

직선 가와 평행한 직선 다를 긋습니다.
평행선과 한 직선이 만날 때 생기는 엇갈린 위치에 있는 각의 크기는 같으므로

㉠$=20°$, ㉡$=60°$, (각 ㄴㄹㄷ)=㉡-(각 ㄹㄴㄷ)

이고 (각 ㄱㄴㄷ)=㉠+㉡$=20°+60°=80°$

(각 ㄹㄴㄷ)=□라 하면
(각 ㄱㄴㄹ)=□×3이므로

□×3+□$=80°$, □×4$=80°$, □$=20°$

⇨ (각 ㄴㄹㄷ)=㉡-(각 ㄹㄴㄷ)
$\quad\quad\quad\quad\quad =60°-20°=40°$

다른 풀이

점 ㄱ에서 직선 나에 수선을 긋습니다.

(각 ㄴㄱㅁ)$=90°-20°=70°$, (각 ㄱㅁㄷ)$=90°$,
(각 ㅁㄷㄴ)$=180°-60°=120°$
사각형 ㄱㅁㄷㄴ에서
(각 ㄷㄴㄱ)$=360°-70°-90°-120°=80°$
(각 ㄹㄴㄷ)=□라 하면
(각 ㄱㄴㄹ)=□×3이므로
□×3+□$=80°$, □×4$=80°$, □$=20°$
⇨ 삼각형 ㄴㄹㄷ에서
(각 ㄴㄹㄷ)$=180°-20°-120°=40°$

05 • 사각형 ㄱㅈㄷㄹ은 평행사변형이므로
(각 ㄹㄱㅈ)=(각 ㅈㄷㄹ)$=65°$
(각 ㄱㅈㄷ)$=180°-65°=115°$
(각 ㄴㅈㄱ)$=180°-115°=65°$
(각 ㄴㄱㅈ)$=180°-65°-65°=50°$
(각 ㅈㄱㅇ)=(각 ㄴㄱㅈ)$=50°$이므로
(각 ㅇㄱㄹ)$=65°-50°=15°$
같은 방법으로 (각 ㅂㄹㄱ)$=15°$
→ 삼각형 ㄱㅁㄹ에서
㉠$=180°-15°-15°=150°$
• (각 ㄱㅇㅈ)=(각 ㄱㄴㅈ)$=65°$
(각 ㄹㅂㅊ)=(각 ㄹㄷㅊ)$=65°$
(각 ㅂㅁㅇ)=㉠$=150°$(맞꼭지각)
→ 사각형 ㅁㅂㅅㅇ에서
㉡$=360°-150°-65°-65°=80°$
⇨ ㉠-㉡$=150°-80°=70°$

5 꺾은선그래프

1 날짜, 키

2 2, 4, 5, 7, 11

3 7일과 9일 사이

4
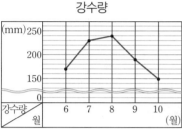
강수량

5 ㉡

6 90 mm

1 가로는 날짜, 세로는 키를 나타냅니다.

2 세로 눈금 5칸이 5 cm를 나타내므로
(세로 눈금 한 칸의 크기)=5÷5=1 (cm)

3 선이 가장 많이 기울어진 때를 찾습니다.

4 필요 없는 부분 0 mm~150 mm 사이에
≈(물결선)을 그립니다.

5 ㉡ 강수량이 전달에 비해 줄어든 달:
선이 오른쪽 아래로 기울어진 때로 9월과 10월입니다.

6 강수량이 가장 많은 때: 8월(240 mm)
강수량이 가장 적은 때: 10월(150 mm)
⇨ (강수량의 차)=240−150=90 (mm)

┌─ 다른 풀이 ─┐
세로 눈금 한 칸의 크기: 10 mm
8월과 10월의 세로 눈금의 차: 9칸
⇨ (강수량의 차)=10×9=90 (mm)

1 학생 수, 연도

2

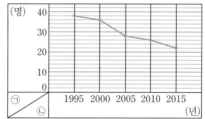
학급당 학생 수

3 2000년과 2005년 사이

4 식물 (나)

5 식물 (다)

6 식물 (가)
; 예 선이 올라가지 않다가 다시 내려가기 때문입니다.

1 가로에는 연도, 세로에는 학생 수를 씁니다.

3 선이 가장 많이 기울어진 때를 찾습니다.

4 시간이 지나면서 선이 점점 많이 기울어지는 그래프를 찾습니다.

5 시간이 지나면서 선이 점점 적게 기울어지는 그래프를 찾습니다.

5
단원

1-1 ❶ 2
❷ 26, 22, 98
❸ 98, 98000
; 98000원

1-2 508000원

1-3 1800개

2-1 ❶ 6, 6, 5
❷ 수, 9, 45
; 45분

2-2 510권

2-3 500, 1000

3-1 ❶ 12, 14, 12, 14, 15
❷ 15, 7, 8
; 8회

3-2 60명

3-3 270권

4-1 ❶ 목

❷ 34, 30, 34, 30, 4

; 목요일, 4회

4-2 7월, 0.5 cm

4-3 가은, 1.3 kg

5-1 ❶ 80, 160, 240, 320, 400 ; 80

❷ 80, 400, 80, 480

; 480 m

5-2 36 L

5-3 66 cm

6-1 ❶ 0.1, 0.1, 27.2, 13.6

❷ 13.6, 13.7

❸ 0.1

;

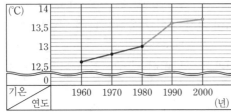

우리나라의 연평균 기온

6-2

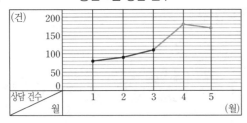

층간소음 상담 건수

7-1 ❶ 38, 42

❷ 42, 38, 4

❸ 4, 2

; 2칸

7-2 10칸

7-3 10대

1-2 세로 눈금 5칸이 10줄을 나타내므로

(세로 눈금 한 칸의 크기)=10÷5=2(줄)

(조사한 기간의 김밥 판매량)

=44+50+54+48+58=254(줄)

⇨ (조사한 기간의 김밥 판매액)

=2000×254=508000(원)

1-3 • 왼쪽 그래프에서

(세로 눈금 한 칸의 크기)=1000÷5=200(개)

이므로

(전체 생산량)

=3400+3800+4200+4800=16200(개)

• 오른쪽 그래프에서

(세로 눈금 한 칸의 크기)=500÷5=100(개)

이므로

(전체 판매량)

=3100+3600+3900+3800=14400(개)

⇨ (팔리지 않고 남은 인형의 수)

=16200-14400=1800(개)

> 🔧 **문제해결 Key**
> ① 인형 전체 생산량을 구합니다.
> ② 인형 전체 판매량을 구합니다.
> ③ 팔리지 않고 남은 인형의 수를 구합니다.

2-2 8월의 세로 눈금 10칸이 100권을 나타내므로

(세로 눈금 한 칸의 크기)=100÷10=10(권)

⇨ (조사한 기간의 책 판매량)

=80+60+100+130+140=510(권)

2-3 세로 눈금 7+11+8+7+10=43(칸)이

4300상자를 나타내므로

(세로 눈금 한 칸의 크기)=4300÷43=100(상자)

⇨ ㉠=100×5=500, ㉡=100×10=1000

> 🔧 **문제해결 Key**
> ① 세로 눈금의 전체 칸 수를 구합니다.
> ② 세로 눈금 한 칸의 크기를 구합니다.
> ③ ㉠과 ㉡에 알맞은 수를 구합니다.

3-2 월요일: 630명, 화요일: 630명, 목요일: 620명,

금요일: 700명

(수요일의 영화관 입장객 수)

=3220-630-630-620-700=640(명)

⇨ (수요일과 금요일의 입장객 수의 차)

=700-640=60(명)

3-3 (1월부터 6월까지의 공책 판매량)

=730000÷500=1460(권)

1월: 230권, 2월: 210권, 3월: 280권,

5월: 250권, 6월: 220권

⇨ (4월의 공책 판매량)

=1460-230-210-280-250-220

=270(권)

4-2 두 사람의 키의 차가 가장 큰 때:
두 꺾은선 사이의 간격이 가장 큰 7월
⇨ 이때의 승준이의 키는 132.1 cm이고
영서의 키는 132.6 cm이므로
(키의 차)$=132.6-132.1=0.5$ (cm)

📎 **다른 풀이**
두 사람의 키의 차가 가장 큰 때:
두 꺾은선 사이의 간격이 가장 큰 7월
⇨ 이때의 세로 눈금의 차는 5칸이고 세로 눈금 한 칸의
크기가 0.1 cm이므로 키의 차는 0.5 cm입니다.

4-3 조사한 기간 동안 민혁이는 $39-38.4=0.6$ (kg)
늘었고, 가은이는 $39.3-38=1.3$ (kg) 늘었습니다.
⇨ 0.6 kg < 1.3 kg이므로 몸무게가 더 많이 늘어
난 사람은 가은입니다.

🔑 **문제해결 Key**
① 조사한 기간 동안 늘어난 민혁이의 몸무게를 구합니다.
② 조사한 기간 동안 늘어난 가은이의 몸무게를 구합니다.
③ ①과 ②에서 구한 몸무게를 비교합니다.

5-2
물의 양

시간(분)	1	2	3	4	5
물의 양(L)	6	12	18	24	30

→ 1분마다 6 L씩 채워집니다.
⇨ (6분 동안 물탱크에 채우는 물의 양)
　$=$(5분 동안 물탱크에 채운 물의 양)$+6$
　$=30+6=36$ (L)

5-3
용수철의 길이

추의 무게(g)	200	400	600	800
용수철의 길이(cm)	30	34	38	42

→ 추의 무게가 200 g씩 늘어날 때마다 용수철의
길이는 4 cm씩 늘어납니다.
2 kg=2000 g이고 $2000-800=1200$ (g)에
서 1200 g은 200 g씩 6번이므로 800 g의 추를
매달았을 때 용수철의 길이에서
$4\times6=24$ (cm) 더 늘어납니다.
⇨ (2 kg의 추를 매달은 용수철의 길이)
　$=42+24=66$ (cm)

6-2 상담 건수를 알아보면
1월: 80건, 2월: 90건, 3월: 110건
(4월과 5월의 상담 건수)
$=630-80-90-110=350$(건)
4월의 상담 건수를 ☐건이라 하면
5월의 상담 건수는 (☐-10)건입니다.
☐$+$☐$-10=350$, ☐$+$☐$=360$, ☐$=180$
⇨ 4월의 상담 건수는 180건,
　(5월의 상담 건수)$=180-10=170$(건)

🔑 **문제해결 Key**
① 4월과 5월의 상담 건수의 합을 구합니다.
② 4월과 5월의 상담 건수를 각각 구합니다.
③ 꺾은선그래프를 완성합니다.

7-2 민규의 줄넘기 횟수는 3일에 180회, 4일에 230회
이므로
(줄넘기 횟수의 차)$=230-180=50$(회)입니다.
⇨ 세로 눈금 한 칸의 크기를 5회로 하면 세로 눈금
은 $50\div5=10$(칸) 차이가 납니다.

7-3 자동차 생산량이 가장 많은 달: 5월 (2280대)
자동차 생산량이 가장 적은 달: 2월 (2020대)
⇨ 자동차 생산량의 차가 $2280-2020=260$(대)
이고 260대가 26칸을 차지하므로 세로 눈금 한
칸의 크기를 $260\div26=10$(대)로 하여 그린 것
입니다.

🔑 **문제해결 Key**
① 자동차 생산량이 가장 많은 달과 가장 적은 달의 생
산량의 차를 구합니다.
② 다시 그린 그래프의 세로 눈금 한 칸의 크기를 구합
니다.

5
단원

STEP 3 Master 심화 119~123쪽

01 ⓔ 15 ℃ (13 ℃와 17 ℃ 사이로 답하면 정답입니다.)
; ⓔ 오후 2시의 온도인 17 ℃와 오후 4시의 온도
인 13 ℃의 중간이 15 ℃이기 때문입니다.

02 4일, 600000원   **03** 4 kg

04 서윤, 16점   **05** 30

06 11000원   **07** 22

08 (개) 회사   **09** 5명

10

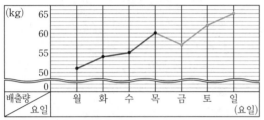

음식물 쓰레기 배출량

11 68900원

12

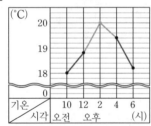

기온

13 30만 달러

14 1시간

02 전체 입장료가 전날보다 줄어든 날은 선이 오른쪽
아래로 내려간 때이므로 4일입니다.
⇨ 전날보다 390−360=30(명) 줄었으므로 전체
입장료는 20000×30=600000(원) 줄었습니다.

> **참고**
>
> 오른쪽이 올라감.
> ⇨ 입장객이 늘어남.
> 오른쪽이 내려감.
> ⇨ 입장객이 줄어듦.

> **문제해결 Key**
> ① 전체 입장료가 전날보다 줄어든 날을 찾습니다.
> ② 줄어든 전체 입장료를 구합니다.

03 성원이의 몸무게가 전년에 비해 가장 많이 늘어난 때:
선이 오른쪽 위로 가장 많이 기울어진 10살
⇨ 9살의 윤아의 몸무게: 23 kg
10살의 윤아의 몸무게: 27 kg
10살의 윤아의 몸무게는 9살에 비해
27−23=4 (kg) 늘었습니다.

> **문제해결 Key**
> ① 성원이의 몸무게가 전년에 비해 가장 많이 늘어난 때
> 를 찾습니다.
> ② ①에서 찾은 때에 윤아의 몸무게가 전년에 비해 몇
> kg 늘었는지 구합니다.

04 성수: 98−84=14(점)
서윤: 92−76=16(점)
⇨ 14점<16점이므로 3월에 비해 7월의 수학 점수
가 더 많이 오른 사람은 서윤입니다.

> **문제해결 Key**
> ① 성수의 3월에 비해 7월의 오른 성적을 구합니다.
> ② 서윤이의 3월에 비해 7월의 오른 성적을 구합니다.
> ③ ①과 ②에서 구한 성적을 비교합니다.

> **다른 풀이**
> 3월과 7월의 세로 눈금의 차를 알아보면
> 성수: 7칸, 서윤: 8칸
> ⇨ 7칸<8칸이고 세로 눈금 한 칸의 크기가 2점이므로
> 수학 점수가 더 많이 오른 사람은 서윤이고
> 2×8=16(점) 올랐습니다.

05 세로 눈금 4+6+9+8+10=37(칸)이
74회를 나타내므로
(세로 눈금 한 칸의 크기)=74÷37=2(회)
⇨ ㉠=2×5=10, ㉡=2×10=20이므로
㉠+㉡=10+20=30

> **문제해결 Key**
> ① 세로 눈금의 전체 칸 수를 구합니다.
> ② 세로 눈금 한 칸의 크기를 구합니다.
> ③ ㉠+㉡을 구합니다.

06 실선이 점선보다 위에 있으면 저금한 금액이 더 많
은 것이므로 차이난 금액만큼 더하고, 실선이 점선
보다 아래에 있으면 찾은 금액이 더 많은 것이므로
차이난 금액만큼 뺍니다.
⇨ (6월 30일에 통장에 남아 있는 돈)
=2000+7000+5000−5000+6000−4000
=11000(원)

> **문제해결 Key**
> ① 매달 저금한 금액과 찾은 금액의 차를 알아봅니다.
> ② 6월 30일에 통장에 남아 있는 돈을 구합니다.

다른 풀이

(6개월 동안 저금한 금액)
＝25000＋28000＋27000＋22000＋30000＋25000
＝157000(원)
(6개월 동안 찾은 금액)
＝23000＋21000＋22000＋27000＋24000＋29000
＝146000(원)
⇨ 157000－146000＝11000(원)

07 월요일부터 금요일까지 방문객 수의 합이 90명이므로
15＋20＋17＋㉠＋16＝90, 68＋㉠＝90,
90－68＝㉠, ㉠＝22

문제해결 Key
① 월요일부터 금요일까지 방문객 수의 합을 알아봅니다.
② ㉠을 구합니다.

08 (가) 회사: 14000－7000＝7000(대)
(나) 회사: 12000－10000＝2000(대)
⇨ 7000대＞2000대이므로 판매량의 차가 더 큰 회
사는 (가) 회사입니다.

다른 풀이

• (가) 회사
세로 눈금 한 칸의 크기: 1000대
2017년과 2015년의 세로 눈금의 차: 7칸
→ 1000×7＝7000(대)
• (나) 회사
세로 눈금 한 칸의 크기: 200대
2016년과 2014년의 세로 눈금의 차: 10칸
→ 200×10＝2000(대)
⇨ 7000대＞2000대이므로 판매량의 차가 더 큰 회사
는 (가) 회사입니다.

09 학생 수가 가장 많은 해: 2014년 (290명)
학생 수가 가장 적은 해: 2017년 (210명)
⇨ 학생 수의 차가 290－210＝80(명)이고 80명이
16칸을 차지하므로 세로 눈금 한 칸의 크기를
80÷16＝5(명)으로 하여 그린 것입니다.

문제해결 Key
① 학생 수가 가장 많은 해와 가장 적은 해의 학생 수의
차를 구합니다.
② 다시 그린 그래프의 세로 눈금 한 칸의 크기를 구합
니다.

10 토요일의 음식물 쓰레기 배출량을 □kg이라고 하면
금요일은 (□－5) kg, 일요일은 (□＋3) kg입니다.
51＋54＋55＋60＋(□－5)＋□＋(□＋3)
＝404, □×3＝186, □＝62
⇨ 음식물 쓰레기 배출량은
금요일이 62－5＝57 (kg), 토요일이 62 kg,
일요일이 62＋3＝65 (kg)입니다.

문제해결 Key
① 금요일, 토요일, 일요일의 음식물 쓰레기 배출량을
각각 구합니다.
② 꺾은선그래프를 완성합니다.

11 전기 사용량이 두 번째로 많이 나온 달은 사용량이
420 kWh인 2월입니다.
420 kWh의 기본요금은 7300원입니다.
⇨ (2월의 전기 요금)   420＝200＋200＋20
＝7300＋200×93＋200×187＋20×280
＝7300＋18600＋37400＋5600＝68900(원)

문제해결 Key
① 전기 사용량이 두 번째로 많이 나온 달을 찾습니다.
② ①에서 찾은 달의 전기 요금을 구합니다.

12 낮 12시의 기온은 18.8 ℃이고
오후 4시의 기온은 19.4 ℃입니다.
오후 4시의 기온은 낮 12시의 기온보다
19.4－18.8＝0.6 (℃) 높으므로
오후 2시의 기온은 낮 12시보다 0.6 ℃의 2배인
0.6＋0.6＝1.2 (℃) 높습니다.
⇨ (오후 2시의 기온)＝18.8＋1.2＝20 (℃)

다른 풀이

오후 2시부터 오후 4시까지 내려간 기온이 □ ℃라면
낮 12시부터 오후 2시까지 올라간 기온은 (□×2) ℃입
니다.
□×2－□＝19.4－18.8, □＝0.6
⇨ (오후 2시의 기온)＝18.8＋0.6＋0.6＝20 (℃)

13 • 전년에 비해 외국인 관광객이 늘어난 해:
2015년, 2016년
• 전년에 비해 관광 수입액이 줄어든 해:
2016년, 2017년
⇨ 전년에 비해 외국인 관광객은 늘었지만 관광 수
입액은 줄어든 해는 2016년입니다.
2016년의 관광 수입액은 690만 달러이고
2015년의 관광 수입액은 720만 달러이므로
720만－690만＝30만 (달러) 줄었습니다.

5
단원

14 • 기차는 30분 동안 60 km를 달리므로 180 km를 가려면 30분씩 $180 \div 60 = 3$(번)이므로
$30 \times 3 = 90$(분)
→ 1시간 30분이 걸립니다.

• 버스는 30분 동안 36 km를 달리므로 180 km를 가려면 30분씩 $180 \div 36 = 5$(번)이므로
$30 \times 5 = 150$(분)
→ 2시간 30분이 걸립니다.

⇨ 기차는 버스보다
2시간 30분 − 1시간 30분 = 1시간 더 빨리 도착합니다.

STEP 4 **Top** 최고수준 **124 ~ 125쪽**

01 5000000원 **02** 물, 8분
03 10분 **04** 55분

01

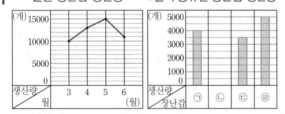

월별 장난감 생산량   5월의 종류별 장난감 생산량

왼쪽 꺾은선그래프에서 5월의 장난감 전체 생산량은 15000개입니다.
오른쪽 막대그래프에서 5월의 장난감 생산량이
장난감 ㉠: 4000개, 장난감 ㉢: 3500개,
장난감 ㉣: 5000개이므로
(5월에 생산한 장난감 ㉡의 개수)
$= 15000 - 4000 - 3500 - 5000 = 2500$(개)
⇨ 장난감 ㉡ 한 개의 가격이 2000원이므로
(5월에 생산한 장난감 ㉡을 판 돈)
$= 2000 \times 2500 = 5000000$(원)

02

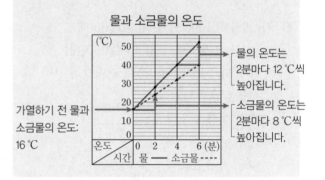

물을 가열하면 온도가 100 ℃일 때 끓기 시작하지만 소금물을 가열하면 100 ℃보다 높은 온도에서 끓기 시작합니다. 또한 소금물이 끓게 되면 물은 날아가고 소금은 그대로 남아 있어 온도는 계속 올라갑니다. 다음은 16 ℃인 물과 소금물을 각각 알코올램프로 가열할 때의 온도를 나타낸 꺾은선그래프입니다. 물과 소금물의 온도가 끓을 때까지 각각 일정하게 높아지고 소금물은 104 ℃일 때 끓기 시작했습니다. 물과 소금물을 동시에 가열했을 때 어느 것이 몇 분 먼저 끓었습니까?

물과 소금물의 온도

(세로 눈금 한 칸의 크기) $= 10 \div 5 = 2$ (℃)
• 물의 온도는 2분마다 세로 눈금 6칸의 크기인
$2 \times 6 = 12$ (℃)씩 높아지므로
1분마다 $12 \div 2 = 6$ (℃)씩 높아집니다.
→ 16 ℃인 물이 100 ℃가 되려면
$100 - 16 = 84$ (℃),
$84 \div 6 = 14$(분)이 걸립니다.
• 소금물의 온도는 2분마다 세로 눈금 4칸의 크기인
$2 \times 4 = 8$ (℃)씩 높아지므로
1분마다 $8 \div 2 = 4$ (℃)씩 높아집니다.
→ 16 ℃인 소금물이 104 ℃가 되려면
$104 - 16 = 88$ (℃), $88 \div 4 = 22$(분)이 걸립니다.
⇨ 물이 $22 - 14 = 8$(분) 먼저 끓었습니다.

03

준영이와 어머니가 집에서 1800 m 떨어진 공원까지 가는 데 걸린 시간과 거리의 관계를 나타낸 꺾은선그래프입니다. 준영이는 어머니와 동시에 출발하여 일정한 빠르기로 걷다가 20분 후 뛰기 시작하여 어머니와 동시에 도착했습니다. 이와 같은 빠르기로 <u>준영이가 처음부터 뛴다면 어머니보다 몇 분 빨리 도착하겠습니까?</u>

25분에 도착 ← └→25분−(준영이가 처음부터 뛴다면 공원까지 가는 데 걸리는 시간)

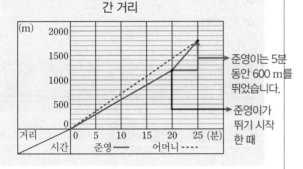

간 거리

준영 ── 어머니 ----

준영이는 5분 동안 600 m를 뛰었습니다.

준영이가 뛰기 시작한 때

준영이는 25−20=5(분) 동안

1800−1200=600 (m)를 뛰었으므로

(준영이가 1분 동안 뛴 거리)

=600÷5=120 (m)

⇨ (준영이가 처음부터 뛴다면 공원까지 가는 데 걸리는 시간)

=1800÷120=15(분)이므로

어머니보다 25−15=10(분) 빨리 도착합니다.

🔑 **문제해결 Key**

① 준영이가 1분 동안 뛴 거리를 구합니다.

② 준영이가 처음부터 뛴다면 공원까지 가는 데 걸리는 시간을 구합니다.

③ ②에서 구한 시간과 어머니가 공원까지 가는 데 걸린 시간의 차를 구합니다.

04

일정한 양의 물이 나오는 2개의 수도꼭지 ㉠과 ㉡이 있습니다. 200 L들이의 통에 2개의 수도꼭지로 물을 받다가 도중에 수도꼭지 ㉡을 잠갔을 때 통에 담기는 물의 양을 나타낸 꺾은선그래프입니다. 들이가 210 L인 물통에 수도꼭지 ㉠으로만 먼저 30분 동안 물을 받은 후 수도꼭지 ㉡으로만 물을 받으려고 합니다. 이 물통에 처음부터 물을 가득 채우는 데 걸리는 시간은 몇 분입니까? → 30분+(수도꼭지 ㉡으로만 받는 시간)

꺾은선의 기울기가 달라진 때

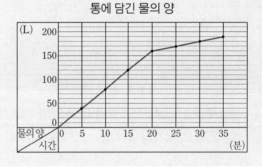

통에 담긴 물의 양

꺾은선그래프를 보면 2개의 수도꼭지로 5분 동안 받은 물의 양이 40 L이므로

(2개의 수도꼭지에서 1분 동안 나오는 물의 양)

=40÷5=8 (L)

20분부터 꺾은선의 기울기가 달라졌으므로 20분에 수도꼭지 ㉡을 잠근 것입니다.

20분부터 35분까지 15분 동안 받은 물의 양이

190−160=30 (L)이므로

(수도꼭지 ㉠에서 1분 동안 나오는 물의 양)

=30÷15=2 (L)

(수도꼭지 ㉡에서 1분 동안 나오는 물의 양)

=8−2=6 (L)

따라서 들이가 210 L인 물통에 수도꼭지 ㉠으로 30분 동안 2×30=60 (L)의 물을 받고 나머지 210−60=150 (L)를 수도꼭지 ㉡으로 가득 채우는 데에는 150÷6=25(분)이 걸립니다.

⇨ (들이가 210 L인 물통에 물을 가득 채우는 데 걸리는 시간)=30+25=55(분)

🔑 **문제해결 Key**

① 2개의 수도꼭지에서 1분 동안 나오는 물의 양을 구합니다.

② 수도꼭지 ㉠에서 1분 동안 나오는 물의 양을 구합니다.

③ 수도꼭지 ㉡에서 1분 동안 나오는 물의 양을 구합니다.

④ 들이가 210 L인 물통에 물을 가득 채우는 데 걸리는 시간을 구합니다.

5 단원

6 다각형

1 칠각형

2 예 다각형은 선분으로만 둘러싸인 도형인데 곡선도 있기 때문에 다각형이 아닙니다.

3 다 ; 예 네 각의 크기는 같지만 네 변의 길이가 모두 같지 않기 때문에 정다각형이 아닙니다.

4 135°

5 정구각형

6 72°

---

1 ㉠ 5개 ㉡ 4개 ㉢ 7개 ㉣ 6개
➡ 7>6>5>4이므로 변의 수가 가장 많은 다각형은 ㉢이고 칠각형입니다.

2 선분으로만 둘러싸인 도형을 다각형이라고 합니다.

3 변의 길이가 모두 같고, 각의 크기가 모두 같은 다각형을 정다각형이라고 합니다.

4

정팔각형은 삼각형 6개로 나눌 수 있으므로
(정팔각형의 모든 각의 크기의 합)
$=180° \times 6 = 1080°$
➡ (정팔각형의 한 각의 크기)$=1080° \div 8 = 135°$

> 다른 풀이
> (정팔각형의 한 각의 크기)$=180° \times (8-2) \div 8$
> $=180° \times 6 \div 8$
> $=1080° \div 8 = 135°$

5 정다각형은 변의 길이가 모두 같으므로
변은 $81 \div 9 = 9$(개)입니다. ➡ 정구각형

6

정오각형은 삼각형 3개로 나눌 수 있으므로
(정오각형의 모든 각의 크기의 합)$=180° \times 3 = 540°$
(정오각형의 한 각의 크기)$=540° \div 5 = 108°$
➡ ㉠$=180° - 108° = 72°$

1 다

2 예

4 35개

5 4개

6 15 cm

---

1 두 대각선이 서로 수직으로 만나고 길이가 같은 사각형 ➡ 정사각형

2 예

3 여러 가지 방법으로 만들 수 있습니다.

4 (십각형의 대각선의 수)$=(10-3) \times 10 \div 2$
$=7 \times 10 \div 2 = 35$(개)

5 [도형] ➡ 4개

6 직사각형의 두 대각선은 길이가 같고 한 대각선이 다른 대각선을 반으로 나눕니다.
➡ (선분 ㅁㄷ)$=$(선분 ㄱㄷ)$\div 2 =$(선분 ㄴㄹ)$\div 2$
$=30 \div 2 = 15$ (cm)

1-1 ❶ ㄷㅁ, 7.2
　　❷ 15
　　❸ 18, 7.2, 15, 40.2
　　; 40.2 cm

1-2 36 cm

1-3 24 cm

2-1 ❶ 120
　　❷ 5, 40
　　❸ 120, 40, 3
　　; 3개

2-2 4개

2-3 정팔각형

2-4 6 cm

3-1 ❶ 3, 9
　　❷ 5, 20
　　❸ 9, 20, 29
　　; 29개

3-2 22개

3-3 칠각형

4-1 ❶ 3, 1080
　　❷ 1080, 135
　　❸ 135, 45
　　; 45°

4-2 20°

4-3 120°

5-1 ❶ 6, 3
　　❷ 5, 3, 3, 3, 15
　　❸ 15, 30
　　; 30개

5-2 40개

6-1 ❶ 180, 360
　　❷ 360, 720
　　❸ 360, 720, 1080
　　; 1080°

6-2 36°

1-2

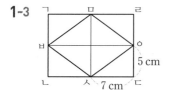

직사각형의 두 대각선은 길이가 같고 한 대각선이
다른 대각선을 반으로 나누므로
(선분 ㄱㅁ)=(선분 ㄴㅁ)=26÷2=13 (cm)
⇨ (색칠한 삼각형의 세 변의 길이의 합)
　　=10+13+13=36 (cm)

1-3

마름모에서 한 대각선은 다른 대각선을 반으로 나눕
니다.
(선분 ㅂㅇ)=(선분 ㄴㄷ)=7+7=14 (cm)
(선분 ㅁㅅ)=(선분 ㄹㄷ)=5+5=10 (cm)
⇨ (마름모 ㅁㅂㅅㅇ의 모든 대각선의 길이의 합)
　　=14+10=24 (cm)

2-2 (전체 끈의 길이)=36×5=180 (cm)
(정구각형을 한 개 만드는 데 필요한 끈의 길이)
　　=5×9=45 (cm)
⇨ (만들 수 있는 정구각형의 수)=180÷45=4(개)

2-3 (사용한 색 테이프의 길이)=70−14=56 (cm)
(만든 정다각형의 변의 수)=56÷7=8(개)
⇨ 변이 8개인 정다각형이므로 정팔각형입니다.

2-4 (전체 철사의 길이)=15×8=120 (cm)
(정사각형을 한 개 만드는 데 사용한 철사의 길이)
　　=120÷5=24 (cm)
⇨ (만든 정사각형의 한 변)=24÷4=6 (cm)

> **🔑 문제해결 Key**
> ① 전체 철사의 길이를 구합니다.
> ② 정사각형을 한 개 만드는 데 사용한 철사의 길이를
> 　 구합니다.
> ③ 만든 정사각형의 한 변의 길이를 구합니다.

3-2 • (오각형의 한 꼭짓점에서 그을 수 있는 대각선의 수)
　　=5−3=2(개)이므로
　　(오각형의 대각선의 수)=2×5÷2=5(개)
• (구각형의 한 꼭짓점에서 그을 수 있는 대각선의 수)
　　=9−3=6(개)이므로
　　(구각형의 대각선의 수)=6×9÷2=27(개)
⇨ (대각선의 수의 차)=27−5=22(개)

3-3 □각형에 그을 수 있는 대각선의 수는
(□−3)×□÷2입니다.
(□−3)×□÷2=14, (□−3)×□=28, □=7
⇨ 선호가 그린 다각형은 칠각형입니다.

> **🔑 문제해결 Key**
> ① 선호가 그린 다각형의 꼭짓점의 수를 구합니다.
> ② 선호가 그린 다각형의 이름을 씁니다.

4-2 정구각형은 삼각형 7개로 나눌
수 있으므로
(정구각형의 모든 각의 크기의 합)
　　=180°×7=1260°
(정구각형의 한 각의 크기)=1260°÷9=140°
(변 ㄱㄴ)=(변 ㄴㄷ)이므로
삼각형 ㄱㄴㄷ은 이등변삼각형입니다.
(각 ㄴㄷㄱ)+(각 ㄷㄱㄴ)=180°−140°=40°
⇨ (각 ㄴㄷㄱ)=(각 ㄷㄱㄴ)이므로
　　(각 ㄴㄷㄱ)=40°÷2=20°

6
단원

4-3

정육각형은 사각형 2개로 나눌 수 있으므로
(정육각형의 모든 각의 크기의 합)
$=360° \times 2 = 720°$
(정육각형의 한 각의 크기)$=720° \div 6 = 120°$

(변 ㄴㄷ)=(변 ㄷㄹ)이므로
삼각형 ㄴㄷㄹ은 이등변삼각형입니다.
(각 ㄷㄹㄴ)+(각 ㄹㄴㄷ)$=180° - 120° = 60°$,
(각 ㄷㄹㄴ)=(각 ㄹㄴㄷ)이므로
(각 ㄷㄹㄴ)$=60° \div 2 = 30°$
같은 방법으로 삼각형 ㅁㄷㄹ도 이등변삼각형이고
(각 ㅁㄷㄹ)$=30°$입니다.
⇨ (각 ㄷㅅㄹ)$=180° - 30° - 30° = 120°$

🔑 **문제해결 Key**
① 정육각형의 한 각의 크기를 구합니다.
② 삼각형 ㄴㄷㄹ과 삼각형 ㅁㄷㄹ이 이등변삼각형임을 알고 각 ㄷㄹㄴ과 각 ㅁㄷㄹ의 크기를 각각 구합니다.
③ 각 ㄷㅅㄹ의 크기를 구합니다.

5-2 직각삼각형 모양 조각 2개를 오른쪽 그림과 같이 이어 붙이면 한 변이 7 cm인 정사각형을 만들 수 있습니다.

정사각형 모양 조각으로 가로가 35 cm, 세로가 28 cm인 직사각형을 채우려면
가로에 $35 \div 7 = 5$(개)씩, 세로에 $28 \div 7 = 4$(개)씩 필요합니다.
⇨ (필요한 정사각형 모양 조각의 수)
  $=5 \times 4 = 20$(개)이므로
  (필요한 직각삼각형 모양 조각의 수)
  $=20 \times 2 = 40$(개)

🔑 **문제해결 Key**
① 직각삼각형 모양 조각 2개를 이어 붙여 정사각형을 만들어 봅니다.
② ①에서 만든 정사각형 모양 조각이 몇 개 필요한 지 구합니다.
③ 필요한 직각삼각형 모양 조각의 수를 구합니다.

6-2 그림을 다음과 같이 단순화시켜 생각해 봅니다.

정오각형은 삼각형 3개로 나눌 수 있으므로
(정오각형의 모든 각의 크기의 합)
$=180° \times 3 = 540°$
(정오각형의 한 각의 크기)$=540° \div 5 = 108°$
(변 ㄱㄴ)=(변 ㄴㄷ)이므로
삼각형 ㄱㄴㄷ은 이등변삼각형입니다.
(각 ㄴㄷㄱ)+(각 ㄷㄱㄴ)$=180° - 108° = 72°$,
(각 ㄴㄷㄱ)=(각 ㄷㄱㄴ)이므로
(각 ㄷㄱㄴ)$=72° \div 2 = 36°$
같은 방법으로 삼각형 ㄱㄹㅁ도 이등변삼각형이고
(각 ㅁㄱㄹ)$=36°$입니다.
⇨ ㉠$=108° - 36° - 36° = 36°$

🔑 **문제해결 Key**
① 정오각형의 한 각의 크기를 구합니다.
② 삼각형 ㄱㄴㄷ과 삼각형 ㄱㄹㅁ이 이등변삼각형임을 알고 각 ㄷㄱㄴ과 각 ㅁㄱㄹ의 크기를 각각 구합니다.
③ ㉠의 각도를 구합니다.

STEP 3 Master 심화   138~141쪽

01 $30°$
02 가
03 10 cm
04 $62°$
05 $117°$
06 15개
07 정십각형
08 18개
09 36 cm
10 3가지
11 48 cm
12 $72°$

01

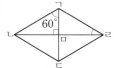

마름모의 두 대각선이 이루는 각의 크기는 90°이므로 삼각형 ㄱㄴㅁ에서

(각 ㄱㄴㅁ)=180°−60°−90°=30°

⇨ 삼각형 ㄱㄴㄹ은 이등변삼각형이므로

(각 ㄱㄹㄴ)=(각 ㄱㄴㄹ)=30°

> 📍 **문제해결 Key**
> ① 각 ㄱㄴㅁ의 크기를 구합니다.
> ② 각 ㄱㄹㄴ의 크기를 알아봅니다.

02

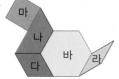

⇨ 사용하지 않은 조각은 가입니다.

> 📍 **문제해결 Key**
> ① 주어진 모양에 모양 조각을 놓아 봅니다.
> ② 사용하지 않은 모양 조각을 찾습니다.

03 (큰 정사각형의 한 변)=(원의 지름)

　　　　　　　=(선분 ㄱㄷ)=20 cm

정사각형은 한 대각선이 다른 대각선을 반으로 나누므로

(선분 ㄱㅇ)=(선분 ㄱㄷ)÷2=20÷2=10 (cm)

> 📍 **문제해결 Key**
> ① 선분 ㄱㄷ의 길이를 알아봅니다.
> ② 정사각형의 대각선의 성질을 이용하여 선분 ㄱㅇ의 길이를 구합니다.

04 (각 ㄴㅁㄱ)=180°−124°=56°

직사각형은 두 대각선의 길이가 같고 한 대각선이 다른 대각선을 반으로 나누므로

삼각형 ㄱㄴㅁ은 (선분 ㄱㅁ)=(선분 ㄴㅁ)인 이등변삼각형입니다.

(각 ㅁㄱㄴ)+(각 ㄱㄴㅁ)=180°−56°=124°

⇨ (각 ㄱㄴㅁ)=(각 ㅁㄱㄴ)이므로

(각 ㄱㄴㅁ)=124°÷2=62°

> **참고**
> 〈직사각형의 대각선의 성질〉
>
>
>
> ① 두 대각선의 길이가 같습니다.
> ② 한 대각선이 다른 대각선을 반으로 나눕니다.

> 📍 **문제해결 Key**
> ① 각 ㄴㅁㄱ의 크기를 구합니다.
> ② 삼각형 ㄱㄴㅁ이 이등변삼각형임을 알고 각 ㄱㄴㄹ의 크기를 구합니다.

05

• 정오각형은 삼각형 3개로 나눌 수 있으므로

(정오각형의 모든 각의 크기의 합)

＝180°×3=540°

(정오각형의 한 각의 크기)=540°÷5=108°

• 정팔각형은 삼각형 6개로 나눌 수 있으므로

(정팔각형의 모든 각의 크기의 합)

＝180°×6=1080°

(정팔각형의 한 각의 크기)=1080°÷8=135°

⇨ ㉠=360°−108°−135°=117°

> 📍 **문제해결 Key**
> ① 정오각형의 한 각의 크기를 구합니다.
> ② 정팔각형의 한 각의 크기를 구합니다.
> ③ ㉠의 각도를 구합니다.

06 • 모양 조각을 가장 많이 사용하는 경우

 → 18개

• 모양 조각을 가장 적게 사용하는 경우

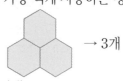 → 3개

⇨ 18−3=15(개)

> 📍 **문제해결 Key**
> ① 모양 조각을 가장 많이 사용하는 경우를 알아봅니다.
> ② 모양 조각을 가장 적게 사용하는 경우를 알아봅니다.
> ③ ①과 ②에서 구한 모양 조각의 개수의 차를 구합니다.

6
단원

07

길이가 84 cm인 철사를 겹치지 않게 사용하여 한 변이 5 cm인 정팔각형과 한 변이 4 cm인 정다각형을 한 개씩 만들었더니 철사가 4 cm 남았습니다. 한 변이 4 cm인 정다각형의 이름을 쓰시오.

84−(정팔각형을 만드는 데 사용한 철사의 길이)
−(한 변이 4 cm인 정다각형을 만드는 데 사용한 철사의 길이)
=4

(정팔각형을 한 개 만드는 데 사용한 철사의 길이)
$=5 \times 8 = 40$ (cm)
한 변이 4 cm인 정다각형의 변의 수를 □개라 하면
$4 \times \square = 84 - 4 - 40$, $4 \times \square = 40$, $\square = 10$
⇨ 변이 10개인 정다각형이므로 정십각형입니다.

🔑 **문제해결 Key**
① 정팔각형을 한 개 만드는 데 사용한 철사의 길이를 구합니다.
② 한 변이 4 cm인 정다각형의 변의 수를 구합니다.
③ 정다각형의 이름을 씁니다.

08 사다리꼴 모양 조각 2개를 오른쪽 그림과 같이 이어 붙이면 평행사변형을 만들 수 있습니다.

만든 평행사변형 모양 조각으로 주어진 평행사변형을 채우려면 다음 그림과 같이 9개 필요합니다.

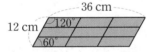

⇨ (필요한 사다리꼴 모양 조각의 수)$=9 \times 2 = 18$(개)

🔑 **문제해결 Key**
① 사다리꼴 2개로 평행사변형을 만들어 봅니다.
② ①에서 만든 평행사변형이 몇 개 필요한 지 구합니다.
③ 필요한 사다리꼴 모양 조각의 수를 구합니다.

09 (각 ㅂㅅㄷ)$=180° - 120° = 60°$
직사각형은 두 대각선의 길이가 같고 한 대각선이 다른 대각선을 반으로 나누므로
(선분 ㅂㅅ)=(선분 ㄷㅅ)$=18 \div 2 = 9$ (cm)
삼각형 ㅂㄷㅅ은 이등변삼각형이므로
(각 ㅅㅂㄷ)+(각 ㅂㄷㅅ)$=180° - 60° = 120°$,
(각 ㅅㅂㄷ)=(각 ㅂㄷㅅ)$=120° \div 2 = 60°$
⇨ 삼각형 ㅂㄷㅅ은 정삼각형이고 한 변이 9 cm이므로
(사각형 ㄱㄴㄷㅂ의 네 변의 길이의 합)
$=9 \times 4 = 36$ (cm)

🔑 **문제해결 Key**
① 각 ㅂㅅㄷ의 크기를 구합니다.
② 선분 ㅂㅅ과 선분 ㄷㅅ의 길이를 구합니다.
③ 삼각형 ㅂㅅㄷ이 정삼각형임을 알아봅니다.
④ 사각형 ㄱㄴㄷㅂ의 네 변의 길이의 합을 구합니다.

10 정삼각형 모양 조각 3개를 이어 붙이는 방법은

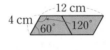 로 1가지입니다.

여기에 남은 1개를 붙이는 방법을 생각합니다.

 , , ⇨ 3가지

🔑 **문제해결 Key**
① 정삼각형 4개를 이어 붙인 모양을 알아봅니다.
② ①에서 알아본 모양은 모두 몇 가지인지 구합니다.

11

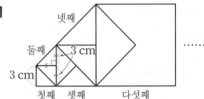

정사각형은 두 대각선의 길이가 같고 서로 수직으로 만나며 한 대각선이 다른 대각선을 반으로 나눕니다.
⇨ 홀수째 정사각형의 한 변은 $\underset{첫째}{3 \text{ cm}}$, $\underset{셋째}{6 \text{ cm}}$,
$\underset{다섯째}{12 \text{ cm}}$ ……로 2배씩 늘어나므로
(7째 정사각형의 한 변)$=12 \times 2 = 24$ (cm)
(9째 정사각형의 한 변)$=24 \times 2 = 48$ (cm)

📎 **참고**
〈정사각형의 대각선의 성질〉

① 두 대각선의 길이가 같습니다.
② 서로 수직으로 만납니다.
③ 한 대각선이 다른 대각선을 반으로 나눕니다.

🔑 **문제해결 Key**
① 정사각형의 대각선의 성질을 이용하여 정사각형의 한 변의 길이의 규칙을 찾습니다.
② 9째 정사각형의 한 변의 길이를 구합니다.

12

정오각형은 삼각형 3개로 나눌 수 있으므로
(정오각형의 모든 각의 크기의 합)
$=180° \times 3 = 540°$
(정오각형의 한 각의 크기)$=540° \div 5 = 108°$

(변 ㄷㄹ)=(변 ㄹㅁ)이므로
삼각형 ㅁㄷㄹ은 이등변삼각형입니다.
(각 ㅁㄷㄹ)+(각 ㄹㅁㄷ)$=180° - 108° = 72°$
→ (각 ㅁㄷㄹ)=(각 ㄹㅁㄷ)이므로
  ㉠$=72° \div 2 = 36°$
같은 방법으로 삼각형 ㄴㄷㄹ도 이등변삼각형이고
(각 ㄴㄷㄹ)$=36°$입니다.
㉡=(각 ㄷㅂㄹ)$=180° - 36° - 36° = 108°$
⇨ ㉡－㉠$=108° - 36° = 72°$

🔑 **문제해결 Key**

① 정오각형의 한 각의 크기를 구합니다.
② 삼각형 ㅁㄷㄹ이 이등변삼각형임을 알고 ㉠의 각도를 구합니다.
③ 삼각형 ㄴㄷㄹ이 이등변삼각형임을 알고 ㉡의 각도를 구합니다.
④ ㉠과 ㉡의 각도의 차를 구합니다.

STEP 4 **Top** 최고수준 **142~143쪽**

01 $360°$
02 ㉠, ㉢
03 $40 \ cm$
04 $14 \ cm$
05 $420 \ cm$
06 $144°$

01

정오각형은 삼각형 3개로 나눌 수 있으므로
(정오각형의 모든 각의 크기의 합)
$=180° \times 3 = 540°$
(㉠+㉡+㉢+㉣+㉤)
+(정오각형의 모든 각의 크기의 합)
=(한 직선이 이루는 각의 크기)$\times 5$
$=180° \times 5 = 900°$
⇨ ㉠+㉡+㉢+㉣+㉤
  $=900° -$(정오각형의 모든 각의 크기의 합)
  $=900° - 540° = 360°$

💬 **다른 풀이**

정오각형은 삼각형 3개로 나눌 수 있으므로
(정오각형의 모든 각의 크기의 합)
$=180° \times 3 = 540°$
(정오각형의 한 각의 크기)$=540° \div 5 = 108°$
⇨ ㉠=㉡=㉢=㉣=㉤$=180° - 108° = 72°$이므로
㉠+㉡+㉢+㉣+㉤$=72° \times 5 = 360°$

02 ㉠ (정사각형의 한 각의 크기)$=360° \div 4 = 90°$
㉡ 정오각형은 삼각형 3개로 나눌 수 있으므로
  (정오각형의 모든 각의 크기의 합)
  $=180° \times 3 = 540°$
  (정오각형의 한 각의 크기)$=540° \div 5 = 108°$
㉢ 정육각형은 사각형 2개로 나눌 수 있으므로
  (정육각형의 모든 각의 크기의 합)
  $=360° \times 2 = 720°$
  (정육각형의 한 각의 크기)$=720° \div 6 = 120°$
㉣ 정팔각형은 사각형 3개로 나눌 수 있으므로
  (정팔각형의 모든 각의 크기의 합)
  $=360° \times 3 = 1080°$
  (정팔각형의 한 각의 크기)$=1080° \div 8 = 135°$
⇨ 테셀레이션을 만들려면 한 점에서 모이는 도형들의 각의 크기의 합이 $360°$가 되어야 하고
  $90° \times 4 = 360°$, $120° \times 3 = 360°$이므로 테셀레이션을 만들 수 있는 도형은 ㉠, ㉢입니다.

🔑 **문제해결 Key**

① 도형 ㉠, ㉡, ㉢, ㉣의 한 각의 크기를 각각 구합니다.
② 테셀레이션을 만들 수 있는 도형을 모두 찾습니다.

03 합이 26이고 차가 2인 두 수는 14, 12이므로 두 대각선은 각각 14 cm와 12 cm입니다.

그림과 같이 마름모의 대각선을 따라 자른 후 이어 붙이는 방법은 2가지입니다.

①

(직사각형의 네 변의 길이의 합)
$= 7 + (6+6) + 7 + (6+6) = 38 \, (cm)$

②

(직사각형의 네 변의 길이의 합)
$= (7+7) + 6 + (7+7) + 6 = 40 \, (cm)$

⇨ 38 cm < 40 cm이므로 가장 긴 직사각형의 네 변의 길이의 합은 40 cm입니다.

> **🔑 문제해결 Key**
> ① 두 대각선의 길이를 구합니다.
> ② 만든 직사각형의 네 변의 길이의 합을 구합니다.
> ③ 가장 긴 직사각형의 네 변의 길이의 합을 찾습니다.

04 정육각형을 정삼각형 6개로 나누어 생각해 보면

(정삼각형 한 곳에 놓을 수 있는 색종이의 수)
$= 300 \div 6 = 50$(장)

한 변이 2 cm일 때 정삼각형 모양의 색종이는 1장
　　└▸2×1

한 변이 4 cm일 때 정삼각형 모양의 색종이는
　　└▸2×2
$1 + 3 = 4$(장)

한 변이 6 cm일 때 정삼각형 모양의 색종이는
　　└▸2×3
$1 + 3 + 5 = 9$(장)

⇨ $1 + 3 + 5 + 7 + 9 + 11 + 13 = 49$(장)이므로 이때 정육각형의 한 변은 $2 \times 7 = 14$ (cm)입니다.

> **🔑 문제해결 Key**
> ① 정육각형을 정삼각형 6개로 나누었을 때 정삼각형 한 곳에 놓을 수 있는 색종이의 수의 규칙을 찾습니다.
> ② 가장 큰 정육각형의 한 변의 길이를 구합니다.

05 그림과 같이 정육각형을 3개씩 묶어 규칙을 찾습니다.

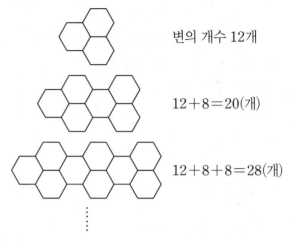

변의 개수 12개

$12 + 8 = 20$(개)

$12 + 8 + 8 = 28$(개)

⇨ 정육각형을 30개 이어 붙인 도형의 둘레의 변의 개수는
$\underbrace{12 + 8 + \cdots\cdots + 8}_{9번} = 12 + 8 \times 9 = 84$(개)이므로

(이어 붙인 도형의 둘레) $= 5 \times 84 = 420$ (cm)

> **🔑 문제해결 Key**
> ① 규칙을 찾습니다.
> ② 정육각형을 30개 이어 붙인 도형의 둘레의 변의 개수를 구합니다.
> ③ 정육각형을 30개 이어 붙인 도형의 둘레를 구합니다.

06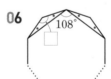

정다각형이므로 •으로 표시한 각의 크기는 모두 같습니다.

정다각형의 한 각의 크기를 □라 하면
삼각형의 세 각의 크기의 합은 180°이므로
$\square + \bullet + \bullet = 180°$, $\bullet + \bullet = 180° - \square$ ······ ①
$\bullet + 108° + \bullet = \square$, $\bullet + \bullet = \square - 108°$ ······ ②

⇨ ①과 ②에서
$180° - \square = \square - 108°$, $\square + \square = 180° + 108°$,
$\square + \square = 288°$, $\square = 144°$

40년의 역사
전국 초·중학생 213만 명의 선택

HME 학력평가
해법수학 · 해법국어

응시 학년
수학 | 초등 1학년 ~ 중학 3학년
국어 | 초등 1학년 ~ 초등 6학년

응시 횟수
수학 | 연 2회 (6월 / 11월)
국어 | 연 1회 (11월)

주최 **천재교육** | 주관 **한국학력평가 인증연구소** | 후원 **서울교육대학교**

*응시 날짜는 변동될 수 있으며, 더 자세한 내용은 HME 홈페이지에서 확인 바랍니다.

	초등학교	학년	반	번

이름

수학 경시대회·영재원 대비용 심화서

Top of the Top! 1등급의 비밀

최강 TOT

경시대회·영재원 대비

교과서 집필진과 영재원 지도 교사들이
각종 수학 경시대회 및 영재원 빈출 문제를
엄선하여 주제·영역별로 수록

1등급을 넘어 최상위로

종합적 사고가 필요한 창의 융합 문제로
어떤 고난도 문제도 막힘 없이
1등급을 넘어 수학 최상위권에 도전

코딩 수학 문제 수록

최신 교육과정에 맞는 코딩 유형 문제 등
새로운 유형의 심화 문제 수록으로
오류는 Down! 사고력은 Up!

수학 최상위권은
TOT로 차별화!
초1~6(총 6단계)